LA SANTÉ DU CŒUR

Infographie : Chantal Landry
Correction : Brigitte Lépine

**Catalogage avant publication de Bibliothèque et
Archives nationales du Québec et Bibliothèque et
Archives Canada**

Abramson, Beth L., 1966-

La santé du cœur

Traduction de: Heart health for Canadians.
Comprend des réf. bibliogr. et un index.

ISBN 978-2-7619-3679-8

1. Cœur - Maladies. 2. Cœur - Maladies - Prévention.
3. Cœur - Maladies, chez la femme. 4. Femmes - Santé et
hygiène. I. Titre.

RC681.A3714 2013   616.1'2   C2012-942880-9

DISTRIBUTEURS EXCLUSIFS :

Pour le Canada et les États-Unis :
MESSAGERIES ADP*
2315, rue de la Province
Longueuil (Québec) J4G 1G4
Téléphone : 450-640-1237
Télécopieur : 450-674-6237
Internet : www.messageries-adp.com
* filiale du Groupe Sogides inc.,
  filiale de Québecor Média inc.

Pour la France et les autres pays :
INTERFORUM editis
Immeuble Paryseine, 3, allée de la Seine
94854 Ivry CEDEX
Téléphone : 33 (0) 1 49 59 11 56/91
Télécopieur : 33 (0) 1 49 59 11 33
Service commandes France Métropolitaine
Téléphone : 33 (0) 2 38 32 71 00
Télécopieur : 33 (0) 2 38 32 71 28
Internet : www.interforum.fr
Service commandes Export – DOM-TOM
Télécopieur : 33 (0) 2 38 32 78 86
Internet : www.interforum.fr
Courriel : cdes-export@interforum.fr

Pour la Suisse :
INTERFORUM editis SUISSE
Case postale 69 – CH 1701 Fribourg – Suisse
Téléphone : 41 (0) 26 460 80 60
Télécopieur : 41 (0) 26 460 80 68
Internet : www.interforumsuisse.ch
Courriel : office@interforumsuisse.ch
Distributeur : OLF S.A.
ZI. 3, Corminboeuf
Case postale 1061 – CH 1701 Fribourg – Suisse
Commandes :
Téléphone : 41 (0) 26 467 53 33
Télécopieur : 41 (0) 26 467 54 66
Internet : www.olf.ch
Courriel : information@olf.ch

Pour la Belgique et le Luxembourg :
INTERFORUM BENELUX S.A.
Fond Jean-Pâques, 6
B-1348 Louvain-La-Neuve
Téléphone : 32 (0) 10 42 03 20
Télécopieur : 32 (0) 10 41 20 24
Internet : www.interforum.be
Courriel : info@interforum.be

Gouvernement du Québec – Programme de crédit
d'impôt pour l'édition de livres – Gestion SODEC –
www.sodec.gouv.qc.ca

L'Éditeur bénéficie du soutien de la Société de
développement des entreprises culturelles du
Québec pour son programme d'édition.

Conseil des Arts   Canada Council
du Canada   for the Arts

Nous remercions le Conseil des Arts du Canada de
l'aide accordée à notre programme de publication.

Nous remercions le gouvernement du Canada
de son soutien financier pour nos activités de
traduction dans le cadre du Programme national de
traduction pour l'édition du livre.

Nous reconnaissons l'aide financière du gouvernement du Canada par l'entremise du Fonds du livre
du Canada pour nos activités d'édition.

FONDATION MC
DES MALADIES
DU CŒUR
ET DE L'AVC

Dre Beth Abramson, cardiologue

LA SANTÉ DU CŒUR

La prévention en 7 points ♥ La vérité sur le cœur des femmes ♥ Les facteurs de risque ♥ Les symptômes ♥ Du diagnostic aux traitements ♥ Vivre avec une maladie cardiovasculaire

Traduit de l'anglais (Canada)
par Paulette Vanier

LES ÉDITIONS DE
L'HOMME
Une société de Québecor Média

Sur une note personnelle…

À Dolores, ma mère, ma conseillère et mon amie ; je ne serais pas
ce que je suis aujourd'hui sans ton soutien indéfectible.

À Harry, mon père, gentleman, érudit et modèle : tu m'as appris
ce que cela signifiait que d'être un vrai médecin.

Sur une note professionnelle…

À mes patients et à tous ceux que touche la cardiopathie :
ce livre a été écrit à votre intention.

PRÉFACE

Le meilleur traitement de la cardiopathie et de l'AVC consiste à les éviter complètement. Si la chose est certainement possible, cela ne va pas de soi. Il ne suffit pas de bien manger et de faire de l'exercice. Comme la prévention des maladies cardiovasculaires concerne ce qu'on ne peut ni sentir ni voir, on peut atteindre le point critique avant même d'éprouver le moindre symptôme. En l'absence de signes avant-coureurs, on choisit souvent de ne pas changer celles de ses habitudes qui accroissent le risque. Après tout, si on se sent bien, pourquoi s'inquiéterait-on?

Dans *La santé du cœur*, Beth Abramson incite fortement les lecteurs à changer leurs habitudes dès maintenant et propose une série de mesures permettant à chacun de diminuer son risque de cardiopathie et d'AVC. Ses conseils ne sauraient être plus opportuns, étant donné que:

- la cardiopathie et l'AVC provoquent la mort précoce de près d'un Canadien sur trois[1], ce qui correspond à 250 000 années de vie et coûte à notre économie près de 21 milliards de dollars par année[2];
- dans 80 % des cas, on peut prévenir la cardiopathie et l'AVC précoces[3];
- nombre de Canadiens croient, à tort, que la cardiopathie et l'AVC touchent surtout les hommes âgés et s'imaginent être à l'abri du risque jusque tard dans la vie. Ils entretiennent la croyance, tout aussi erronée, que les avancées en chirurgie cardiaque permettent de parer à tout problème éventuel. Or, ils se trompent sur toute la ligne. Un nombre excessivement élevé de Canadiens succombent à la cardiopathie du fait qu'ils sous-estiment la menace qu'elle représente, quel que soit l'âge, le sexe ou le groupe ethnique[4].

Dans ces pages, l'auteur aborde de front les faits troublants relatifs à la cardiopathie et à l'AVC. Cardiologue à l'hôpital St. Michael's de Toronto et directrice de son célèbre centre de prévention et de réadaptation cardiaques, elle est plus que qualifiée pour le faire. Au cours des vingt dernières années, elle a pris soin de milliers de patients et a joué un rôle appréciable comme porte-parole de la Fondation des maladies du cœur et de l'AVC. Sa propre famille a été profondément touchée par le décès par cardiopathie d'un être cher, ce qui donne encore plus de poids à son livre. Elle met d'ailleurs un fort accent sur la prévention de la crise cardiaque et de l'AVC, ainsi que sur la diminution des facteurs de risque, chose qui prend tout son sens quand on sait qu'il suffirait que chacun adopte un mode de vie favorisant la santé cardiaque pour prévenir ces affections dans quatre cas sur cinq. On pourrait ainsi diminuer considérablement le fardeau de notre système de soins de santé tout en permettant à de nombreux Canadiens de jouir plus longtemps de la compagnie de leurs amis et des membres de leur famille. *La santé du cœur* se veut un guide incitant chacun à se faire le défenseur de sa propre santé cardiaque en menant une vie plus saine, en sachant reconnaître les symptômes de la cardiopathie et en posant les questions pertinentes aux médecins et aux autres professionnels de la santé.

Dans ces pages, vous découvrirez également les mesures à prendre en cas de crise cardiaque ou d'AVC. À la Fondation, nous ne sommes que trop conscients du fait que les gens tardent à se faire soigner, avec les conséquences dévastatrices que l'on connaît. Beth Abramson, qui doit faire face fréquemment à cette triste réalité, rappelle donc encore et encore l'importance de faire appel à l'assistance médicale sans tarder. Comme elle le conseille fort judicieusement, n'y pensez pas à deux fois avant de demander de l'aide.

Il est tout aussi important de se faire le défenseur de sa propre santé quand on doit recevoir des soins. Trop souvent, au moment de passer des tests ou d'être hospitalisé, les craintes et l'anxiété prennent le dessus, ce qui fait obstacle à toute prise de décision rationnelle. La solution consiste à recruter des membres de la famille ou des amis qui parleront en votre nom et sauront poser les bonnes questions au sujet des tests, des traitements, des interventions chirurgicales et des médicaments. À cette fin, l'information et les conseils que prodigue l'auteur sont inestimables. Comme elle agit également comme directrice du centre de santé cardiovasculaire des femmes de l'hôpital St. Michael's, elle est parfaitement consciente du fait que, trop souvent, les femmes minimisent leurs symptômes d'AVC ou de crise cardiaque, préférant se charger de leurs tâches au travail ou à la maison plutôt que de communiquer sans délai avec leur médecin ou de composer le 9-1-1. C'est qu'on entretient encore la croyance que les femmes souffrent moins de cardiopathie que les hommes. En conséquence de cet état de fait, elles sont aujourd'hui plus nombreuses à mourir de cardiopathie et d'AVC que ces derniers.

Il importe que les femmes veillent sur leur santé et en fassent une priorité. Elles doivent connaître les signes avant-coureurs de la crise cardiaque et de l'AVC. Dans son chapitre sur les femmes et la cardiopathie, l'auteur s'attache à expliquer la chose en faisant remarquer avec beaucoup de pertinence que si elles ne prennent pas soin d'elles-mêmes, elles ne seront pas là pour s'occuper des autres.

Si les guides de santé sont rarement passionnants, Beth Abramson a réussi à faire de *La santé du cœur* un livre hautement instructif, accessible, de lecture agréable et, par-dessus tout, captivant. Les nombreux exemples tirés de sa vie personnelle et de celle de ses patients contribuent certainement à lui donner vie.

La Fondation des maladies du cœur et de l'AVC se réjouit de la publication de ce livre qui s'inscrit dans le cadre du travail qu'elle mène depuis plus de 60 ans pour faire connaître ces affections et en renverser le cours. Notre mission consiste à travailler main dans la main avec le public dans le but de favoriser un mode de vie sain et d'écarter le risque de cardiopathie et d'AVC. Le travail de Beth Abramson comme cardiologue, porteparole de la Fondation et, désormais, auteur, nous rapproche davantage encore de cet objectif.

Bien sûr, la véritable valeur de *La santé du cœur* se mesure aux bienfaits qu'apporte sa lecture. Je suis convaincu que vous y apprendrez une foule de choses et acquerrez ainsi l'assurance qui vous permettra de vous porter à la défense de la santé de votre propre cœur et de celui de vos proches. À votre santé cardiaque !

David Sculthorpe, chef de la direction,
Fondation des maladies du cœur
et de l'AVC du Canada

INTRODUCTION

Dès que j'ai commencé à pratiquer la médecine, il y a plus de vingt ans, j'ai su que je devais faciliter la prise en charge par les patients et leur famille de leur propre santé en leur fournissant de l'information, des conseils et des solutions. En tant que cardiologue, ma tâche consiste à vous aider à comprendre les enjeux importants concernant votre santé cardiaque. C'est particulièrement vrai pour ceux qui viennent de recevoir un diagnostic médical, qui se rétablissent à la suite d'une crise ou qui veulent simplement prendre les moyens nécessaires pour mener une vie plus saine et plus active. Si vous avez ouvert ce livre, c'est que vous recherchez ce genre d'aide.

La santé du cœur est un guide à la portée de tous dans lequel le cœur et l'appareil cardiovasculaire, avec son réseau de vaisseaux, sont décrits dans le détail, de même que les moyens pour en prendre soin. S'il est vrai que les soins cardiaques sont à la fine pointe de la recherche, ce que vous devez en connaître peut se résumer en concepts simples, accessibles à tout un chacun. Comme on mène constamment de nouvelles études, mon travail consiste à en condenser l'information, de sorte que vous puissiez poser les bonnes questions aux professionnels de la santé. L'objectif est de vous permettre de vous engager sur une voie qui répond véritablement à vos besoins.

Nous sommes tous différents. Certains n'ont qu'une vague idée de ce en quoi consiste la cardiopathie (c'est-à-dire toute maladie du cœur). D'autres se sont fait dire par leur médecin que leur pression artérielle était trop élevée, que leurs taux de cholestérol étaient anormaux et qu'ils devaient perdre du poids. Peut-être savez-vous que votre grand-mère est morte d'une crise cardiaque après avoir passé le cap des soixante-dix ans, mais que vous ignorez si vous êtes génétiquement prédisposé à en souffrir? (Ce n'est pas le cas, comme nous le verrons au chapitre 2.) Peut-être avez-vous vécu un profond traumatisme quand vous, ou un proche, avez dû vous rendre à l'hôpital d'urgence en raison de douleurs thoraciques, ce qui a donné lieu à toute une panoplie de consultations, tests et interventions. Quoi qu'il en soit, votre cœur est désormais au centre de vos préoccupations et vous considérez le futur d'un œil nouveau. Chaque jour qui s'écoule et chaque minute que vous passez dans le bureau du médecin, votre santé vous préoccupe davantage.

Si j'ai écrit ce livre, ce n'est pas uniquement pour répondre à des questions qui sont fréquemment posées, mais aussi pour calmer les inquiétudes. Il existe de nombreux moyens que vous et vos proches pouvez prendre dès aujourd'hui pour veiller à la santé de votre cœur, quels que soient votre âge et votre problème médical. Je vous aiderai à reconnaître les différentes manifestations de la cardiopathie et vous indiquerai ce que vous devez en attendre à chaque étape.

J'ai été pendant plus d'une dizaine d'années porte-parole de la Fondation des maladies du cœur et de l'AVC du Canada, et j'ai vu des milliers de patients prendre la décision de veiller sur leur santé à l'issue d'une crise cardiaque ou d'un autre problème semblable ayant causé des lésions significatives à leur muscle cardiaque. Beaucoup plus rarement ai-je vu des gens dénués de symptômes adopter une attitude proactive, et pourtant, c'est ce qui a le plus d'impact. Les résultats d'études indiquent que, dans 80 % des cas, on peut prévenir la cardiopathie. Mon rôle consiste à vous aider à apporter les changements nécessaires le plus tôt possible dans l'existence afin que vous puissiez accorder la priorité à votre santé cardiaque et adopter un mode de vie en conséquence. La prévention consiste à apporter de petits changements qui exerceront un impact positif à long terme. Je suis bien consciente du fait que, dans notre monde agité, il est difficile de viser des objectifs qui semblent intangibles et lointains, mais c'est rentable et les résultats sont phénoménaux.

Si vous souffrez de cardiopathie ou y êtes prédisposé, vous aurez besoin de médicaments mais aussi de motivation. Certains d'entre vous entreprendront des changements importants, que ce soit arrêter de fumer, manger mieux ou passer ce bilan de santé que vous ne cessez de remettre à plus tard. Quoi qu'il en soit, je vous ferai connaître les principes de base et les outils de la prévention. Nous discuterons de tout ce qu'il est en votre pouvoir de changer dès maintenant. Vous découvrirez aussi ce qui arrive au cœur quand quelque chose va mal, les tests dont disposent les médecins et les traitements correspondant à chaque problème médical. Surtout, vous découvrirez à quel point votre rôle est important dans la détermination de votre futur.

En tant que médecin et défenseur des droits des patients, mon but consiste à vous renseigner sur l'essentiel. Malheureusement, la désinformation en matière de cardiopathie et d'AVC pullule, alimentée en partie par des blogues et des sites Web douteux qui répandent des croyances erronées ou présentent des statistiques dépassées.

Ce livre est aussi complet qu'il peut l'être – ce qui signifie que vous n'aurez pas à naviguer sur Google pour trouver de l'information médicale sur la cardiopathie, une pratique qui peut résulter en désinformation ou en surinformation. Mais si vous souhaitez faire des recherches en ligne, consultez le site de la Fondation des maladies du cœur et de l'AVC du Canada (www.fmcoeur.com), qui présente l'information la plus fiable en la matière.

De nombreux mythes circulent sur la prédisposition à la cardiopathie. Depuis des décennies, les Canadiens se limitent à une définition étroite de cette maladie. Dans notre esprit, la victime classique d'une crise cardiaque ou d'un AVC est un homme d'âge mûr stressé, sédentaire et s'alimentant essentiellement de burgers et de frites. Les femmes sont généralement exclues de ce profil, particulièrement celles qui sont dans la période la plus active de leur existence. On se dit qu'elles souffrent du cancer du sein mais certainement pas d'une crise cardiaque.

Je me suis heurtée à ces croyances erronées d'innombrables fois. En temps que clinicienne, enseignante et directrice du centre de réadaptation de l'hôpital St. Michael, de Toronto, je dois sans cesse rétablir le fait suivant : la cardiopathie frappe les deux sexes indistinctement. Elle constitue la principale menace en matière de santé pour tous les Canadiens, hommes et femmes confondus.

De fait, les maladies cardiovasculaires – crise cardiaque et AVC – sont les premières causes de mortalité dans le monde, comptant pour 30 % de tous les décès. Elles touchent pareillement les hommes et les femmes, se rencontrent dans toutes les classes socioéconomiques, et sont dangereusement associées à la hausse de l'incidence de l'obésité et du tabagisme.

Les dernières statistiques sont stupéfiantes : en 2008, sur les 17,3 millions de décès résultant d'une maladie cardiovasculaire dans le monde, 7,3 millions étaient attribuables à la maladie coronarienne et 6,2 millions à l'AVC, problème qui se caractérise par une atteinte de la fonction cérébrale en raison d'un déficit de l'apport sanguin au cerveau. Et le nombre de personnes atteintes ne fait que croître. On estime que, en 2030, environ 23,6 millions de personnes dans le monde mourront d'une maladie cardiovasculaire. Ce qu'il y a de tragique dans cette situation, c'est qu'on pourrait prévenir bon nombre de ces décès si l'on s'attaquait aux causes réelles, notamment à la pauvreté et à la mauvaise alimentation.

Même dans un pays privilégié comme le Canada, nous ne sommes pas à l'abri des risques. La Fondation des maladies du cœur et de l'AVC estime que, chaque année, 70 000 Canadiens font une crise cardiaque et 50 000, un AVC. Le temps de lire un des chapitres de ce livre, un Canadien mourra de cardiopathie ou d'un AVC. En fait, les maladies cardiovasculaires provoquent un décès sur trois au pays[5]. Par contre, si l'on considère les choses sous leur angle positif, depuis 1952, les décès par maladie cardiovasculaire ont diminué de plus de 75 %. D'un autre côté, un nombre de plus en plus élevé de gens souffrent de cardiopathie ou survivent à un AVC, ce qui constitue un problème de société majeur. La cardiopathie et l'AVC coûtent à l'économie canadienne plus de 20,9 milliards de dollars en soins médicaux, séjours à l'hôpital, pertes de salaire, médicaments et baisse de productivité[6]. À cela s'ajoute l'énorme coût personnel, tant émotionnel que physique, que la maladie impose au patient et à sa famille.

Nous sommes tous, d'une manière ou d'une autre, en étroite relation avec la cardiopathie. Je ne fais pas exception à la règle.

J'ai pour père un excellent cardiologue. Harry m'a appris à écouter les patients. Je crois que chacun devrait avoir un médecin comme Harry Abramson, méthodique, ne se plaignant jamais et sachant que les gens ont besoin qu'on les écoute et qu'on se soucie d'eux. Mon père ne faisait pas que traiter la cardiopathie, il en connaissait les effets de manière très personnelle. Durant des années, son propre père, Ben Abramowitz, a souffert d'angine de poitrine, affection résultant d'un apport insuffisant de sang au cœur. Alors que j'avais 14 ans, il est mort d'une crise cardiaque, ce qui nous a tous porté un coup terrible. Depuis, il nous est souvent arrivé de nous dire, mon père et moi, que si mon grand-père avait vécu à notre époque, le résultat aurait été différent. Aujourd'hui, un patient souffrant d'angine grave subirait une simple intervention au cathéter dans le but de désobstruer l'artère coronaire lésée, et retournerait chez lui le lendemain. Les techniques médicales ont beaucoup évolué. Bien des gens croient encore que toute intervention chirurgicale sur le cœur nécessite de fendre la cage thoracique, mais ce n'est plus le cas. Bien souvent, elles sont minimalement effractives et extrêmement précises. Nous les décrirons aux chapitres 10 à 12.

Mais avant toute chose, il importe de comprendre en quoi consiste exactement la fonction cardiaque (voir chapitre 1) et de savoir reconnaître les signes et symptômes indiquant que le cœur et les vaisseaux sanguins de l'appareil cardiaque sont compromis. Les gens croient trop souvent que les problèmes cardiaques se manifestent de manière évidente, tel qu'on le présente au cinéma : le personnage a l'impression d'avoir un éléphant sur la poitrine. Pourtant, ce n'est pas toujours le cas, comme je l'expliquerai au chapitre 5. Dans ma pratique, je vois continuellement des patients qui n'avaient jamais imaginé que leurs symptômes – essoufflement et douleur au bras – étaient en fait des signes précurseurs d'une crise cardiaque.

Plus on en saura sur les manifestations de la cardiopathie, plus on sauvera de vies. Dans ce livre, aucune question n'est considérée comme absurde et aucun terme n'est laissé sans définition. Tous les concepts médicaux seront explorés d'un point de vue canadien. Je souhaite que, lors de cette consultation tant attendue avec votre médecin, vous en connaissiez tous les aspects importants. Nous disposons au pays d'un système de santé extraordinaire qui nous permet d'avoir accès à des spécialistes de premier plan. Les patients, de même que les membres de leur famille, doivent optimiser leurs relations avec leur médecin et, pour ce faire, être bien informés.

Voyez ce livre comme le seul cours intensif dont vous aurez jamais besoin en matière de santé cardiaque et de cardiopathie. Avec un peu de chance, nous pourrons vous protéger, ainsi que les vôtres, de cette maladie. Mais si ce n'est pas le cas, vous disposerez au moins d'une liste complète de points à vérifier auprès de votre médecin. En matière de protection cardiaque, vous et le médecin en qui vous avez confiance êtes les premières personnes concernées. Tout réseau de soutien bien informé est comme une association essentielle. Une personne ne peut agir sans les autres, et chacun a des intérêts dans la suite des choses. Vous faites désormais partie d'un mouvement de défense de la santé cardiaque. Et vous qui ne pensiez qu'avoir acheté un livre !

PREMIÈRE PARTIE

COMPRENDRE LA CARDIOPATHIE

CHAPITRE 1

ANATOMIE DU CŒUR

« Comment fonctionne mon cœur et
en quoi est-ce important que je le sache ? »

Connaître le cœur, c'est avant tout savoir ce dont il a besoin pour bien fonctionner.

Commençons par le terme « cardiovasculaire », qui est plutôt facile à comprendre quand on le décompose. Si on le traduit librement du latin – que mon prof de langues anciennes me pardonne – *cardio* signifie « cœur » et *vascular*, « vaisseaux sanguins ». Par conséquent, les maladies cardiovasculaires sont celles qui touchent le cœur, les vaisseaux sanguins et l'appareil circulatoire. La bonne compréhension de leurs mécanismes vous aidera à mieux comprendre ce qui se produit quand quelque chose ne tourne pas rond.

Le cœur est situé au milieu de la poitrine, entre les deux poumons, légèrement à gauche du sternum. J'enseigne toujours à mes étudiants internes qu'il est composé de cinq parties principales. Évidemment, c'est plus complexe que cela, autrement je perdrais mon emploi ! Mais, en gros, une personne court un risque quand l'une de ces cinq parties cesse de fonctionner ou présente un problème.

Le cœur ne ressemble en rien aux illustrations figurant sur les cartes de la Saint-Valentin, pas plus qu'il n'a à voir avec Cupidon, son arc et ses flèches. Il a généralement la taille d'un poing, pèse de 270 à 450 g, et est divisé en deux côtés. C'est par le côté droit que le sang vicié (désoxygéné) de l'organisme y entre. Peut-être vous rappelez-vous l'avoir appris à l'école ? Le côté gauche est généralement considéré comme le plus important d'un point de vue médical, étant donné que c'est la « pompe principale », celle qui achemine le sang purifié vers le reste de l'organisme. Chaque côté se subdivise à son tour en une partie haute et une partie basse. En d'autres mots, le cœur comprend quatre chambres, ou cavités : l'oreillette et le ventricule droits, l'oreillette et le ventricule gauches. Les ventricules, ou chambres basses, sont les principales pompes du cœur. Les oreillettes, ou chambres hautes, contribuent à faire circuler le sang dans les ventricules. Les valvules se trouvent entre les chambres (de même qu'entre le ventricule droit et l'artère pulmonaire, et entre le ventricule gauche et l'aorte).

Anatomie interne du cœur

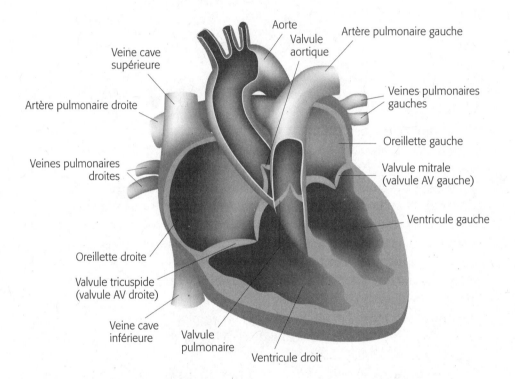

Voici comment le sang arrive au cœur et en ressort : le sang vicié arrive aux poumons depuis la partie droite du cœur. Plus spécifiquement, il passe de l'oreillette droite, à travers la valvule tricuspide, au ventricule droit, à travers la valvule pulmonaire, pour se rendre aux poumons. Une fois là, il est oxygéné. Le sang oxygéné, ou purifié, entre dans l'oreillette gauche, traverse la valvule mitrale, pour se jeter ensuite dans le ventricule gauche. De là, il est acheminé vers le reste de l'organisme en passant par la valvule aortique, puis par l'aorte.

Parcours du sang dans le cœur

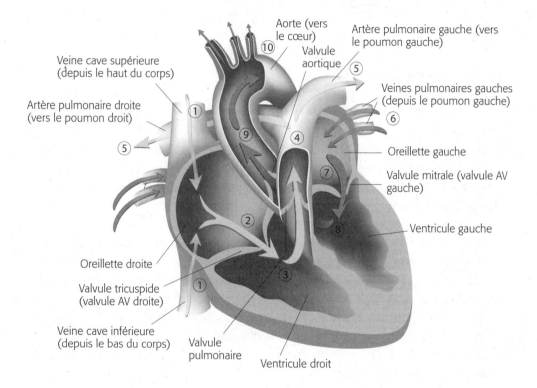

J'espère que cette description est plus claire pour vous qu'elle ne l'était pour moi quand j'ai entrepris mes études de médecine. J'avais 20 ans à l'époque où j'ai atterri à l'école de médecine de l'université de Toronto. Il me fallait alors des heures pour déchiffrer le jargon complexe d'une revue médicale que, aujourd'hui, je parcours en quelques minutes. Bien sûr, à force d'étudier et de m'imprégner du langage médical, les choses se sont éclaircies. Quoi qu'il en soit, aux fins de ce livre, je m'en tiendrai aux concepts de base. Nous verrons maintenant dans le détail chacune des cinq parties du cœur.

Le cœur produit 60 à 100 battements par minute soit, en moyenne, 75. Pour la majorité, cela correspond à 4500 battements à l'heure, à plus de 100 000 par jour et à près de 40 millions par année. Si l'on considère que l'espérance de vie moyenne est de 75 ans – ce qui est nettement sous-estimé – votre cœur battra plus de 3 milliards de fois durant votre existence. Chaque jour, il fait circuler des milliers de litres de sang à travers votre organisme.

LE MUSCLE CARDIAQUE

Le rôle principal du cœur est de pomper le sang à travers l'organisme, y compris vers le cerveau et les organes vitaux. C'est le muscle cardiaque, ou myocarde, qui assume essentiellement cette fonction. Il se différencie des muscles squelettiques et des muscles lisses, les deux autres principaux types de l'organisme, du fait qu'il possède des cellules et des propriétés particulières qui lui confèrent une plus grande résistance. Ainsi, le cœur peut battre tout au long de l'existence sans se fatiguer ou cesser de fonctionner.

Pour décrire l'efficacité du cœur, on emploie en médecine l'expression «fraction d'éjection». Comparons-le à une tasse: normalement, à chaque battement, la moitié du sang qu'elle contient est éjectée, c'est-à-dire évacuée vers le reste de l'organisme. Cette quantité est la fraction d'éjection. En cas d'affaiblissement du muscle cardiaque, la pompe est moins efficace et la fraction d'éjection est plus faible. On observe souvent ce phénomène chez les patients ayant fait une crise cardiaque majeure ou souffrant d'insuffisance cardiaque congestive (voir chapitre 9).

♥ **Ce qu'il faut savoir:** La fraction d'éjection (FE) normale oscille entre 55 et 70%. À moins de 55%, elle est considérée comme faible et à moins de 30%, comme très faible, ce qui constitue un problème grave.

Le muscle cardiaque a une épaisseur d'environ 1 cm. En outre, chez les adultes, il ne change normalement pas de taille ou de couleur. Cependant, divers problèmes peuvent survenir: le muscle peut être détruit, s'affaiblir, ou se raidir et épaissir. En cas de crise cardiaque, le flux sanguin est interrompu et les parties du muscle se trouvant dans la région touchée meurent.

La crise cardiaque résulte du fait que le cœur est alors privé de l'oxygène et des nutriments essentiels qui sont normalement acheminés par le sang. Des anomalies peuvent aussi se présenter, entraînant un épaississement ou un raidissement du muscle, plutôt qu'un affaiblissement, et résultant de divers facteurs, par exemple l'hypertension artérielle ou le diabète. Autant l'affaiblissement que l'épaississement peuvent mener à l'insuffisance cardiaque congestive.

Vous pouvez contribuer à préserver la santé de votre muscle cardiaque en prévenant l'accumulation de plaque dans vos artères (athérosclérose). Mangez sainement, faites régulièrement de l'exercice, ne fumez pas et veillez à ce que votre pression artérielle reste basse, de même que votre taux de « mauvais » cholestérol.

LES ARTÈRES CORONAIRES

Qu'il s'agisse des capillaires, des veines ou des artères, les vaisseaux sanguins acheminent le sang vers les organes et les tissus de l'organisme. Parmi eux, les artères coronaires sont essentielles à la fonction cardiaque. Elles encerclent le cœur comme le ferait une couronne (d'où leur nom, qui vient du latin *corona*). Elles se ramifient à l'aorte, principale artère du corps, et alimentent le cœur en sang. Depuis le cœur, l'artère pulmonaire apporte le sang vicié aux poumons, où il est oxygéné. Les autres artères se chargent alors de le faire circuler dans le reste de l'organisme.

Les artères sont des organes complexes constitués de couches de cellules composées de tissu musculaire et d'endothélium, couche interne aux fonctions importantes. Les cellules endothéliales jouent dans les artères le rôle d'une équipe médicale d'urgence. Elles réagissent à l'adversité en sécrétant des substances essentielles à la santé des vaisseaux sanguins et qui protègent l'organisme en cas de lésion vasculaire. Par exemple, si on se coupe, il importe que le sang coagule et, par conséquent, cesse de couler. Or, les cellules endothéliales libèrent des facteurs dont le rôle consiste à favoriser l'agrégation des plaquettes sanguines et la formation d'un caillot. Dans une situation comme celle-là, le caillot est utile, mais s'il se forme dans un vaisseau (comme on l'observe dans l'athérosclérose) ou s'il résulte d'une accumulation de cholestérol dans les artères, alors il est dangereux. Les caillots peuvent obstruer le flux sanguin. C'est ce qui se produit en cas de crise cardiaque.

Apport sanguin artériel au cœur

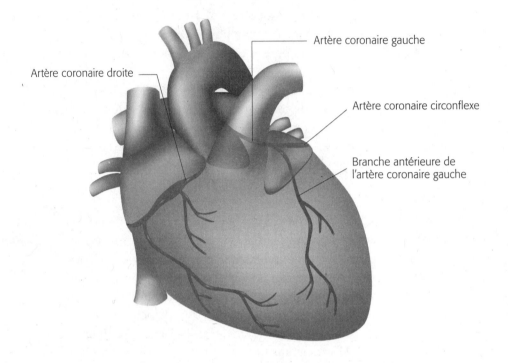

Artère coronaire gauche

Artère coronaire droite

Artère coronaire circonflexe

Branche antérieure de l'artère coronaire gauche

Il y a deux principaux réseaux d'artères coronaires qui acheminent le sang vers le cœur, soit le droit et le gauche. L'artère coronaire gauche se ramifie en deux, soit l'artère circonflexe et la branche antérieure de l'artère coronaire gauche. Un dérèglement de l'artère coronaire gauche constitue un problème grave, car c'est elle qui achemine l'essentiel du sang vers le cœur. Dans le milieu médical, on dit d'une maladie qui la touche qu'elle « produit des veufs ou des veuves », ce qui peut être effectivement le cas.

Les artères coronaires principales se ramifient en branches latérales qui acheminent également le sang au cœur. En cas de crise cardiaque, le site de l'attaque et l'importance de cette dernière sont souvent déterminés par l'artère obstruée. Les lésions se produiront en aval de l'obstruction. Autrement dit, si l'obstruction se produit dans l'artère, le sang ne pourra être acheminé aux tissus cardiaques situés en aval. Cette situation affecte souvent le muscle cardiaque, qui est alimenté par l'artère lésée et ses branches latérales. Par conséquent, si l'obstruction se produit dans l'artère coronaire gauche, presque tout le cœur sera touché. Si elle se produit dans la droite, alors, c'est généralement le bas du cœur qui est touché. Voilà pourquoi une obstruction dans l'artère gauche est souvent plus grave.

L'athérosclérose, ou accumulation de plaque, est la cause la plus fréquente des maladies coronariennes. Il en existe toutefois d'autres, plus rares, qui n'entrent pas dans le cadre de ce livre. Ainsi, la maladie pourrait résulter d'une inflammation artérielle, affection inhabituelle que l'on soigne au moyen de stéroïdes ou d'autres anti-inflammatoires, plutôt que de médicaments antisclérotiques, par exemple les hypocholestérolémiants (qui font baisser le taux de cholestérol).

Stades de l'athérosclérose

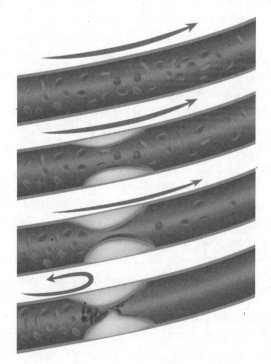

Artère saine avec débit sanguin normal

Le cholestérol commence à s'accumuler

La plaque se forme

La plaque se rompt; un caillot sanguin se forme

L'athérosclérose, qui se caractérise par l'encrassement des artères, est la principale maladie artérielle. Quand elle survient, l'artère risque de s'obstruer en raison de la formation d'un caillot sanguin. En cas d'athérosclérose, l'apport de sang au cœur est interrompu, ce qui peut mener à la crise cardiaque, c'est-à-dire à une lésion de la partie du muscle cardiaque située en aval du caillot. Le traitement peut alors consister en une intervention chirurgicale, telle l'angioplastie ou le pontage cardiaque (voir chapitre 10). Mais ne vous faites pas de souci, il sera bientôt question des moyens à prendre pour prévenir cette maladie.

LES VALVULES

Les oreillettes, parties supérieures du cœur, sont reliées aux ventricules, parties inférieures, par les valvules auriculoventriculaires (ou valvules AV). Celle qui se situe dans le côté droit du cœur porte le nom de « valvule tricuspide » (du fait qu'elle est composée de trois feuillets), tandis que celle qui se situe dans le côté gauche se nomme « valvule mitrale ». Elle est dite bicuspide du fait qu'elle ne comprend que deux feuillets.

La valvule mitrale est la plus complexe de toutes. Elle est composée du muscle papillaire, du cordage tendineux et de l'anneau mitral, qui doivent agir de concert afin d'assurer son bon fonctionnement. Le muscle papillaire réunit la valvule au ventricule gauche. Le cordage tendineux est composé de petits éléments qui sont fixés à ce muscle et à certaines parties des feuillets. L'anneau surmonte la valvule. Cette dernière s'ouvre et se referme quand le sang circule dans le cœur. Vue de face, telle qu'elle apparaît sur un échocardiogramme, elle évoque la bouche d'un poisson qui s'ouvre et se ferme.

Le cœur comprend d'autres valvules importantes, dont la pulmonaire, qui relie le ventricule droit à l'artère pulmonaire, et l'aortique, qui relie le ventricule gauche à l'aorte. Rappelons que c'est l'aorte qui achemine le sang oxygéné vers l'ensemble de l'organisme.

Chez la majorité des gens, la valvule aortique est composée de trois feuillets. Mais environ une personne sur 200 naît avec une valvule bicuspide, c'est-à-dire ne comprenant que deux feuillets. C'est là une anomalie fréquente. (Il s'agit d'une cardiopathie congénitale qui relève de la pédiatrie et qui désigne les malformations cardiaques présentes à la naissance.) Bien qu'une valvule bicuspide puisse fonctionner normalement, elle est plus sujette à l'usure et, à la longue, elle risque de rétrécir. Bien souvent, on doit la remplacer quand les sujets sont dans la cinquantaine (voir chapitre 13).

Quand la valvule est anormale, c'est-à-dire qu'elle fuit ou rétrécit, le sang produit en la traversant un bruit que l'on qualifie de «souffle cardiaque» et que le médecin peut facilement détecter à l'auscultation. Il arrive que des gens naissent avec des valvules anormales qui, à la longue, risquent de s'user ou de nécessiter une intervention chirurgicale. Cependant, tous les souffles cardiaques ne sont pas nécessairement graves (voir chapitre 9). Enfin, s'il est vrai que les valvules peuvent s'infecter ou s'user prématurément, ce genre de problème est moins fréquent que la maladie coronarienne.

Quand la valvule fuit, on parle de «régurgitation valvulaire» et quand elle rétrécit, de «sténose». La régurgitation et la sténose ne sont pas toujours graves. De fait, la technologie moderne permet de détecter les fuites naturelles, que l'on qualifie de «régurgitations physiologiques ou légères». Quand cette expression apparaît sur un rapport d'échographie (voir chapitre 7), cela ne signifie habituellement qu'une chose, à savoir que nos instruments sont à ce point perfectionnés qu'ils peuvent percevoir de légères variations par rapport à la normale. Quand on m'adresse un patient qui a reçu un diagnostic de régurgitation légère, tout ce dont il a besoin c'est généralement d'être rassuré.

La valvule mitrale peut rétrécir en raison d'une inflammation résultant d'une maladie telle que la cardite rhumatismale, ou fuir pour diverses raisons, notamment si le muscle cardiaque est hypertrophié et tend excessivement l'anneau mitral. Certaines personnes sont affligées à la naissance d'une valvule mitrale légèrement lâche qui paraît épaisse et anormale; en médecine on parle souvent de «dégénérescence valvulaire myxomateuse». La valvule peut aussi glisser vers l'oreillette gauche (prolapsus). À la longue, elle peut fuir de plus en plus. Si la dégénérescence myxomateuse ou le prolapsus ne nécessitent pas nécessairement un traitement, une certaine surveillance médicale s'impose.

LE SYSTÈME ÉLECTRIQUE

Peut-être vous demandez-vous comment le rythme cardiaque est régulé ou, en d'autres mots, ce qui fait battre le cœur. On ignore généralement que cet organe est doté d'un système électrique qui fonctionne en quelque sorte comme celui d'une maison. Dans ce système, des cellules spécialisées transmettent des impulsions électriques qui font que le cœur bat en moyenne de 60 à 100 fois à la minute.

De fait, elles coordonnent ses contractions. Les « toc, toc » des pulsations cardiaques sont dus au fait que le muscle cardiaque se contracte chaque fois que l'oreillette, puis le ventricule, sont activés. Il s'agit en fait des diverses valvules qui se ferment.

Les signaux électriques qui déclenchent les contractions débutent dans la partie supérieure de l'oreillette droite au niveau du nœud sino-auriculaire (SA), que l'on qualifie souvent de « stimulateur cardiaque naturel ». Quand le SA transmet les signaux électriques, les oreillettes se contractent. Les impulsions sont ensuite relayées par le nœud auriculoventriculaire (AV), point de rencontre des signaux électriques des oreillettes et des ventricules. De là, elles se transmettent le long des fibres musculaires des ventricules, entraînant la contraction de ces derniers.

De par leurs propriétés particulières, les nœuds, de même que certaines fibres électriques du cœur, régulent le système électrique. Ainsi, on pourrait dire que, au nœud AV, il y a un panneau ARRÊT. C'est bien sûr une image ; en réalité, le tissu de ce nœud possède la propriété de prévenir l'accélération du rythme cardiaque.

Une fréquence cardiaque de plus de 100 est considérée comme rapide (c'est la tachycardie, mot qui signifie littéralement « cœur rapide ») tandis que si elle est de moins de 60, elle est considérée comme lente (c'est la bradycardie). Gardez toutefois à l'esprit que les valeurs oscillant entre 60 et 100 sont considérées comme moyennes. Il est absolument normal que votre cœur s'emballe en cas de stress ; votre rythme cardiaque peut aussi s'accélérer à divers moments de la journée. À l'inverse, il est normal que votre fréquence soit plus lente durant la nuit. Il n'y a pas là lieu de s'inquiéter : votre cœur n'arrêtera pas de battre. La forme physique influe sur la fréquence : au repos, celle d'un athlète qui s'entraîne pour les Jeux olympiques sera lente, tandis que celle d'une personne en mauvaise forme physique sera plus rapide.

❤ **Ce qu'il faut savoir :** Il est normal que la fréquence cardiaque varie au cours d'une journée. Plus on est en forme, plus la fréquence au repos est lente.

Les problèmes relevant du système électrique du cœur portent le nom d'« arythmie ». Bien qu'il y ait des exceptions, l'arythmie n'est généralement pas très grave ; on dit qu'elle est « de nature bénigne » (voir chapitre 9). Elle est habituellement moins grave que les problèmes qui touchent les artères coronaires.

ENVELOPPE DU CŒUR

Le péricarde, membrane qui entoure le cœur, est la partie la moins importante de cet organe vital. Il n'est pas essentiel à son fonctionnement. Il se peut d'ailleurs que ce soit le vestige d'une structure plus ancienne rendue inutile par l'évolution. Certains naissent même sans péricarde. Cependant, cette enveloppe peut s'enflammer ou s'irriter et provoquer de la douleur, mais c'est rarement un problème grave (voir chapitre 9).

Nous avons passé en revue toutes les parties du cœur, du dedans vers le dehors, du muscle aux valvules, aux artères, au système électrique et au péricarde. Vous connaissez dès lors son anatomie et ce qu'il lui faut pour fonctionner adéquatement. Cette étude n'avait pas pour but de vous transformer instantanément en médecin, mais de vous aider à comprendre la situation dans son ensemble.

CHAPITRE 2

PRÉDICTIONS ET FACTEURS DE RISQUE DE CARDIOPATHIE

«Mon grand-père a fait une crise cardiaque à 41 ans.
Suis-je à risque?»

La réponse à cette question est simple: en termes d'antécédents familiaux, vous ne l'êtes pas. On parle de risque quand un proche immédiat – parent, frère, sœur ou enfant – souffre de cardiopathie. Le risque ne saute pas une génération pour se transmettre, par exemple, aux petits-enfants. Ce qui ne veut pas dire que vous êtes à l'abri du danger. Les facteurs de risque sont multiformes.

Je dis souvent que la cardiopathie est le fruit de la malchance, de mauvaises habitudes et de gènes défectueux. On ne peut changer ses gènes, mais on peut augmenter ses chances en changeant son mode de vie. Je dis aussi que, dans la plupart des cas, la crise cardiaque n'est pas soudaine: elle résulte d'années de gestation. Chose rassurante, on peut prévenir plusieurs des principaux facteurs de risque.

En dehors des antécédents familiaux, les facteurs de risque de maladie coronarienne sont les suivants: l'âge, le tabagisme, des taux de cholestérol anormaux, l'hypertension et le diabète[7]. Le surpoids, la sédentarité et la présence dans l'organisme de certains marqueurs biologiques, dont celui de l'inflammation, sont aussi des facteurs de risques.

Le stress intervient également. Je dois dire à ce sujet que les gens sont portés à le tenir responsable d'une foule d'affections mais, franchement, en soi, ce n'est pas un facteur de risque de cardiopathie important. Cette affirmation pourrait vous choquer ou, au contraire, vous rassurer! Le fait est que le stress ne tue pas. Cependant, la manière dont on le gère pourrait le faire. Si, sous l'effet de tensions au travail ou à la maison, vous fumez comme une cheminée ou prenez dix kilos, votre risque de cardiopathie augmentera. Cependant, si vous le gérez positivement, par exemple en prenant une marche, en préparant un repas sain ou en vous évadant dans la lecture d'un bon bouquin, votre risque s'envolera. La catastrophe majeure constitue l'exception à cette règle. Les résultats d'études indiquent qu'un événement traumatisant, par exemple la perte d'un être cher, pourrait être associé au risque de faire plus tard une crise cardiaque. Bref, dans les situations normales, on peut gérer son stress et ainsi éviter qu'il ait un impact sur ses autres facteurs de risque.

....

❤ **Ce qu'il faut savoir :** Le stress n'est pas un facteur de risque de cardiopathie aussi important que les antécédents familiaux, le tabagisme, la présence de taux de cholestérol anormaux, l'hypertension et le diabète. Le stress ne vous tuera pas mais les moyens que vous prenez pour le gérer pourraient le faire.

....

Voici, dans le désordre, les principaux facteurs de risque et ce qui les caractérise.

LES ANTÉCÉDENTS FAMILIAUX

Revenons sur la question posée au début de ce chapitre. Ce qu'il faut garder à l'esprit, c'est que si l'un de vos parents au premier degré – père, mère, frère, sœur ou enfant – souffre de maladie coronarienne précoce, votre risque de cardiopathie est plus élevé. Vous êtes lié à ceux des membres de votre famille qui, d'un point de vue biologique, sont les plus proches de vous et, comme eux, vous pourriez faire de l'hypertension artérielle, du diabète et de l'hypercholestérolémie. De fait, si votre mère ou votre sœur a reçu un diagnostic de maladie coronarienne avant l'âge de 65 ans ou, dans le cas de votre père ou de votre frère, avant l'âge de 55 ans, votre risque de souffrir de troubles cardiaques dans le futur est deux fois plus élevé que celui de la population en général.

Je ne sais combien de patients j'ai vu s'inquiéter de leurs antécédents familiaux du fait qu'un de leurs grands-parents, leur tante ou leur oncle avait eu des troubles cardiaques ou fait un AVC. Or, si leurs propres parents n'en ont pas souffert, leur risque n'est pas plus élevé que celui de la moyenne.

Par conséquent, sachez que vous n'êtes pas prédisposé génétiquement, sauf si l'un de vos parents immédiats souffre de maladie coronarienne.

C'est une autre erreur de croire que le risque se transmet dans une famille selon le sexe. Ce n'est pas le cas. Les femmes ne l'héritent pas nécessairement de leur mère ni les hommes de leur père. Les résultats d'études indiquent que quiconque, homme ou femme, a un parent qui souffre de cardiopathie court jusqu'à deux fois plus de risques d'en souffrir qu'une personne sans antécédents familiaux.

Une femme dans la soixantaine m'a consultée pour des essoufflements et des douleurs thoraciques. Ses douleurs se manifestaient quand elle bougeait, marchait ou levait des objets lourds. En médecine, nous parlons de douleur à l'effort, c'est-à-dire qui apparaît durant l'activité et disparaît au repos. Cette patiente n'avait pas de médecin de famille. En fait, c'est son thérapeute qui me l'a adressée. Elle ne fumait pas ni ne souffrait du diabète, mais il s'est avéré qu'elle avait des antécédents familiaux de maladie coronarienne. Son père avait fait sa première crise à 37 ans et subi un pontage cardiaque dans la soixantaine. De son côté, elle avait fait de l'hypertension artérielle durant sa première grossesse. Des années plus tard, ses enfants faisaient de l'hypercholestérolémie. Bien que ses symptômes aient été classiques, elle avait ignoré la possibilité qu'ils soient associés à l'état de son cœur, et ce, malgré le fait que ses antécédents familiaux n'aient laissé aucun doute sur son risque de cardiopathie.

La forme de cardiopathie dont ont souffert vos proches a également un impact sur votre risque. Les affections héréditaires les plus courantes et les plus préoccupantes sont celles qui concernent la «plomberie» du cœur et le flux sanguin, soit les maladies coronariennes : athérosclérose (encrassement des artères), angine (douleur et lourdeur thoraciques) et crise cardiaque.

En revanche, j'ai reçu une autre femme qui se préoccupait de sa santé du fait que son fils avait connu un épisode de tachycardie (accélération du pouls), chose plutôt fréquente chez des gens par ailleurs en santé. Je lui ai expliqué qu'il ne s'agissait pas d'une maladie coronarienne et qu'elle n'était pas plus à risque que la moyenne des femmes périménopausées. L'arythmie (problème de fréquence cardiaque) ou le port d'un stimulateur cardiaque ou d'une prothèse valvulaire ne sont pas directement liés à la maladie coronarienne ; par conséquent, si c'est le cas d'un de vos proches, votre risque ne croît pas.

Le risque associé aux antécédents familiaux d'angine est un peu plus complexe à évaluer. Par « angine », on entend les douleurs thoraciques résultant d'un ralentissement du flux sanguin vers le cœur (voir chapitre 8). Jadis, les patients (essentiellement des femmes) souffrant de douleurs thoraciques recevaient souvent un diagnostic erroné d'angine alors que le problème était tout autre, par exemple le reflux gastrique. Quand j'entends un patient me dire que sa mère a fait une angine, voire une crise cardiaque, dans la trentaine ou la quarantaine et a vécu jusqu'à 80 ans ou plus sans recevoir le moindre traitement, je m'interroge sur le diagnostic. Il est peu probable qu'une personne souffrant d'angine grave puisse atteindre cet âge avancé sans nécessiter de traitement.

L'ÂGE

L'âge est un autre facteur sur lequel on n'a guère de prise. Pas plus que la mort ou les impôts, on ne peut le changer. Or le risque de cardiopathie croît avec l'âge, tout comme d'ailleurs celui des autres maladies chroniques telles que le diabète, le cancer ou l'AVC.

Je m'adresse tout particulièrement à vous, les bébé-boomeurs. La Fondation des maladies du cœur et de l'AVC du Canada estime que, au cours de la prochaine décennie, environ 1000 bébé-boomeurs atteindront chaque année la soixantaine, période de la vie où le risque de cardiopathie et d'AVC s'accroît considérablement. Environ 1,3 million, soit 21 %, des bébé-boomeurs canadiens âgés de 45 à 59 ans ont déjà reçu un diagnostic de cardiopathie, d'AVC ou d'hypertension artérielle. À mesure qu'ils atteindront la soixantaine, le pourcentage de cardiopathie grimpera. Quarante-deux pour cent des Canadiens dans cette tranche d'âge rapportent souffrir de cardiopathie, d'AVC ou d'hypertension. Au cours des dix prochaines années, cette proportion croîtra, puisqu'on estime que le nombre de Canadiens dans la soixantaine passera de 2,8 à 4,2 millions, soit une hausse de 50 %[8].

Il est vrai que la notion de « grand âge » change. Les septuagénaires et les octogénaires mènent une vie de plus en plus active. Cependant, près de 33 % des décès attribuables aux maladies cardiovasculaires se produisent chez les personnes de moins de 75 ans, alors que l'espérance moyenne de vie est de 77,7 ans. Environ 7700 des Canadiens qui meurent de cardiopathie chaque année ont moins de 65 ans[9].

Si l'on considère l'âge comme facteur de risque, il y a une différence entre les sexes : si l'homme présente un risque de cardiopathie plus élevé que celui de la femme quel que soit son âge, il est plus susceptible qu'elle de faire une crise cardiaque à compter de la quarantaine. On pourrait dire que le cœur et les vaisseaux sanguins d'un homme de 40 ans correspondent, du point de vue de la santé, à ceux d'une femme de 50 ans.

En règle générale, les femmes sont protégées des maladies coronariennes jusqu'à la fin de leur ménopause, moment où leur ratio estrogène/testostérone change. Environ 7 ou 10 ans après, elles rattrapent les hommes en matière de risque coronarien. Comme l'âge moyen de la ménopause est de 51 ans, leur risque s'accroît de manière significative dans leur cinquantaine et leur soixantaine.

Cependant, les jeunes femmes ne sont pas complètement à l'abri. La cardiopathie et l'AVC sont les principales affections qui menacent la santé des femmes nord-américaines, quel que soit leur âge. En fait, dans mon cabinet, je vois beaucoup de femmes dans la trentaine et la quarantaine. L'une de mes patientes de longue date a mené durant la vingtaine une véritable vie de star qui nécessitait qu'elle surveille son poids. Plus tard, en conséquence d'un mariage malheureux, elle a pris beaucoup de poids, chose particulièrement risquée étant donné ses antécédents familiaux de cardiopathie. Durant la trentaine, elle a fait une crise cardiaque d'une telle ampleur que son muscle en a été gravement lésé. Aujourd'hui, elle va mieux, a perdu du poids, est active et pratique régulièrement le baseball. C'est une femme énergique et pleine de vie, mais son organisme doit sans cesse composer avec le risque d'insuffisance cardiaque congestive. Pour elle, une simple toux peut signifier que ses poumons se sont remplis d'eau. Cet exemple n'a pour but que de montrer que cette maladie peut frapper à tout âge, quel que soit le sexe.

LE TABAGISME

Si vous avez moins de 40 ans et avez fait une crise cardiaque, il y a de fortes chances que vous fumiez. Si vous continuez de le faire malgré votre crise, vous ouvrez la voie à la prochaine. C'est aussi simple que cela.

Selon le Centre de prévention et de contrôle des maladies, le tabagisme multiplie par deux ou trois le risque de décès par maladie coronarienne chez ceux qui en souffrent. En moyenne, les fumeurs mourront 13 à 14 ans plus tôt que les non-fumeurs; aux États-Unis, cela correspond à 260 000 hommes et 178 000 femmes chaque année[10]. La Fondation des maladies du cœur et de l'AVC rapporte que plus de 37 000 Canadiens meurent chaque année des conséquences du tabagisme ou de l'exposition à la fumée secondaire, dont plus de 10 000 par cardiopathie et AVC[11].

....

❤ **Ce qu'il faut savoir :** Le tabagisme est un puissant précurseur d'arrêt cardiaque chez ceux qui souffrent de maladie coronarienne.

....

Le risque de crise cardiaque ou d'AVC associé au tabagisme est plus élevé chez ceux qui commencent à fumer à un jeune âge. De nos jours, environ 12 % des Canadiens âgés de 15 à 19 ans fument. Il se trouve que c'est le taux le plus faible pour ce groupe d'âge depuis que Santé Canada collige des statistiques. Mais il n'en reste pas moins que 268 000 adolescents canadiens fument, soit un nombre inquiétant. Selon des données récentes, aux États-Unis, 5000 personnes commencent à fumer chaque jour, la plupart étant âgées de moins de 18 ans. En fait, un fumeur sur cinq sera vraisemblablement âgé de 12 à 17 ans quand il allumera sa première cigarette. Le chef du service fédéral de la santé publique des États-Unis rapporte que 80 % des fumeurs l'ont fait avant l'âge de 18 ans. Malheureusement, les habitudes nuisibles pour le cœur peuvent débuter tôt dans l'existence[12].

L'Organisation mondiale de la Santé estime que le tabagisme tue, dans le monde, près de six millions de personnes par année; plus de cinq millions sont des fumeurs ou des ex-fumeurs, mais plus de 600 000 ne le sont pas, leur décès étant causé par l'exposition à la fumée secondaire[13]. Sur la planète, près d'un milliard d'hommes et 250 millions de femmes fument[14]. On observe des différences régionales marquées: en Afrique du Sud, aux Philippines, en Chine, en Iran et au Portugal, il y a beaucoup moins de femmes qui fument que d'hommes, tandis qu'au Canada, aux États-Unis, en Australie et en Islande, le nombre de fumeurs masculins est à peine plus élevé que celui des fumeuses. L'Enquête de surveillance de l'usage du tabac au Canada (ESUTC) de 2011 indique que 20 % hommes et 15 % des femmes fument. Encore là, on observe des différences régionales, la proportion de fumeurs étant la plus faible en Colombie-Britannique (14 %) et la plus élevée au Nouveau-Brunswick, au Québec, au Manitoba et en Saskatchewan (22 %)[15]. On estime que, au pays, le quart des décès par maladie coronarienne est attribuable au tabagisme. Bien que les patients ayant survécu à une crise cardiaque soient plus motivés à écraser, le taux de rechute reste élevé.

Mais en quoi au juste le tabac est-il dangereux pour le cœur?

D'abord, le tabac fait baisser le taux de HDL, le «bon» cholestérol qui prévient la formation de plaque (athérosclérose) dans les artères coronaires. La fumée de cigarette renferme 4000 substances chimiques, dont la nicotine, drogue qui favorise l'épaississement du sang (sa coagulabilité). Quand la coagulabilité est élevée, le risque de formation de caillot sanguin dans les artères coronaires croît, ce qui peut mener à la crise cardiaque. De plus, la nicotine stimule la production d'adrénaline, augmentant ainsi la charge du cœur. Comme elle exerce un effet vasoconstricteur, il doit pomper le sang en composant avec des vaisseaux de plus petit calibre. C'est comme quand on cherche à gonfler un petit ballon: il faut y mettre beaucoup d'énergie. Enfin, l'adrénaline accroît l'adhérence des plaquettes sanguines, c'est-à-dire leur agrégation, ce qui peut perturber le flux sanguin dans le cœur.

Chez les femmes jeunes et d'âge mûr, le risque d'AVC pourrait être proportionnel à la quantité de cigarettes qu'elles fument. On a mené une étude auprès de plus de 100 000 femmes âgées de 30 à 55 ans, dont la majorité étaient des infirmières soucieuses de leur santé. Chez celles qui fumaient moins d'un demi-paquet par jour, le risque d'AVC était 2,5 fois plus élevé que celui des non-fumeuses. Chez celles qui fumaient au moins 25 cigarettes par jour, il était près de quatre fois plus élevé[16].

Même chez les non-fumeurs, le risque de cardiopathie peut être de 30 % plus élevé s'ils sont exposés à la fumée secondaire à la maison ou au travail. Une courte exposition peut entraîner une augmentation de l'agrégation plaquettaire, la formation de lésions sur la tunique interne des vaisseaux sanguins et un ralentissement du flux sanguin dans les artères coronaires, toutes choses qui pourraient accroître le risque de crise cardiaque. Aux États-Unis seulement, 60 % des enfants âgés de 3 à 11 ans ont été exposés à la fumée secondaire au cours des dix dernières années[17].

....

❤ **Ce qu'il faut savoir :** L'exposition à la fumée secondaire peut accroître de 30 % votre risque de cardiopathie.

....

Heureusement, le tabagisme est de moins en moins accepté. Mon père se rappelle être un jour entré dans la chambre d'une octogénaire à l'occasion d'une de ses rondes à l'hôpital. C'était dans les années 1960. Bien qu'elle ait été sous oxygène et ait eu du mal à respirer, elle a sorti une cigarette et lui a demandé du feu. Aussi étonnant que cela puisse paraître, il fut un temps où les hôpitaux comptaient des pièces réservées aux fumeurs. Dans les années 1990, dans bien des restaurants, une section leur était réservée. Nous en avons fait du chemin depuis ! Quand on songe que, dans les années 1960, environ la moitié des Canadiens de plus de 15 ans fumaient, alors que de nos jours ce taux n'est plus que de 17 %, une baisse qui est attribuable aux campagnes d'information, aux interdits entourant la publicité sur le tabac et à la loi prohibant son usage dans les lieux publics. Heureusement, fumer n'est plus « cool ».

Je ne me considère pas comme une personne ayant des préjugés mais je suis vraiment troublée quand je vois des jeunes fumer, au point que je me sens obligée de le leur dire. D'ailleurs, ma propension à dire ce que je pense sans réfléchir a déjà failli provoquer une querelle familiale. Nous fêtions l'anniversaire de ma mère sur la terrasse d'un restaurant. Il était interdit de fumer à l'intérieur, mais pas à l'extérieur. Un groupe installé à une table proche de la nôtre, et qui était essentiellement composé de jeunes femmes dans la vingtaine, a allumé à l'unisson. Je leur ai demandé poliment de projeter leur fumée dans la direction opposée. Elles étaient outrées. Nous avons haussé le ton, puis je leur ai expliqué que je pratiquais la cardiologie préventive et m'intéressais tout particulièrement à la santé des femmes et que, en plus de nous déranger, elles s'abîmaient la santé. À bien y réfléchir, ma réaction était peut-être excessive, mais, d'un point de vue médical, j'avais raison.

Je sais me montrer pragmatique quand il s'agit des changements à apporter au mode de vie. Bien que la cardiologue que je suis souhaiterait que chacun adopte un comportement idéal, je sais que ce n'est pas réaliste. Voilà pourquoi je conseille à mes patients la modération : une pointe de gâteau de temps à autre ne peut guère faire de mal dans la mesure où l'alimentation est, par ailleurs, saine. Par contre, en matière de tabagisme, je suis intransigeante. En ce qui me concerne, il n'existe pas une telle chose qu'un nombre acceptable de cigarettes.

LE CHOLESTÉROL

Je connais un patient qui paraît en si bonne santé qu'on le citerait volontiers en exemple aux athlètes. Âgé de 52 ans, il exerce une profession particulièrement stressante, mais passe le plus clair de son temps libre au grand air. C'est un cycliste passionné. Personne ne se douterait qu'il présente un taux de cholestérol dangereusement élevé, situation qui résulte d'une autre de ses passions : les fritures grasses. Les apparences sont parfois trompeuses.

Le cholestérol est un type de gras présent dans le sang. L'organisme s'en sert pour élaborer les membranes cellulaires, la vitamine D et les hormones. On en connaît deux types principaux : le LDL (lipoprotéines de faible densité), plus communément appelé « mauvais » cholestérol, et le HDL (lipoprotéines de haute densité), appelé « bon » cholestérol. À hautes doses, le LDL favorise l'accumulation de plaque ou de cholestérol dans les artères. La plaque est nuisible – pensez à celle qui se forme sur vos dents. Quand elle se dépose sur la paroi des artères, on parle d'athérosclérose, rétrécissement dangereux des vaisseaux. De son côté, le HDL contribue à éliminer le LDL des artères et à prévenir l'accumulation de plaque, préservant ainsi la santé de ces vaisseaux. Par conséquent, quand son taux est faible, le risque de cardiopathie croît.

Peut-être souhaiteriez-vous savoir précisément quels devraient être vos taux de cholestérol. Cela dépend de votre état de santé. Si vous souffrez de cardiopathie, votre taux de LDL devrait être de moins de 2 mmol/l. Bien que les lignes directrices changent à l'occasion, c'est le taux considéré comme acceptable pour les Canadiens souffrant de cette maladie, mais s'il est plus bas, c'est préférable.

Si la santé cardiaque et les outils de prévention de la cardiopathie sont universels, l'unité de mesure du taux de cholestérol ne l'est pas. Ainsi, aux États-Unis, on exprime ce dernier en mg/dl et on estime généralement que le taux de LDL devrait se situer sous les 200 mg/dl[18]. Par contre, au Canada et dans la plupart des autres pays du monde, notamment en Europe, ce taux se mesure en mmol/l.

Gardez à l'esprit que le taux de LDL (le « mauvais ») devrait être faible et le taux de HDL (le « bon »), élevé.

Comme le cholestérol, les triglycérides sont des gras présents dans le sang. Un taux élevé est associé à l'obésité, à la consommation d'alcool et à un risque accru de souffrir de maladie coronarienne. Les sujets dont le taux est élevé sont souvent diabétiques ou présentent un taux de HDL faible.

Les effets du cholestérol sur la cardiopathie sont considérables. On estime que si son taux baissait chez 10 % de la population, l'incidence des maladies coronariennes diminuerait de 30 %. Autrement dit, on pourrait prévenir ainsi des milliers de décès par cardiopathie chaque année.

♥ **Ce qu'il faut savoir :** Si vous êtes un homme âgé de plus de 40 ans ou une femme âgée de plus de 50 ans, ou si vous présentez d'autres facteurs de risque de cardiopathie, vous devriez faire mesurer votre taux de cholestérol par votre médecin.

Pour mesurer le taux de cholestérol, on analyse un échantillon de sang prélevé à jeun. Vous devriez faire mesurer le vôtre si : vous êtes un homme âgé de plus de 40 ans ou une femme de plus de 50 ou postménopausée ;

vous souffrez de cardiopathie, de diabète, d'hypertension artérielle, ou avez déjà fait un AVC ; si votre tour de taille est de plus de 102 cm (homme) ou de 88 cm (femme) ; s'il y a eu des cas de maladie coronarienne précoce dans votre famille (voir page 34).

L'HYPERTENSION

Il y a quelque temps, j'écrivais une série d'articles pour la Fondation des maladies du cœur et de l'AVC quand l'avocat qui les a révisés m'a fait parvenir cette question : « Qu'est-ce que l'hypertension ? » Il s'agit bien sûr d'une élévation excessive de la pression artérielle. J'avais alors du mal à imaginer qu'une personne bardée de diplômes universitaires ne sache pas cela. Mais depuis, j'ai découvert que c'est l'un de ces termes médicaux qui semblent laisser bien des gens perplexes.

On dit de l'hypertension que c'est un tueur silencieux. C'est qu'on ne sent pas sa pression artérielle, sauf si elle est dangereusement élevée ou extrêmement basse. Bien des patients prétendent être en mesure de dire quand leur pression est élevée, mais, franchement, ce n'est pas le cas. Ils sont mal informés. On ne peut connaître sa pression que si on la mesure.

La mesure de la pression artérielle permet d'estimer à la fois la force de la pompe cardiaque et la santé des artères reliées au cœur. La pression, qui varie de battement en battement, est la force qu'exerce le sang sur les vaisseaux quand il les traverse, ou celle qu'il exerce sur la paroi des artères. On la compare souvent à la pression de l'eau qui s'échappe d'un tuyau d'arrosage. Si elle est trop élevée, vous abîmerez les fleurs que vous arrosez. La pression idéale est celle qui permet au sang de circuler librement dans les vaisseaux afin d'apporter à l'organisme les nutriments dont il a besoin.

On la mesure généralement au niveau du bras à l'aide d'un tensiomètre, appareil composé d'un brassard gonflable qui restreint brièvement la circulation du sang et d'un instrument qui mesure la pression de l'artère brachiale (du bras). Il s'agit d'une branche de l'aorte, un vaisseau principal. Rarement, la mesure-t-on directement à l'intérieur des artères, par exemple dans le cas d'une personne gravement malade séjournant à l'unité des soins intensifs.

La mesure comprend deux valeurs. Le chiffre supérieur (systolique) correspond à la pression quand le cœur bat ; il devrait être de moins de 140. Le chiffre inférieur (diastolique) correspond à la pression quand le cœur est au repos et se recharge de sang; il devrait être de moins de 90. Cependant, ce que nous considérons comme normal peut varier selon que la mesure est effectuée à la maison ou au bureau du médecin. Cela tient en partie au fait qu'on est généralement plus détendu à la maison que chez le médecin, ce qui se traduit par une pression plus basse.

En d'autres mots, une pression de 120/80 correspond à une pression systolique de 120 et à une pression diastolique de 80. Plus l'une ou l'autre de ces valeurs, ou les deux, est élevée et plus longtemps elle le reste, plus les lésions causées aux vaisseaux seront graves à la longue.

....

❤ **Ce qu'il faut savoir:** On considère que la pression artérielle est élevée si le chiffre supérieur (pression systolique) ou le chiffre inférieur (pression diastolique) l'est. Dans le premier cas, on parle d'hypertension systolique, dans le second, d'hypertension diastolique. Il arrive aussi que les deux valeurs soient élevées.

....

En général, le chiffre supérieur (systolique) devrait être de moins de 140 et le chiffre inférieur (diastolique), de moins de 90. Mais si vous arrivez à faire baisser ces valeurs en modifiant vos habitudes de vie, votre risque de crise cardiaque et d'AVC diminuera d'autant plus. Lors d'une étude menée auprès d'un grand groupe de sujets qu'on a suivis pendant plus de 10 ans, les chercheurs ont découvert que ceux dont la pression se situait dans les valeurs les plus hautes de la fourchette normale (131/86 à 140/90) et dans les valeurs moyennes (120/80 à 130/85) avaient plus de chances de faire une crise cardiaque ou un AVC dans le futur que ceux qui présentaient des valeurs optimales plus basses (moins de 120/80).

Pour des raisons complexes, la pression artérielle s'élève avec l'âge. En vieillissant, les artères peuvent durcir, ou encore, se léser en conséquence de facteurs de risque tels que le tabagisme ou le diabète.

....

❤ **Ce qu'il faut savoir:** En plus de provoquer des AVC et des crises cardiaques, l'hypertension artérielle peut entraîner une insuffisance cardiaque ou rénale. Elle est également associée à la démence, à la maladie d'Alzheimer et à des problèmes de nature sexuelle. Vous pourriez prévenir ces troubles en veillant à ce que votre pression se maintienne dans les valeurs normales.

....

Comment la pression artérielle devient-elle un facteur de risque de maladie coronarienne?

Si votre pression reste élevée à long terme, des lésions apparaîtront sur les parois de vos artères (on parle d'athérosclérose ou d'encrassement des artères). En outre, les artères peuvent raidir. Ces deux problèmes accroissent le risque de faire un AVC ou, en d'autres mots, une attaque cérébrale. Cela tient au fait que l'hypertension provoque une élévation excessive de la pression dans le cerveau, ce qui peut entraîner une hémorragie. On parle alors d'AVC hémorragique. En fait, il y a deux formes d'AVC : l'hémorragique, qui résulte d'une élévation de la pression dans les artères, et l'embolique, qui se produit quand un fragment de plaque ou d'un autre corps étranger qui s'est accumulé dans une artère se sépare et migre vers le cerveau (ou embolisation). Enfin, quand la pression est élevée dans les artères lésées, il y a risque de maladie coronarienne et, en conséquence, de crise cardiaque.

Deux formes d'AVC

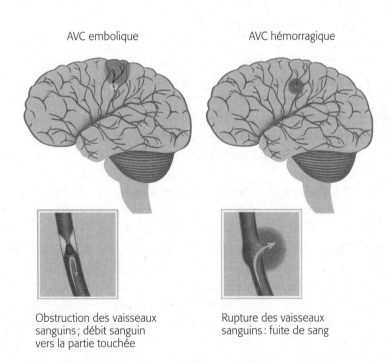

AVC embolique

AVC hémorragique

Obstruction des vaisseaux sanguins ; débit sanguin vers la partie touchée

Rupture des vaisseaux sanguins : fuite de sang

En médecine, nous qualifions le risque que présente une pression artérielle élevée en continu de «linéaire», c'est-à-dire que plus elle est élevée, plus le risque de mourir de cardiopathie ou d'un AVC croît. Comme l'hypertension est souvent héréditaire, si votre père, votre mère, un frère ou une sœur en fait, votre risque d'en faire est plus élevé. Dans ce cas, vous devriez faire mesurer votre pression plus souvent.

Je suis toujours étonnée de découvrir qu'un patient qu'on m'a adressé pour cause d'hypertension ne connaît pas ses antécédents familiaux. Peut-être souhaitez-vous éviter certains sujets de conversation avec vos parents, vos frères et vos sœurs, mais l'hypertension ne devrait pas en faire partie. Demandez-leur s'ils prennent des médicaments antihypertenseurs; cette information pourrait vous éviter de souffrir vous-même de ce problème.

L'hypertension est un problème majeur de santé publique: c'est le premier facteur de risque de décès pour les femmes et le second pour les hommes[19]. Parmi les Canadiens âgés de 20 à 79 ans, 4,6 millions ont une pression artérielle élevée[20], soit un sur cinq. C'est énorme! À 55 ans, le risque d'hypertension est de 90 %. Les femmes devraient particulièrement s'en préoccuper, étant donné qu'elle est associée à l'AVC. Chaque année au Canada, on compte environ 40 % de décès par AVC de plus chez les femmes que chez les hommes. Signalons que le risque chez la femme croît avec l'âge, particulièrement à compter de la ménopause.

❤ **Ce qu'il faut savoir:** L'hypertension constitue le premier risque de mortalité chez la femme et le second chez l'homme. Elle touche un Canadien sur cinq.

Pour réduire votre risque de crise cardiaque ou d'AVC, il importe que vous adoptiez une alimentation et un mode de vie qui contribueront à faire baisser votre pression et, au besoin, que vous preniez des médicaments (voir chapitre 4)[21]. Si vous arrivez à faire baisser votre pression systolique de 10 points ou votre pression diastolique de 5 points, votre risque de faire une crise cardiaque diminuera de 15 % et celui de mourir de troubles cardiaques, de 10 %. Une légère baisse de votre pression peut également diminuer votre risque d'insuffisance cardiaque de 50 % et votre risque d'AVC, de 40 %.

Ceux dont la pression systolique est de plus de 160 et la pression diastolique de plus de 90 doivent généralement prendre des médicaments. Cependant, une pression qui est considérée comme acceptable chez une personne par ailleurs en bonne santé pourrait ne pas l'être chez une autre qui souffre de cardiopathie, de diabète, de maladie rénale ou qui a fait un AVC. Dans ces cas, les médecins cherchent à la réguler de manière plus stricte. Ainsi, on recommande souvent aux personnes souffrant de diabète ou de maladie rénale de veiller à ce qu'elle soit de moins de 130/80. C'est que l'hypertension est encore plus dangereuse pour ceux qui présentent d'autres problèmes de santé.

❤ **Ce qu'il faut savoir:** Si votre pression artérielle est de plus de 160/90, vous devriez prendre des médicaments. Chez la plupart des gens, la pression devrait être de moins de 140/90.

J'ai toujours insisté, tout comme la Fondation des maladies du cœur et de l'AVC, pour que les gens connaissent leur pression. Il ne suffit pas d'aller chez le médecin une fois l'an pour se faire dire qu'elle est normale. Demandez au vôtre qu'il vous indique les résultats, qu'il vous dise s'ils sont normaux et qu'il vous conseille sur les moyens à prendre pour les améliorer. Chacun devrait faire mesurer sa pression au moins une fois l'an. Même les appareils qu'on trouve en pharmacie sont plutôt justes. Gardez toutefois à l'esprit qu'une pression élevée de temps à autre n'est pas nécessairement signe d'hypertension. C'est le médecin qui pourra diagnostiquer le problème, généralement à l'issue de quelques visites et lectures. Soyez proactif : vérifiez votre pression régulièrement, connaissez vos chiffres et demandez à votre médecin qu'il vous conseille sur les moyens à prendre pour les faire baisser davantage.

Certains se montrent nerveux quand ils consultent le médecin. Leur pression peut alors s'élever au-delà des valeurs habituelles, phénomène que l'on qualifie d'« effet blouse blanche ». Cependant, on peut facilement diagnostiquer le problème et écarter cette distorsion au moyen d'un tensiomètre moderne, qui mesure la pression de manière répétée sur une période de 24 heures.

Enfin, sachez que si vous faites de l'hypertension, vous êtes susceptible de présenter d'autres facteurs de risque de cardiopathie. À cet égard, l'hypertension n'est que la pointe de l'iceberg. Plus de 90 % des personnes qui en font présentent également d'autres facteurs de risque, dont un taux de cholestérol élevé, le diabète ou le tabagisme. Heureusement, on peut atténuer ces risques.

LE DIABÈTE

Cette maladie résulte d'une élévation excessive de la glycémie (taux de glucose ou de sucre sanguin). Si elle est trop élevée (hyperglycémie), vous êtes à risque de souffrir d'une maladie coronarienne. L'hyperglycémie peut favoriser l'accumulation de plaque (athérosclérose). En d'autres mots, le diabète ouvre la voie à la crise cardiaque.

Bien que le diabète se manifeste parfois chez les femmes enceintes, cette maladie se présente sous deux formes principales : le diabète de type 1, qui touche les enfants et les adolescents, et le diabète de type 2, qui affecte surtout les adultes. Dans le premier cas, il résulte d'une déficience du pancréas, qui ne produit pas suffisamment d'insuline, hormone dont le rôle est de réguler la glycémie. Ceux qui en souffrent ne sont généralement pas en surpoids. Pour survivre, ils doivent compter sur des injections d'insuline, mais leur risque de cardiopathie est généralement plus faible que ceux qui souffrent de diabète de type 2.

Ce dernier, qui est associé à l'obésité, se prévient aisément. Malgré cela, il a pris une ampleur épidémique en Amérique du Nord, continent inondé d'aliments hypercaloriques et malsains.

....

❤ **Ce qu'il faut savoir :** Le risque de cardiopathie et d'AVC est deux à quatre fois plus élevé chez les adultes qui souffrent d'un diabète résultant de mauvaises habitudes de vie que chez les non-diabétiques[22].

....

Chez les adultes qui souffrent du diabète de type 2, l'organisme peine à transformer ou à utiliser l'insuline produite par le pancréas. Ils sont généralement gros et inactifs. En plus de devoir modifier leur alimentation et leur mode de vie, ils doivent souvent prendre des médicaments (mais non des injections d'insuline) régulant leur glycémie. Ces médicaments accroissent la sensibilité de l'organisme à l'insuline. En d'autres mots, ils en améliorent l'utilisation ou stimulent le pancréas à en secréter plus.

Chose troublante, l'incidence de ce diabète qui, il y a à peine 20 ans, ne touchait généralement que les adultes, croît chez les enfants et les adolescents, parallèlement au taux d'obésité.

Le risque que courent les diabétiques est considérable. Celui de faire une crise cardiaque dans le futur est aussi élevé que chez ceux qui souffrent de cardiopathie. Les médecins parlent de risque équivalent. Si vous souffrez à la fois de diabète et de cardiopathie, votre risque à cet égard est sensiblement plus élevé que celui de cardiopathie moyen.

Bien qu'il ait un impact sur les deux sexes, le diabète est plus préoccupant chez les femmes. Comparée à une femme non diabétique, celle qui souffre de diabète de type 2 voit son risque de cardiopathie se multiplier par huit. En fait, cette maladie prive les femmes plus jeunes, non ménopausées, de la protection dont elles bénéficient normalement contre la cardiopathie.

Heureusement, on peut renverser le risque d'en souffrir pour peu qu'on mène une vie saine, maintienne un poids santé et reste actif[23]. J'ai vu de nombreux patients qui ont pu diminuer, voire interrompre entièrement leur médication après avoir perdu du poids et entrepris un programme d'exercices.

Si vous êtes à risque de diabète ou en souffrez, il importe que vous mesuriez régulièrement votre glycémie et votre pression artérielle. J'encourage vivement les gens à se procurer un glucomètre individuel, mais, par-dessus tout, je crois que les changements apportés à l'alimentation, au mode de vie et aux habitudes d'activité physique peuvent contribuer grandement à minimiser les facteurs de risque. Je ne saurais assez insister sur ce point!

LE POIDS

Quand on fait de l'embonpoint, le corps utilise mal les gras et les sucres, ce qui peut entraîner des lésions aux artères ou une accumulation de plaque. Les personnes en surpoids risquent non seulement de présenter des troubles du flux sanguin, mais également de faire de l'hypertension.

L'espérance de vie d'un obèse est plus courte que celle de la moyenne. Si vous dépassez votre poids optimal de plus du tiers – ce qui pour la majorité des Nord-Américains correspond à 22 à 27 kilos –, votre vie pourrait être amputée de trois ans[24]. Étant donné votre surpoids, cela pourrait être dû en partie au fait que vous êtes sédentaire.

Cependant, chez ceux qui sont en surpoids, le risque de cardiopathie n'est pas toujours plus élevé. L'image corporelle qu'on impose aux adolescentes et aux jeunes femmes est complètement irréaliste. Le mannequin anorexique qui fume et ne fait pas d'exercice mais paraît bien est, en fait, en très mauvaise santé. En revanche, le risque de la jeune femme qui transbahute deux, voire quatre kilos en trop, mais qui ne fume pas, mange de manière équilibrée en accordant une bonne place aux fruits et aux légumes, et fait de l'exercice n'est pas plus élevé, car ses vaisseaux sanguins sont en santé. Cela dit, un surpoids équivalent à 20 % de son poids santé est associé à la sédentarité et à une alimentation riche en gras.

> Il n'est pas nécessaire d'être maigre pour respirer la santé. S'il est vrai que l'obésité est associée au risque de cardiopathie, quelques kilos superflus ne mettront pas votre santé en péril, surtout si vous êtes physiquement actif, ne fumez pas et adoptez une alimentation pauvre en gras et réputée bonne pour le cœur.

Pour évaluer le surpoids, nous avons recours à deux méthodes : le calcul de l'indice de masse corporelle (IMC) et la mesure du tour de taille. L'IMC se mesure en divisant le poids (en kilos) par le carré de la taille (en mètres) : $poids \div (taille^2) = IMC$.

Plutôt que de faire le calcul vous-même, vous pouvez vous servir d'un calculateur en ligne. Il vous suffit d'indiquer votre taille et votre poids, et vous obtiendrez votre IMC. Ainsi, si vous pesez 60 kilos et faites 1,64 mètre, votre IMC est de 22,7. Si vous pesez 91 kilos et faites 1,85 mètre, il sera de 27,1. Un IMC se situant entre 25 et 29,9 correspond au surpoids ; à plus de 30, on parle d'obésité.

Chez certaines personnes particulièrement musclées, l'IMC pourrait être trompeur. D'où l'importance de mesurer aussi le tour de taille. Si vous êtes d'origine caucasienne, méditerranéenne ou moyen-orientale, un tour de taille de 102 ou plus pour les hommes et de 88 cm ou plus pour les femmes est inquiétant, c'est-à-dire que votre risque de souffrir du diabète, d'hypertension, de cardiopathie et d'un AVC est plus élevé. Quant aux Asiatiques et aux Sud-Asiatiques, ils devraient s'inquiéter si leur tour de taille est de plus de 90 cm pour les hommes et de plus de 80 cm pour les femmes.

Les médecins qui observeront votre silhouette évalueront votre rapport tour de taille/tour de hanches. Comme on peut le lire dans les magazines destinés aux femmes, un tour de taille supérieur au tour de hanches correspond à la forme d'une pomme, tandis que l'inverse correspond à la poire.

Les femmes sont plutôt prédisposées à la forme en poire tandis que, chez les hommes, c'est la pomme qui prédomine. Chose rassurante, les kilos super-flus autour des hanches ne prédisposent pas à la cardiopathie, au diabète, à l'hypertension et à l'hypercholestérolémie. La raison en est que l'organisme utilise la graisse abdominale de manière particulière. Cette dernière est souvent composée de substances grasses internes qui se déposent entre les tissus de l'abdomen et qui présentent un risque. Soulignons toutefois que la forme en poire ne constitue pas une garantie à tout cran: si votre tour de taille est démesuré, le fait d'avoir des hanches encore plus développées ne vous protégera pas.

À l'approche de la ménopause, la distribution de la graisse corporelle change. Ainsi, la femme qui prend du poids peut passer de la forme en poire à la forme en pomme. Cependant, on peut prévenir cette situation en veillant à éliminer le beigne qui ceinture sa taille. Selon les lignes direc-trices, le tour de taille des femmes d'origine caucasienne devrait être de moins de 88 cm et celui des hommes, de moins de 102 cm. Quant aux Asia-tiques et aux Sud-Asiatiques, il devrait probablement être inférieur à ces valeurs. Quoi qu'il en soit, si votre tour de taille excède ces valeurs, il im-porte que vous connaissiez vos autres facteurs de risque, notamment ceux qui sont associés à votre pression artérielle, vos taux de cholestérol et votre glycémie. Et il est essentiel que vous perdiez du poids.

Le surpoids influe grandement sur la santé cardiaque. Le taux de cho-lestérol LDL et de triglycérides des personnes en surpoids est souvent trop élevé et elles sont plus susceptibles que les autres de faire de l'hypertension et du diabète de type 2. Elles sont aussi plus sujettes au syndrome métabo-lique, un groupe de facteurs de risque de cardiopathie associé au surpoids qui englobe des taux anormaux de cholestérol (taux de HDL faible), l'hyper-tension et le prédiabète (résistance à l'insuline). Les personnes affligées de ce syndrome risquent davantage de souffrir de cardiopathie et de faire un AVC que celles qui font de l'hypertension ou présentent un taux élevé de cholestérol mais ont un poids normal.

Près du quart des adultes canadiens, soit 5,5 millions, sont obèses et 35 % (8,6 millions), en surpoids. La situation est pire aux États-Unis, où 144 millions d'adultes sont en surpoids et 25 % sont considérés comme médicalement obèses. Cette épidémie touche les hommes et les femmes de toutes les races et les ethnies. Selon les données de l'Enquête canadienne sur les mesures de la santé, au Canada, près du tiers des enfants et des adolescents sont en surpoids ou obèses. Récemment, j'ai reçu à mon bureau un jeune homme de 19 ans qui faisait de l'hypertension. Il se trouve que son problème était directement lié à son poids. D'une taille de 1,74 mètre, il pesait plus de 90 kilos, ce qui en faisait un candidat idéal pour la cardiopathie. Son cas illustre l'ampleur de l'épidémie d'obésité qui sévit actuellement. Quand j'ai commencé à pratiquer il y a 20 ans, je ne voyais pas d'adolescents présentant des problèmes de santé associés au poids. Désormais, j'en vois.

❤ **Ce qu'il faut savoir:** Si vous êtes en surpoids, vous risquez de souffrir du syndrome métabolique, groupe de facteurs de risque de cardiopathie majeurs, dont des taux de cholestérol anormaux, l'hypertension et le prédiabète. Chez ceux qu'il touche, le risque de cardiopathie et d'AVC est plus élevé.

Le poids a des impacts tôt dans l'existence. Lors d'une étude récente[25] menée auprès de 600 sujets âgés de 6 à 20 ans et issus de divers groupes ethniques, on a observé que plus l'enfant était gros, plus son intima-média carotidienne était épaisse. Il s'agit en fait de la paroi des artères, dont l'épaisseur permet de déterminer le risque que court un sujet de souffrir de cardiopathie. À mon avis, cette étude souligne la nécessité d'une campagne permanente visant à encourager de saines habitudes de vie qui assureront la santé cardiaque. Il n'est jamais trop tard pour apporter des changements à son mode de vie, ni trop tôt, d'ailleurs.

LA SÉDENTARITÉ

L'inactivité physique est le facteur de risque de cardiopathie et d'AVC le plus répandu. Il n'est pas bon pour la santé du cœur de rester assis des heures d'affilée. Si vous ne faites pas régulièrement de l'exercice, vous serez plus sujet à l'obésité, à l'hypertension, à une élévation indue de vos taux de cholestérol LDL et de triglycérides, et au diabète.

Le corps humain est conçu pour bouger et non pour être sédentaire. Pour préserver la santé du cœur et le bon fonctionnement de l'appareil cardiovasculaire, il est nécessaire de rester actif, particulièrement si la malbouffe est omniprésente. Cela dit, la sédentarité n'a pas toujours le même impact. Il se pourrait qu'il soit plus nocif de passer des heures devant la télé que, par exemple, de lire[26]. En outre, les résultats d'études indiquent que plus on passe de temps devant la télé, plus on est porté à grignoter et à s'empiffrer, et plus on est susceptible d'être en surpoids. Ceux qui consacrent leur temps libre à la lecture sont moins portés à grignoter.

La Fondation des maladies du cœur et de l'AVC du Canada rapporte que près de la moitié des Canadiens ne sont pas aussi actifs qu'ils devraient l'être. Un nombre astronomique d'enfants (91 %) font moins d'activité physique que ce qui est recommandé dans les lignes directrices. Les petits Canadiens rapportent passer deux fois plus de temps devant un écran qu'à bouger. On estime que si la population augmentait son activité de 10 % en cinq ans, le système de soins de santé économiserait 5 milliards de dollars en coût du cycle de vie. Ainsi, si vous marchez 20 minutes par jour, il vous suffirait d'ajouter 2 minutes à votre routine pour faire une différence.

L'INFLAMMATION ET LE TAUX DE CRP

Qu'il s'agisse d'une coupure au doigt, d'une chute entraînant une contusion au genou ou de toute autre blessure, la partie atteinte deviendra vraisemblablement rouge et enflera. Cette réaction est due à l'inflammation, processus au cours duquel l'organisme libère des substances chimiques et des globules blancs qu'il achemine vers la partie atteinte afin d'en favoriser la guérison. Bien qu'il s'agisse là d'une saine réaction, les chercheurs croient que l'inflammation pourrait mener à la cardiopathie, car elle peut causer des lésions aux parois des vaisseaux sanguins.

Pour savoir si vous êtes à risque, vous pouvez passer une analyse sanguine visant à mesurer votre taux de CRP, ou de protéine C réactive, un marqueur de l'inflammation. À noter toutefois que ce n'est pas recommandé à tous. Si vous souffrez de cardiopathie ou êtes à faible risque d'en souffrir, l'analyse ne fournira généralement pas plus d'information à votre médecin que celle qu'il détient déjà. Ce qu'il faut garder à l'esprit, c'est que l'inflammation a plusieurs causes. Un jour, alors que je participais à un congrès médical, j'ai fait mesurer mon taux de CRP. Durant les congrès, les médecins font ce genre de chose pour s'amuser ! À ma grande surprise, il était plutôt élevé. Quelque peu inquiète, j'en ai parlé à un médecin de Boston, un des grands experts en matière de CRP. Il s'est avéré que je n'avais aucun souci à me faire au sujet de mon cœur. Mon inflammation résultait d'une blessure au dos que j'avais négligé de soigner. Si vous heurtez votre gros orteil, que vous vous déchirez un ligament au genou en faisant du ski, comme cela m'est déjà arrivé, ou que vous souffrez d'un rhume banal, votre taux de CRP sera élevé. Dans des cas semblables, cela ne constitue pas un risque de cardiopathie. En revanche, l'hypertension, l'obésité, le tabagisme, le syndrome métabolique et l'hormonothérapie substitutive, entre autres causes, l'élèveront. Lors d'une étude récente, on a découvert que le taux de CRP de femmes de 60 ans et d'hommes de 50 ans était élevé malgré un taux de cholestérol normal. Quand on leur a administré un hypocholestérolémiant (médicament faisant baisser le taux de cholestérol), leur risque de crise cardiaque, d'AVC, d'angine et de décès résultant de ces maladies a diminué[27]. En veillant à ce que votre pression reste basse, en perdant du poids, en faisant de l'exercice, en arrêtant de fumer et, si possible, en interrompant l'hormonothérapie substitutive, vous ferez également baisser votre taux de CRP. Nul besoin d'une analyse sanguine pour vous en convaincre.

En bref, gardez à l'esprit que la mesure du taux de CRP n'est pas destinée à tous. Comme les facteurs de risque augmentent avec l'âge, cette mesure chez une personne de 40 ans ne mettra pas nécessairement en lumière son risque de souffrir un jour de cardiopathie. Elle pourrait aussi être inutile aux plus jeunes qui ne présentent aucun autre facteur de risque. Leur risque immédiat reste faible, même si leur taux de CRP est élevé. De plus, si vous souffrez de cardiopathie, avez déjà fait un AVC ou souffert d'une maladie vasculaire (troubles de la circulation, artériopathie oblitérante des membres inférieurs), il n'est pas nécessaire de faire mesurer votre CRP, étant donné que votre médecin connaît déjà votre risque. Cette mesure ne changera rien à son évaluation et à la décision de vous administrer un traitement, par exemple un hypocholestérolémiant.

J'ai reçu à mon bureau une jeune femme qui me consultait parce que son médecin s'inquiétait de son taux de CRP et craignait qu'elle soit à risque de cardiopathie. En parlant avec elle, j'ai découvert qu'elle avait des antécédents de cancer. Avant même de me pencher sur son risque éventuel de maladie du cœur, je lui ai conseillé de revoir ses antécédents avec son médecin afin de savoir si elle ne souffrait pas d'autre chose. Il se trouve que son inflammation n'avait rien à voir avec son cœur.

MESURE DU RISQUE

Heureusement, il n'existe pas une telle chose qu'un facteur de risque de maladie coronarienne unique. Généralement, il y en a plusieurs en cause. Les médecins évaluent donc l'ensemble de ces facteurs en se référant à un outil d'évaluation du risque global. En d'autres mots, ils additionnent les divers facteurs en les pondérant de manière légèrement différente afin d'obtenir un modèle de prédiction du risque de cardiopathie global de leur patient.

En Amérique du Nord, l'outil d'évaluation le plus courant est la grille de Framingham, qui a été mise au point à l'issue d'une étude à long terme menée auprès de sujets vivant à Framingham (Massachusetts)[28]. La grille a toutefois ses limites, dans la mesure où la population de cette ville était blanche et appartenait à la classe ouvrière. Nous ajustons donc souvent les résultats de manière à tenir compte du groupe ethnique du sujet. On pense aussi que la grille sous-estime le risque chez les femmes. C'est tout de même un bon point de départ[29].

La grille de Framingham évalue le risque de cardiopathie en prenant en compte les facteurs suivants : sexe, âge, taux de cholestérol, tabagisme, diabète, pression artérielle et antécédents familiaux. À noter que si votre tour de taille est démesuré, votre risque est encore plus élevé. Après avoir compilé les renseignements pertinents, le médecin évaluera votre risque de souffrir de cardiopathie ou de faire un AVC au cours des dix prochaines années. À moins de 10 %, on le considère comme faible, entre 10 et 20 %, comme modéré et à plus 20 %, comme élevé. Dans les deux derniers cas, il y a tout lieu de se préoccuper. En présence d'antécédents familiaux (voir page 34), le risque est généralement multiplié par deux ; par exemple, si, selon la grille de Framingham, il est de 14 %, il passera alors à 28 %. À eux seuls, les antécédents familiaux peuvent le faire passer de modéré à élevé. Heureusement, le jeune âge constitue une protection significative contre la maladie coronarienne. En revanche, à compter de l'âge moyen, le risque croît. Selon cette grille, le risque des femmes préménopausées n'est généralement pas très élevé.

Il est essentiel que vous demandiez à votre médecin de famille de revoir vos facteurs de risque de cardiopathie lors de votre bilan de santé annuel. Les femmes doivent comprendre que l'examen annuel ne consiste pas uniquement en une mammographie et un frottis vaginal. Vous devriez faire vérifier votre taux de cholestérol et discuter de votre pression artérielle, de votre poids et de vos antécédents familiaux. Les femmes préménopausées ne présentant aucun facteur de risque de cardiopathie n'ont pas à faire évaluer leur risque global chaque année. Si, selon votre médecin, votre risque est faible, une évaluation aux trois ans suffit. Cependant, si l'un des membres immédiats de votre famille a souffert de cardiopathie précoce et si vous présentez un facteur de risque ou plus, vous devriez le faire calculer chaque année.

Comme vous l'avez peut-être constaté, je n'ai conseillé aucun outil de haute technologie pour l'évaluation du risque de cardiopathie, par exemple le tomodensitogramme complet (tomodensitométrie) ou le calcul du score de calcium. On n'a pas démontré la validité de ces techniques coûteuses. En outre, la visualisation de l'athérosclérose (déchets dans les artères) ne permet pas de déterminer avec précision le risque de crise cardiaque dans le futur, seulement s'il est supérieur à la moyenne. À l'inverse, la visualisation d'artères «propres» à l'angiographie ne constitue pas une garantie d'absence de risque, la maladie n'étant pas nécessairement visible à l'œil nu.

L'angiographie (voir chapitre 6) et, subséquemment, l'échographie intravasculaire (IVUS) permettent aux médecins de déceler la présence de plaque dans les artères. Cependant, cette méthode est effractive et présente un certain danger, sans compter qu'il serait déraisonnable d'y avoir recours comme test de dépistage universel. Plus important encore, le fait de visualiser l'athérosclérose ne permet pas de déterminer avec précision le risque de crise cardiaque dans le futur, sauf s'il est supérieur à la moyenne.

Bref, il faut savoir que la prédiction du risque n'est justement qu'une prédiction. Votre médecin pourra identifier une série de facteurs, qu'il s'agisse d'hypertension, d'antécédents familiaux ou d'un excès de graisse abdominale. De votre côté, vous savez que le tabac nuit à la santé quel que soit l'âge et qu'il n'est pas bon pour le cœur de passer des heures devant la télé en se gavant de croustilles. Vous connaissez en outre les bienfaits que procure un mode de vie sain. Le tout est de connaître les moyens que vous devriez prendre pour vous assurer d'une bonne santé cardiaque. (Nous verrons ce point au chapitre 4.) Votre meilleure approche, une fois vos facteurs de risque identifiés, consiste à vous servir de cette information pour planifier votre futur avec l'aide de votre médecin. C'est un travail d'équipe.

Vous pourriez rencontrer certains obstacles sur la voie de la santé cardiaque. Prenez-vous le temps de faire de l'exercice chaque jour ? Consultez-vous régulièrement votre médecin pour évaluer votre état de santé ? Avez-vous un poids santé ? Arrivez-vous à concilier travail et détente ? Pour prendre en charge vos facteurs de risque de cardiopathie, vous devriez être en mesure de répondre « oui » à la plupart de ces questions. Si cela représente un défi pour tous, ça l'est particulièrement pour les femmes. Je suis particulièrement troublée par le fait que le nombre de femmes qui meurent de maladie coronarienne est plus élevé que jamais. En fait, à cet égard, hommes et femmes sont désormais à parité. Ce qui me préoccupe davantage en tant que cardiologue, c'est que je dois constamment souligner l'importance de la cardiopathie chez les femmes. La fausse croyance voulant qu'elles ne soient pas aussi sujettes à la maladie que les hommes, ou que leurs symptômes soient différents, est extrêmement répandue. Si nous voulons éviter que les femmes soient marginalisées en matière de soins cardiaques, nous devons rétablir les faits. Nous devons aussi nous pencher sur les problèmes spécifiques à cette maladie chez les femmes.

Chapitre 3

LES FEMMES ET LA CARDIOPATHIE

«Quel est le risque pour les femmes de souffrir de cardiopathie et en quoi diffère-t-il de celui des hommes?»

On me pose constamment cette question lors de mes échanges avec mes patients et d'autres médecins. Il faut dire que c'est un sujet qui me préoccupe et que j'aborde souvent. En fait, l'essentiel de ce que je dis consiste à corriger les idées fausses et à rétablir les faits. Franchement, j'ai entendu toutes sortes de stéréotypes sexospécifiques au sujet de la cardiopathie. À l'extrême, il y a ceux qui croient que seuls les hommes font des crises cardiaques, mais la plupart vous diront plutôt que, chez les femmes qui en font, les symptômes diffèrent entièrement. Je peux vous assurer que ce n'est généralement pas le cas (comme vous le verrez quand nous aborderons la question des symptômes au chapitre 5).

S'il y a une chose que j'ai apprise et que j'aimerais partager, c'est bien celle-ci: les femmes se rapprochent plus des hommes qu'elles n'en diffèrent, du moins en ce qui concerne leur cœur. Je n'insisterai jamais assez sur le fait que la cardiopathie est un problème tant féminin que masculin. En fait, la cardiopathie et l'AVC provoquent près du tiers des décès chez les Canadiennes. En termes des effets de la maladie, les femmes ont beaucoup plus en commun avec les hommes qu'on veut bien le croire. La seule différence importante, c'est que la maladie frappe généralement les hommes de manière plus précoce. Les femmes en sont habituellement protégées jusqu'à la ménopause, période où leur taux d'estrogène commence à chuter. Les chercheurs ont émis de nombreuses théories expliquant le rôle protecteur de cette hormone. On pense qu'elle protège les artères des lésions, ce qui serait dû, en partie, au fait qu'elle influe sur la régulation des taux de cholestérol de l'organisme. De plus, elle exerce un effet relaxant (dilatant) sur les artères. Elle fait baisser le taux de cholestérol LDL (le «mauvais») et élève le taux de cholestérol HDL (le «bon»). À la ménopause (particulièrement dans la cinquantaine et la soixantaine), alors que le taux d'estrogène baisse, le risque de cardiopathie croît parallèlement aux facteurs de risque. La répartition de la graisse corporelle change et les femmes sont plus sujettes à l'hypertension, au diabète et à l'hypercholestérolémie (taux de cholestérol élevé).

Les femmes préménopausées pourraient se croire à l'abri, mais elles ne le sont pas. Peut-être avez-vous 20 ou 30 ans et vous croyez-vous invincible, mais ce n'est pas le cas si vous avez des antécédents familiaux, fumez, faites du diabète ou de l'hypertension, êtes en surpoids et présentez un taux élevé de mauvais cholestérol, tous ces facteurs élevant votre risque de cardiopathie. Et vous êtes encore plus en danger si vous ne prenez pas conscience de votre risque. Il est rare de rencontrer des femmes de moins de 40 ans qui reconnaissent que cette maladie constitue leur plus grande menace en matière de santé. En toute honnêteté, je dois dire que les femmes de plus de 40 ans n'en ont pas nécessairement conscience non plus. Les maladies spécifiquement féminines, tels les cancers du sein et de l'ovaire, attirent généralement plus leur attention.

❤ **Ce qu'il faut savoir:** La cardiopathie frappe généralement les hommes plus tôt dans l'existence que les femmes. Pour le reste, hommes et femmes sont très semblables en termes de symptômes, de réponse aux traitements et de guérison.

J'ai bien l'intention de contribuer à rétablir les faits. En matière de soins cardiaques, il importe de considérer les femmes à l'égal des hommes. Non seulement elles sont prédisposées aux mêmes facteurs de risque, mais leurs symptômes de crise cardiaque sont les mêmes et, en principe, elles ont accès aux mêmes tests, traitements, information et programmes de réadaptation. Malheureusement, comme l'indiquent les résultats d'études, elles ne reçoivent pas nécessairement la même attention et les mêmes soins que les hommes. Bien que nous ne connaissions pas la raison exacte de cet état de fait, nous explorerons dans les pages suivantes certaines des causes qui y contribuent.

Mais pour l'instant, penchons-nous sur les tendances statistiques. Depuis le début des années 1970, époque où mon grand-père est mort d'une crise cardiaque, le taux de mortalité par maladie cardiovasculaire a baissé chez les hommes, en grande partie parce que la population est mieux informée et que la médecine a évolué. Au cours des 40 dernières années, la cardiologie s'est enrichie de nouvelles interventions chirurgicales et de médicaments plus efficaces et bien tolérés. De plus, au Canada, nous sommes de plus en plus conscients de la nécessité d'adopter de bonnes habitudes alimentaires et de faire de l'exercice régulièrement.

N'est-ce pas étonnant alors que le nombre de femmes qui meurent de cardiopathie soit plus élevé que dans le passé? On n'en connaît pas toutes les causes, mais on sait que ce n'est pas uniquement dû au vieillissement de la population. Selon la Fondation des maladies du cœur et de l'AVC, en 2003, le nombre de décès par maladie cardiovasculaire chez les femmes a pratiquement atteint celui des hommes. Au cours des 30 dernières années, la cardiopathie est devenue une ennemie opportuniste équitable, voilà les faits[30]!

Il importe que vous compreniez bien le problème, que vous soyez vous-même une femme ou que vous en ayez une dans votre existence, fût-ce votre mère, votre sœur ou votre conjointe. On doit pouvoir discuter des mythes, de la médecine et des dangers associés au déni. Voici d'autres questions et points sur lesquels je me suis penchée au fil des ans.

«Pourquoi le taux de mortalité par maladie cardiovasculaire est-il en hausse chez les femmes?»

Avant de répondre à cette question, je vous parlerai de deux de mes patientes. Une femme m'a un jour consultée à l'hôpital St. Michael's de Toronto afin d'obtenir un second avis. Âgée de 44 ans, mariée et mère de deux enfants, elle avait des antécédents familiaux de cardiopathie. Une nuit, elle se réveille avec l'impression d'avoir un poids sur la poitrine. À bout de souffle, elle se tourne vers son mari et lui demande conseil sur la marche à suivre. Comme il sait que les femmes sont sujettes aux troubles cardiaques tout comme les hommes, il lui répond que c'est probablement son cœur, qu'il faut composer le 9-1-1 et se rendre immédiatement à l'hôpital. Là, les médecins découvrent rapidement qu'elle vient de faire une crise cardiaque et lui font subir une angioplastie, intervention minimalement effractive qui permet de désobstruer une artère coronaire. (Nous reviendrons sur ce traitement au chapitre 10). Par la suite, on lui administrera des médicaments et elle suivra un programme de réadaptation. La morale de l'histoire: le couple a agi rapidement et sans hésitation. La patiente s'est rendue au service des urgences à temps, c'est-à-dire avant que son muscle cardiaque ne subisse des lésions irréparables. Au bout de quelques semaines, elle était complètement rétablie. Elle avait reçu d'excellents soins et s'en sortait bien.

Voyons maintenant le cas de cette patiente de 64 ans. Depuis plus d'un an, cette femme dynamique se démenait pour organiser un événement-bénéfice. Ce genre de projet s'accompagne généralement d'une foule de tâches et d'attentes. Le jour J, elle est prise de nausées et d'autres symptômes qu'elle attribue à une indigestion. Au lieu de s'en préoccuper, elle poursuit ses activités, même quand ses symptômes s'aggravent, déterminée à ne pas gâcher l'événement. Finalement, alors que la fête bat son plein, elle rentre chez elle, ses malaises étant insupportables. Au cours des trois jours suivants, elle discutera avec son mari de ce qui lui est arrivé et de ce qu'elle devrait faire. À aucun moment il ne leur viendra à l'esprit que ses symptômes sont de nature cardiaque. Au moment où elle se décide finalement à consulter – pour ce qui se révélera être une crise cardiaque –, son muscle cardiaque a subi des lésions modérées. Étant donné le délai entre l'accident et le traitement, elle s'est rétablie plus difficilement que ma patiente de 44 ans et souffre désormais de lésions permanentes. Dans un sens, elle a eu de la chance que les choses ne soient pas plus graves.

Sa réaction constitue l'exemple classique de ces femmes – quoique cela arrive aussi aux hommes – qui minimisent ou ignorent littéralement leur douleur afin de s'acquitter d'une tâche immédiate, généralement au profit des autres. Quand une femme réagit de la sorte, c'est comme si elle se disait que, dans la vie, il y a des choses et des gens qui comptent plus qu'elle. Cette attitude pourrait expliquer pourquoi, d'un point de vue statistique, le risque qu'une femme meure des suites d'une crise cardiaque ou d'un AVC est significativement plus élevé que celui d'un homme. Les résultats d'études indiquent que les femmes sont moins susceptibles que les hommes de consulter à temps. Au cours de la dernière décennie, la campagne « Le cœur tel qu'elles » de la Fondation des maladies du cœur et de l'AVC (pour laquelle j'ai siégé au conseil des ambassadrices) a compilé les résultats d'un sondage portant sur la conscience que les femmes ont du problème. Seule une sur huit savait que la cardiopathie constitue la menace la plus grave et seule une sur trois, qu'il s'agit de la principale cause de mortalité. La moitié des hommes interrogés et près du tiers des femmes croyaient que le taux de mortalité était plus faible chez le sexe féminin. Il se pourrait aussi que certaines femmes ne soient pas traitées à l'égal des hommes. Ainsi, elles sont moins susceptibles d'être prises en charge par un spécialiste de l'appareil cardiovasculaire et d'être transférées à une unité de soins cardiaques dans le cas où elles séjournent dans un hôpital qui n'en possède pas[31]. Enfin, elles sont moins susceptibles de subir des tests et interventions spécialisés, telles que la cathétérisation cardiaque, et la revascularisation des artères par angioplastie ou pontage cardiaque (voir chapitre 10).

....

❤ **Ce qu'il faut savoir :** Les résultats d'études indiquent que de nombreuses Canadiennes ne savent pas que la cardiopathie constitue la principale menace à leur santé.

....

« Les femmes pensent-elles vraiment qu'elles sont à l'abri de la cardiopathie ? »

J'ai rencontré des centaines de femmes qui n'ont jamais imaginé qu'elles pourraient faire une crise cardiaque ou un AVC, jusqu'au jour où la chose s'est produite. D'une certaine manière, c'est compréhensible. La prévention des maladies cardiovasculaires consiste à prendre les moyens pour se protéger d'une chose que, en définitive, on ne voit ni ne ressent. On ne peut pas voir l'accumulation de plaque dans ses artères ni la hausse de sa pression artérielle, pas plus qu'on ne peut sentir les molécules de cholestérol qui circulent dans son sang et contribuent à l'accumulation de plaque, laquelle peut mener à une crise cardiaque ou un AVC. Ces problèmes peuvent évoluer jusqu'à représenter un danger bien avant qu'on n'en éprouve les symptômes. On peut donc facilement ignorer ses facteurs de risque, particulièrement si l'on entretient la conviction que rester en bonne santé consiste essentiellement à réparer un problème quand il se présente. Malheureusement, bien des gens comptent sur le fait qu'ils se sentent bien pour adopter des comportements nuisibles.

Voilà pour l'aspect physique. Mais il y a aussi la dimension sociale. Au risque de généraliser, je dirais que les femmes sont socialement différentes des hommes. Ces derniers acceptent volontiers de suivre les conseils de leur médecin, tandis que les femmes se montrent plus critiques, voire sceptiques. Ainsi, quand je dis à un homme qu'il doit subir une angiographie, il me répondra : « D'accord docteur. Si vous le dites. » La réaction de la femme sera plutôt de poser des questions et de demander à y réfléchir.

Étant donné que la crise cardiaque est largement considérée comme un phénomène masculin, les hommes sont souvent plus conscients de leurs symptômes que les femmes. S'ils éprouvent une impression inhabituelle de serrement et de lourdeur, ils penseront aussitôt à leur cœur. Bien sûr, certains pourraient se rendre au service des urgences convaincus qu'ils font une crise cardiaque, alors qu'il s'agit simplement de brûlements d'estomac. Mais ce n'est pas une si mauvaise chose. C'est quand on y réfléchit à deux fois qu'on se prive de soins. En fait, je vous conseille de ne pas hésiter quand vous éprouvez des douleurs thoraciques, qu'elles disparaissent ou non au repos. (Nous reviendrons plus en détail sur ces symptômes au chapitre 5).

Dans mon cabinet, je constate que bien des femmes se comportent devant la douleur comme des soldats, une attitude rarement avantageuse. La femme active est souvent une véritable tornade en perpétuel mouvement. Pour satisfaire aux besoins de sa famille ou de ses amis, ou aux exigences de sa carrière, elle consacrera un temps fou à répondre à ses courriels, faire des courses, mettre les bouchées doubles pour respecter les délais et voir à l'organisation quotidienne de la sphère domestique. Elle se dit qu'il faut bien que quelqu'un fasse les choses et elle les fait. Étant moi-même une femme, je comprends fort bien cette mentalité. Cependant, en tant que médecin, je vous conseille plutôt de ralentir l'allure et de consacrer une partie de cette fabuleuse énergie à prendre soin de vous-même.

Chacun sait que les femmes se montrent particulièrement proactives quand il s'agit de la santé de leurs enfants, de leur conjoint et de leurs parents âgés. Cependant, elles négligent souvent leur propre santé cardiaque. Nombre de mes patientes sont à l'âge où l'on fait carrière et a des enfants, bref le modèle de la femme moderne qui fait tout. Quels que soient leur âge, leur origine ou les défis qu'elles doivent relever, elles ont toutes en commun une certaine forme d'abnégation qui, je pense, n'est pas constructive. Je dirais même que c'est dangereux, d'abord pour elles, mais aussi à cause de la manière dont la société interprétera une telle attitude. Bien sûr, je ne leur reproche rien, étant donné que je pense que si nous en sommes là, c'est en grande partie dû aux normes sociales admises et aux pressions exercées sur les femmes – qu'elles viennent d'elles ou non – pour qu'elles se montrent bonnes nourricières, travailleuses, mères, conjointes et organisatrices tout acabit. Mais je suis de plus en plus préoccupée par le fait que nombre d'entre elles choisiraient de terminer les cinq dernières tâches inscrites sur leur liste plutôt que de se rendre au service des urgences au moment où elles en ont le plus besoin. Voilà ce qui arrive quand on choisit de passer en dernier, de faire passer sa santé en dernier. Parlez avec la plupart des femmes de plus de 25 ans et elles vous diront invariablement qu'elles sont trop occupées, ce qui signifie habituellement qu'elles consacrent du temps à tous ceux qui comptent dans leur existence hormis à elles-mêmes.

« Quel mal y a-t-il à faire preuve d'abnégation ? »

Le problème, c'est que vous faites tout pour les autres mais rien pour vous. C'est très courant chez les femmes. Il y a quelques années, j'ai vu une patiente dans la cinquantaine qui devait s'occuper seule de son mari invalide et de ses enfants relativement jeunes. Un jour d'un week-end férié, elle éprouve des douleurs thoraciques ressemblant à des serrements et qui la font beaucoup souffrir, tandis qu'elle s'acquitte de ses tâches domestiques. De toute évidence, elle a un problème de santé, mais au lieu de se rendre immédiatement au service des urgences, elle s'inquiète de son fils, qui doit assister à un feu d'artifice en soirée. Pour s'assurer du bon ordre de la vie sociale de celui-ci, elle appelle une de ses amies, qui accepte de le conduire en voiture à sa destination. Elle ne se rendra au service des urgences qu'ensuite. Je n'invente pas cette histoire ; c'est exactement ce qui s'est produit. Quand elle m'a raconté ce qui lui était arrivé, je lui ai demandé avec un rire nerveux : « Qu'est-ce qui cloche dans votre histoire ? » Les conséquences auraient pu s'avérer désastreuses, mais heureusement, le problème n'était pas de nature cardiaque. En fait, il s'agissait d'un spasme œsophagien grave, chose qui ne pouvait être confirmée que par une visite au service des urgences et dont elle aurait dû faire sa priorité.

Si votre abnégation a pour conséquence que vous ignorez vos symptômes, alors elle va à l'encontre du but recherché. Si vous croyez qu'une marche dans le quartier, la préparation de quelques bons repas par semaine ou un congé d'ordi de temps à autre constituent un luxe inaccessible, cette attitude aura un effet direct et négatif sur votre risque de souffrir de maladie coronarienne. Je sais que notre chemin est semé d'embûches et qu'il est difficile de changer tout cela, mais je pense aussi qu'il y a longtemps qu'on aurait dû le faire.

Voici ce que j'ai à dire aux femmes : si vous ne prenez pas soin de vous-même, vous ne serez plus là pour prendre soin des autres. Comme le veut la consigne dans l'avion : enfilez d'abord votre masque à oxygène avant d'aider les autres à le faire. Accordez la priorité à votre bien-être. En matière de santé cardiovasculaire, le comportement a un impact direct sur les facteurs de risque. Nous savons toutes que la sédentarité et une alimentation riche en gras saturés exercent un effet direct sur notre risque de cardiopathie et d'AVC. Il en va de même de notre comportement, surtout s'il consiste à répondre aux besoins des autres au détriment des nôtres. Pour vous protéger de la cardiopathie, vous devez avant tout connaître vos facteurs de risque. Discutez-en avec votre médecin. Ensuite, montrez-vous positive, proactive et réaliste.

«Le traitement à l'estrogène permet-il de diminuer le risque des femmes qui prennent de l'âge?»

Si seulement c'était aussi simple!

Étant donné l'association entre chute du taux d'estrogène à la ménopause et augmentation du risque de maladie cardiovasculaire, la solution semble aller de soi. En effet, bien des femmes croient que l'hormonothérapie substitutive permet de renverser l'horloge biologique et de se protéger des crises cardiaques.

Une chose est absolument certaine: on ne peut renverser l'horloge biologique. L'hormonothérapie ne joue aucun rôle dans la prévention des crises cardiaques et de l'AVC. En fait, les risques qui sont associés à ce traitement – formation de caillots sanguins, crise cardiaque et AVC – peuvent l'emporter considérablement sur les bienfaits, perçus ou réels. Même si l'on a prouvé qu'il prévenait les problèmes osseux et l'ostéoporose, et donnait le sentiment d'être plus jeune, il existe de meilleurs traitements préventifs pour les femmes. À mon avis, on ne devrait avoir recours à ce traitement qu'en cas de symptômes ménopausiques graves (symptômes vasomoteurs tels que bouffées de chaleur et sueurs), le suivre le moins longtemps possible (moins de quatre ans) et prendre la dose la plus faible possible.

Bon nombre d'entre vous peuvent trouver que certains acronymes médicaux prêtent à confusion, particulièrement s'ils commencent à changer au fil du temps. Par exemple, HRT est aussi connue comme HT (*hormone therapy*). En français: THS, traitement hormonal substitutif ou HT (pour hormonothérapie). En tant que cardiologue spécialiste de la santé des femmes, je suis stupéfaite que personne n'ait pensé à une meilleure abréviation. En médecine, HT signifie aussi hypertension artérielle).

Je pense à l'une de mes patientes, une femme de 83 ans, qui m'a consultée pour un problème de rythme cardiaque. Bien qu'elle ait dû se déplacer en fauteuil roulant, elle menait une bonne existence. Matriarche d'une famille unie, elle venait souvent à mon bureau accompagnée de membres de sa tribu. Je me plaisais à la voir en action, donnant des ordres à son petit monde. Elle était sous hormonothérapie, mais je souhaitais qu'elle interrompe le traitement. Elle résistait, me disant combien elle aimait sentir la douceur de sa peau. En tant que cardiologue, je craignais le caillot sanguin, particulièrement du fait qu'elle était clouée à son fauteuil roulant. À l'issue de longues discussions, elle m'a finalement autorisée à prendre les commandes et à interrompre l'hormonothérapie.

On a comparé dans des études les risques et les bienfaits de l'hormonothérapie substitutive. Publiée en 2003 dans le *New England Journal of Medicine,* la Women's Health Initiative fut la première étude clinique aléatoire à grande échelle à en observer les effets chez les femmes. Ce genre d'essai constitue le meilleur moyen pour les chercheurs d'étudier les effets d'un traitement. On attribue au hasard aux sujets soit un médicament soit un placebo (pilule inactive à base de sucre). Les chercheurs ignorent qui, parmi eux, prend le médicament, ce qui réduit les risques de parti pris dans l'interprétation des résultats. Or, ces derniers étaient on ne peut plus clairs : l'hormonothérapie ne procurait aucun bienfait médical significatif ; au contraire, elle présentait des effets légèrement négatifs[32]. Près de 17 000 femmes post-ménopausées âgées de 50 à 79 ans ont participé à l'étude. On l'a interrompue au bout de cinq ans, les résultats indiquant que le médicament (à base d'estrogène et de progestérone) contribuait à élever légèrement le risque de cancer du sein. Il contribuait également à élever légèrement le risque de crise cardiaque et de mortalité par cardiopathie, à hausser le risque d'AVC et à multiplier par deux le risque de formation de caillots dans les jambes ou les poumons. Ces effets étaient généralement observables au cours de la première année du traitement. Les résultats de l'étude indiquaient que les femmes tiraient certains bienfaits du traitement, notamment une baisse du nombre de fractures de la hanche et même du cancer du côlon mais, au final, ils ne contrebalançaient pas le risque de crise cardiaque, d'AVC et de cancer du sein. Les chercheurs ont estimé que 100 femmes sur 10 000 connaîtraient un effet adverse ou nuisible. Il me semble complètement insensé de prendre un traitement soi-disant préventif alors qu'il cause du tort.

Selon les résultats d'autres études, le risque de récurrence d'une crise cardiaque ou d'un AVC est légèrement plus élevé chez les femmes souffrant de cardiopathie sous hormonothérapie[33]. L'American Heart Association conseille à celles qui ont fait une crise cardiaque d'éviter ce traitement durant au moins un an. Cela dit, même sous hormonothérapie, celles qui prennent des doses adéquates d'un hypocholestérolémiant sont moins susceptibles de faire une crise cardiaque ou un AVC.

Si vous souffrez de cardiopathie et êtes affligée de symptômes ménopausiques graves, vous pourriez prendre des hormones à petites doses. Dans ce cas, le risque que présente ce traitement est faible et les bienfaits que vous en tirerez en termes de qualité de vie pourraient le contrebalancer. Consultez votre médecin. Tant que vous prenez vos hypocholestérolémiants et restez consciente des risques et des bienfaits, cette approche pourrait vous être utile[34].

Que penser de l'estrogène pour les hommes? Croyez-le ou non, c'est une question qu'on me pose à l'occasion. On suppose que si les femmes sont généralement protégées contre la cardiopathie et l'AVC jusqu'à la ménopause, l'administration de cette hormone aux hommes pourrait diminuer leur risque. Les résultats des études sont mitigés à ce sujet. Dans les années 1970, lors de l'étude The Coronary Drug Project, on a observé que ceux auxquels on avait administré cette hormone à l'issue d'une crise cardiaque couraient plus de risques de mourir en conséquence de la formation d'un caillot sanguin dans les poumons (embolie pulmonaire). Plus récemment, on en a étudié les effets sur des sujets australiens transgenre qui étaient de sexe masculin à la naissance. Ceux qui ont reçu l'hormone ont vu leurs seins se développer et leur fonction vasculaire s'améliorer. Cela dit, étant donné ses autres effets néfastes, il n'est pas dans l'usage de l'administrer aux hommes ou aux femmes dans le but d'atténuer leur risque de cardiopathie.

Je dois être très claire avec les femmes qui lisent ceci, de même qu'avec les hommes qui les aiment. C'est à vous qu'il revient en premier lieu de faire en sorte de transformer les statistiques portant sur les femmes et la cardiopathie. Informez-vous. Soyez proactives. Prenez en charge votre santé. Vous connaissez les habitudes et l'attitude qu'il vous faut changer. La question est la suivante : quels moyens pouvez-vous prendre dès aujourd'hui pour adopter un mode de vie sain ? Les réponses suivent.

DEUXIÈME PARTIE

PRÉVENTION ET DÉPISTAGE DE LA CARDIOPATHIE

CHAPITRE 4
LA PRÉVENTION PRIMAIRE

« Que puis-je faire pour me protéger, ainsi que
les membres de ma famille, de la cardiopathie ? »

Devant un problème de santé, particulièrement s'il a des conséquences graves – ou risque de mettre fin à l'existence – comme c'est le cas de la cardiopathie, on peut facilement se mettre à broyer du noir. Laissez-moi vous dire que le fait d'apprendre qu'on souffre de cardiopathie ne constitue pas une sentence de mort. C'est plutôt le contraire, étant donné les atouts dont vous disposez : vous avez accès à un système de soins de santé très développé où les percées médicales sont chose quotidienne. En outre, il ne vous faut guère plus que de l'information et de la détermination pour parvenir à diminuer votre risque. J'entends par là qu'il n'est pas nécessaire que vous disposiez d'appareils d'exercice ultramodernes ou d'un compte en banque bien gonflé pour apporter des changements positifs dans votre vie et dans celle des vôtres. Ironiquement, dans ce monde de haute technologie, ce sont les solutions de basse technologie qui donnent des résultats, c'est-à-dire l'alimentation et l'exercice.

··

❤ **Ce qu'il faut savoir :** Les résultats d'études indiquent qu'on peut prévenir la cardiopathie dans 80 % des cas, à la condition d'arrêter de fumer, d'adopter une alimentation saine, de faire de l'exercice et d'acquérir d'autres habitudes réputées bonnes pour le cœur[35].

··

Pourtant, notre société reste déchirée entre vertu et vice. Selon les résultats des études les plus récentes, les manifestations de la cardiopathie changent quand les gens modifient leur attitude. D'un côté, nous observons une baisse du taux de cholestérol, de la pression sanguine et du tabagisme dans la population en général. Environ la moitié de la baisse des décès par maladie coronarienne est attribuable à ces changements. De l'autre côté, les gens sont de plus en plus gros et en mauvaise forme physique. En Amérique du Nord, le taux d'obésité croît de manière fulgurante. Si cette tendance se maintient, nous perdrons les gains acquis. L'obésité s'accompagne d'hypertension, d'hypercholestérolémie, de diabète et, bien sûr, d'une hausse du risque de maladie coronarienne.

En matière de prévention, il n'existe pas une telle chose qu'une panacée ou un miracle de haute technologie. La meilleure façon de vous protéger, ainsi que les vôtres, consiste à adopter à long terme des habitudes qui préserveront votre santé cardiaque avant que la cardiopathie ne vous frappe. C'est ce qu'on appelle la prévention primaire. Je vous assure que ce n'est pas si difficile à accomplir.

Voici les principaux éléments auxquels vous devez vous attaquer.

CESSEZ DE FUMER

C'est, sans aucun doute, la chose la plus importante que vous puissiez faire. Le tabagisme est, au Canada, la principale cause de maladie, invalidité et décès que l'on peut prévenir. Les données statistiques à cet effet sont stupéfiantes mais, en même temps, pas étonnantes : la moitié des fumeurs réguliers mourront prématurément de maladies associées au tabagisme. Si vous fumez, ou si c'est le cas d'un membre de votre famille ou d'un ami, vous savez probablement que le tabac est particulièrement nuisible à la santé. Si vous considérez la possibilité d'arrêter, vous aurez besoin d'aide pour vous libérer de votre dépendance. N'hésitez surtout pas à faire appel à votre médecin ou aux membres de votre famille. Votre médecin pourrait vous conseiller de prendre des médicaments. Les produits à base de nicotine destinés à faciliter le sevrage, tels que le timbre, la gomme à mâcher et l'inhalateur, sont nettement moins nuisibles que la cigarette.

....

♥ **Ce qu'il faut savoir :** Au Canada, le tabagisme est la principale cause de maladie, invalidité et décès que l'on peut prévenir. Mais il y a de l'espoir : bien des fumeurs souhaitent arrêter et réagiront positivement à une approche de soutien leur permettant de se défaire de leur dépendance.

....

Bien que la quantité de poison que fournit une cigarette soit faible, ses effets toxiques sont cumulatifs. L'habitude de fumer crée une puissante dépendance. La nicotine élève le taux de dopamine, hormone du cerveau qui procure un sentiment de plaisir et de détente ; quand son taux chute, entre deux cigarettes, on éprouve des symptômes de sevrage tels qu'irritabilité et stress. Plus on fume dans le but d'atténuer ces symptômes, plus on a besoin de nicotine pour retrouver le sentiment de plaisir et de détente. En outre, le tabac a pour effet de contracter les vaisseaux sanguins. C'est l'effet opposé de la nitroglycérine, médicament utilisé dans les soins cardiaques. Peut-être vous en a-t-on déjà administré en salle des urgences pour soulager des douleurs thoraciques de nature cardiaque. Vaporisée dans la bouche, elle apporte un soulagement rapide du fait qu'elle dilate les artères. Le tabac exerce l'effet contraire : il rétrécit les vaisseaux sanguins.

Si vous cessez de fumer avant l'âge de 40 ans, votre espérance de vie augmentera de neuf ans, avant l'âge de 50 ans, de six ans et avant 60 ans, de trois ans. Si vous avez déjà l'âge de la retraite quand vous prenez cette décision, vous vivrez probablement plus longtemps que si vous persistiez dans votre habitude. Mais, avant tout, vous diminuerez votre risque de souffrir de troubles associés au tabagisme, tels que la maladie pulmonaire obstructive chronique (MPOC) et l'emphysème, et améliorerez ainsi votre qualité de vie.

Tout comme les garçons et les filles commencent à fumer pour des raisons différentes, les hommes et les femmes arrêtent pour des motifs différents. Ainsi, de nombreuses femmes mettent fin à cette habitude durant leur grossesse. Chose étonnante, toutefois, certaines la reprennent quand leurs enfants grandissent. Elles peuvent même voir la pause cigarette comme un moment de détente à l'écart des enfants. S'il est vrai qu'on peut reprendre facilement cette habitude pour diverses raisons, on ne vantera jamais assez les bienfaits de s'en défaire pour de bon.

Au bout d'un an sans fumer, votre risque de maladie coronarienne aura diminué de 50 % par rapport à celui d'un fumeur[36]. Au bout de cinq ans, votre risque de faire un AVC sera le même que celui d'un non-fumeur. (En comparaison, votre risque de souffrir d'un cancer du poumon diminuera plus lentement : au bout de dix ans, il aura diminué de 50 % par rapport à celui d'un fumeur.) Chose encourageante, au bout de 15 ans sans fumer, votre risque de souffrir de maladie cardiovasculaire sera le même que celui de quelqu'un qui n'a jamais fumé.

Quand on arrête de fumer, il arrive que la toux du fumeur ou les expectorations s'aggravent. C'est dû au fait que les poumons cherchent à évacuer les substances chimiques et, pardonnez l'expression, la crasse, qui s'y sont accumulées au fil des ans. C'est une bonne chose.

Le fumeur qui désire rompre avec son habitude n'est pas nécessairement convaincu que son médecin peut vraiment l'aider dans sa démarche. En effet, les médecins sont partiellement responsables du fait que certains de leurs patients continuent de fumer. Souvent, ils refusent de consacrer du temps à les conseiller, craignant que leurs efforts soient inutiles et qu'ils retombent dans leurs mauvaises habitudes. Il est plus simple pour eux de prescrire un médicament contre l'hypertension, étant donné que les résultats sont généralement plus positifs. En outre, nombre d'entre eux n'ont pas la formation requise qui leur permettrait d'agir à titre de conseiller dans ce domaine.

Comme toujours en matière de santé, je vous conseille d'être proactif. Les résultats d'études indiquent que ce sont les récompenses personnelles (par opposition aux bienfaits santé) qui motivent les gens à écraser. À vous donc de considérer les avantages que vous en tirerez, par exemple les économies que vous réaliserez : ne consacrez-vous pas chaque année quelques milliers de vos précieux dollars à votre habitude ? Pensez aussi à vos parents, vos enfants, vos amis ; il pourrait être opportun d'arrêter de fumer à l'occasion d'un moment important de leur existence, par exemple la remise des diplômes de votre fils ou le mariage de votre nièce. Songez au sentiment d'accomplissement que vous éprouverez et aux nombreux bienfaits que vous en tirerez à long terme !

❤ **Ce qu'il faut savoir :** Quand on veut aider un membre de sa famille ou un ami à cesser de fumer, il est souvent utile d'insister sur les économies qu'il réalisera, l'amélioration de son apparence physique ou d'autres bienfaits n'ayant pas à voir avec la santé.

Certains devront faire plusieurs tentatives avant de réussir à écraser pour de bon, mais l'arrêt de cette habitude est un processus et non un événement. La plupart des données à ce sujet indiquent que les fumeurs qui font plusieurs tentatives finissent par réussir.

Peut-être hésiterez-vous à prendre les médicaments du sevrage tabagique, notamment sous prétexte qu'ils coûtent trop cher (nonobstant la
petite fortune que vous économiserez à long terme si vous arrêtez de
fumer). Je suis toujours étonnée d'apprendre que bien des régimes
d'assurance-médicaments ne couvrent pas les substituts de nicotine ou les
autres médicaments semblables. Le tabagisme est un grave problème de
santé!

Sachez que ces médicaments sont efficaces. Selon les résultats d'essais
cliniques, les fumeurs sous thérapie de remplacement de la nicotine (timbre)
et sous buproprione (connu sous les noms de marque Wellbutrin et Zyban)
sont près de deux fois plus susceptibles d'arrêter que ceux qui ne prennent
aucun médicament. Cependant, sachez que ces médicaments n'agissent pas
tous de la même manière. Ainsi, la varénicline (nom de marque Champix)
agit en bloquant le récepteur de nicotine et en libérant une certaine dose de
dopamine. Étant donné son effet sur ce récepteur, on risque beaucoup
moins d'éprouver du plaisir à fumer une cigarette empruntée à un ami. Ce
n'est pas le cas des substituts de nicotine. Comme ils ne bloquent pas ce récepteur, la cigarette que vous fumerez malgré le traitement contribuera à
libérer une plus grande quantité de dopamine, ce qui pourrait vous inciter
à recommencer à fumer.

À l'origine, la varénicline s'est attirée une mauvaise presse du fait qu'on
lui attribuait des effets secondaires tels que dépression, sautes d'humeur,
voire tendances suicidaires. Cependant, l'étude attentive des données ne
permet pas de confirmer ces allégations. Gardez à l'esprit que l'humeur
change quand on arrête de fumer. Si vous êtes irritable, déprimé ou agité, il
importe que vous en parliez à votre médecin. En fait, l'effet secondaire le
plus répandu de la varénicline est la nausée; pour la combattre, je conseille
à mes patients de boire de bonnes quantités d'eau (huit grands verres) par
jour.

J'ajouterai que si vous souffrez d'une maladie coronarienne, la prudence
s'impose en matière de médicaments du sevrage tabagique. D'ailleurs, votre
médecin vous fera certainement part de ses préoccupations. Ainsi, un médicament comme le buproprione pourrait élever votre pression sanguine[37].
En revanche, on a démontré l'efficacité de la varénicline chez les patients
externes souffrant de maladie coronarienne, pour qui elle est relativement
sûre[38].

Informez-vous auprès de votre médecin sur les études récentes menées sur les médicaments du sevrage tabagique. Ainsi, en 2010, la FDA américaine affichait une mise en garde sur l'administration de varénicline aux patients souffrant de maladie cardiovasculaire, indiquant que son emploi pouvait être associé à une hausse légère de certains problèmes cardiovasculaires chez les patients souffrant de cardiopathie. Cependant, du point de vue de bien des experts et des médecins qui cherchent à aider leurs patients à écraser, on a exagéré les résultats de l'étude. En réalité, les auteurs de cette dernière la considéraient plutôt comme sûre, soulignant que les médecins pouvaient la prescrire en toute sécurité aux fumeurs dont la cardiopathie était stabilisée.

MANGEZ SAINEMENT

La question du tabac étant réglée, c'est sur l'alimentation que vous devrez ensuite faire porter votre effort, tant sur le plan qualitatif que quantitatif. Une alimentation saine et équilibrée peut contribuer à prévenir la cardiopathie et une foule d'autres maladies. Gardez à l'esprit qu'il n'existe pas de médicament, supplément vitaminique ou potion magique qui pourrait, à lui seul, vous être plus utile.

L'alimentation exerce une grande influence sur l'organisme. Quand j'ai entrepris de pratiquer la médecine, j'étais plutôt sceptique sur l'utilité des approches naturelles en matière de santé et de prévention. Cependant, en vieillissant (et en m'assagissant), je mesure de plus en plus l'importance de bien manger. Une alimentation pauvre en gras saturés et riche en fruits et légumes frais vous mettra certainement sur la voie de la prévention de la cardiopathie.

J'ai toujours mangé sainement, ce que je dois à mes parents, qui étaient particulièrement déterminés et franchement avant-gardistes. Déjà, dans les années 1970, mon cardiologue de père faisait figure de pionnier en insistant sur l'importance d'adopter de saines habitudes de vie. La question du cholestérol l'obsédait également avant l'heure et il éliminait scrupuleusement le gras de ses aliments. Ma mère devait souvent lui mentir au sujet de la quantité de beurre ou d'œufs qu'elle mettait dans un gâteau. (Je pense qu'elle le fait toujours.) Mon père est un homme doux et équilibré, mais il s'est souvent montré impatient envers ses patients obèses, connaissant trop bien le risque qu'ils couraient.

À la maison, nous pratiquions ce qu'il prêchait. Nous étions la seule famille de ma connaissance à prendre une salade – que nous appelions « la Monstrueuse » – comme plat principal au souper. Il faut dire que c'était toute une salade : des tonnes de laitue garnie d'aliments protéinés, dont des œufs, du poulet et de la dinde. Ma mère nous la servait deux fois par semaine. Mon frère et moi apportions à l'école des sandwichs à la salade de thon ou un demi-poivron farci d'aliments protéinés maigres. Je me rappelle encore de ma meilleure amie d'enfance, qui me traitait de toquée parce que je retirais la peau de mes morceaux de poulet frits pour la lui refiler. Que puis-je dire ? On m'a lavé le cerveau quand j'étais toute petite…

Trente ans plus tard, je vois de nombreux parents consacrer beaucoup d'énergie à enseigner les mêmes principes à leurs enfants. Ma nièce et mon neveu ont pris l'habitude de bien manger du fait que leurs parents leur ont donné l'exemple, tout comme les miens. À nous, les adultes, de faire aussi bien que ces enfants ! Il est vrai que quand on est à court de temps et qu'on a un agenda chargé, ce n'est pas nécessairement chose facile.

En tant que parents, l'une des choses les plus importantes que vous pouvez faire pour vos enfants, c'est de leur enseigner à être proactif en matière de santé, notamment en mangeant sainement. Je vois autour de moi beaucoup de jeunes parents le faire : ils lèvent le nez sur les doigts de poulet frits parce qu'on leur a enseigné en bas âge que la friture était malsaine. Comme nous manquons tous de temps, il importe de savoir faire de bons choix alimentaires où qu'on se trouve. Si vous pouvez préparer un sandwich à la dinde à apporter pour midi, tant mieux. Mais si vous devez commander de quoi manger à l'aire de restauration du centre commercial, il vous faudra peut-être vous contenter d'un sandwich aux légumes et au fromage maigre avec peu (ou pas) de sauce. Quoi qu'il en soit, évitez toute friture ou plat riche en gras saturés et en sucre.

Mon conseil : apprenez d'abord les règles de base de l'alimentation saine et à surveiller vos portions. Ensuite, mangez généralement bien mais autorisez-vous un écart à l'occasion, puisque la plupart des choses sont acceptables quand on en use avec modération. Sauf les cigarettes, bien sûr.

Vous gagneriez certainement à consulter un diététiste. Votre médecin peut vous adresser à l'un de ces spécialistes. Votre régime d'assurances pourrait même en couvrir les frais; informez-vous. Mais pour commencer, répondez à ce mini-questionnaire qui ne vous demandera que 10 secondes et que je soumets à tous mes patients:

1. Consommez-vous des aliments frits?
2. Laissez-vous la peau sur votre poulet?
3. Consommez-vous de la viande rouge plus d'une fois par mois?
4. Consommez-vous des fromages gras?

Si vous avez répondu «oui» à ces questions, lisez attentivement la suite. Les neuf conseils suivants vous mettront sur la voie d'une bonne alimentation.

Équilibrez vos quatre groupes alimentaires. La Fondation des maladies du cœur et de l'AVC conseille de suivre les lignes directrices du *Guide alimentaire canadien*, c'est-à-dire de consommer des légumes et des fruits; du pain et des produits céréaliers; du lait et des substituts de lait; de la viande et des substituts de viande. Vous pouvez télécharger un exemplaire du feuillet d'information publié sur le site de Santé Canada à http://www.hc-sc.gc.ca/index-fra.php (cliquez sur «Aliments et nutrition» dans le menu de gauche, puis sur «Guide alimentaire») ou composez le 1-866-225-0709 pour commander votre exemplaire par la poste.

Le nombre de portions quotidiennes pour chacun des quatre groupes varie selon l'âge et le sexe. Ainsi, le *Guide* conseille aux femmes de 19 à 50 ans de prendre chaque jour 7 à 8 portions de légumes et de fruits, 6 à 7 portions de produits céréaliers, 2 portions de lait à faible teneur en gras (ou de substituts tels que le lait de soya) et 2 portions de viande ou de substituts protéinés.

Aux femmes de plus de 51 ans ou qui arrivent à la ménopause, on conseille de prendre chaque jour 7 portions de légumes et de fruits, 6 portions de produits céréaliers, 3 portions de lait ou de substituts et 2 portions de viande ou de substituts protéinés.

Les besoins en calories et en nutriments sont généralement plus élevés chez les hommes de 19 à 50 ans. Le *Guide* leur conseille de prendre chaque jour 8 à 10 portions de légumes et fruits, 8 portions de produits céréaliers, 2 portions de lait ou de substituts, par exemple du soya, et 3 portions de viandes ou de substituts protéinés.

Les hommes de plus de 51 ans devraient prendre chaque jour 7 portions de légumes et fruits, 7 portions de produits céréaliers, 3 portions de lait ou de substituts et 3 portions de viandes ou de substituts protéinés.

Les fruits et les légumes frais sont essentiels à une bonne alimentation. Pour diminuer votre risque de crise cardiaque et d'AVC, vous devriez en prendre 5 à 10 portions par jour. La plupart des légumes sont peu caloriques et riches en fibres (qui contribuent au sentiment de satiété), ainsi qu'en potassium et en magnésium, deux minéraux qui pourraient contribuer à prévenir la formation de plaque dans les artères. Ils favorisent tout particulièrement le bon fonctionnement du système électrique du cœur, stabilisant le rythme cardiaque et régulant la pression artérielle. Enfin, optez autant que possible pour les produits de grains entiers, qui devraient compter pour au moins la moitié de vos portions de produits céréaliers. Variez votre apport en consommant riz complet, orge, avoine et quinoa.

Si vous ne savez pas en quoi consiste exactement une portion, suivez les règles générales suivantes.

- Légumes et fruits : une portion correspond à un fruit ou un légume (par exemple une pomme, une banane ou un épi de maïs), ou à une demi-tasse d'un fruit ou d'un légume coupé. Font exception les légumes à feuilles verts, comme les verdures mixtes ou l'épinard : une tasse compte pour une portion.
- Produits céréaliers : une portion correspond à une tranche de pain (de 35 g), 30 g de céréales ou ½ tasse de pâtes ou de riz cuits.
- Laits et substituts : une portion correspond à une tasse de lait, ¾ tasse de yogourt ou 50 g de fromage tel que cheddar, feta ou mozzarella.
- Viandes et substituts protéinés : une portion correspond à 2 œufs, ¾ tasse de haricots secs ou autres légumineuses, ou ½ tasse (l'équivalent d'un petit poing) de bœuf, poulet, poisson, dinde ou autre.

Buvez de l'eau. Le *Guide alimentaire canadien* conseille également de boire régulièrement. Autant que possible, optez pour l'eau. Celle du robinet convient parfaitement. Limitez votre consommation de boissons gazeuses et caféinées, de jus de fruits, de boissons sportives et d'alcool, qui sont généralement caloriques ou pauvres en nutriments. En remplaçant les sodas et les jus de fruits par de l'eau, vous diminuerez votre apport en calories et en sucre, tout en vous hydratant.

Le frère d'une de mes amies nutritionniste vit en Angleterre. Il lui a demandé ce qu'il devait faire pour retrouver la forme. Chose étonnante, elle a réussi à l'aider à perdre près de 13 kg en six mois, soit 0,5 kg par semaine, simplement en lui prodiguant ces trois conseils : n'ingère pas tes calories sous forme liquide, consomme des aliments sains, non transformés, et fais de l'exercice. Étant donné l'omniprésence des pubs et de la friture dans ce pays, c'était tout un défi, mais il l'a fort bien relevé.

❤ **Ce qu'il faut savoir :** En remplaçant les boissons gazeuses et les jus de fruits par de l'eau, vous ferez un pas vers un mode de vie plus sain.

Préparez vos repas à l'avance et divisez vos plats en portions adéquates. Tout excès, y compris alimentaire, est générateur de souffrance. Nous vivons dans un environnement toxique où la malbouffe est omniprésente et à une époque où les portions sont démesurées. Elles sont beaucoup plus grosses qu'elles ne l'étaient auparavant, sans compter que les aliments transformés et les mets à emporter sont plus gras et plus caloriques. Selon les données du National Health and Nutrition Examination Survey (NHANES) des États-Unis, entre 1971 et 2004, l'apport calorique moyen dans ce pays a augmenté de 22 % chez les femmes et de 10 % chez les hommes, ce qui se reflète par une hausse de la consommation de glucides, de boissons sucrées, de collations et de repas-minute, et par une augmentation de la taille des portions[39]. En conséquence, nous avons vu une augmentation du facteur de risque chez les jeunes adultes[40].

L'environnement alimentaire toxique est un problème international. En Inde, par exemple, la modernisation a entraîné une hausse des taux d'obésité et de cardiopathie. Les hommes, les femmes et les enfants abandonnent graduellement le mode de vie rural, considéré comme plus sain, pour adopter le mode de vie urbain, plus nocif. Ils marchent moins, se servent plus de leur voiture et s'éloignent de leur alimentation traditionnelle à base de légumes et de grains.

Nos attentes sociétales ont également changé radicalement. Rappelez-vous la dernière fois où, dans un restaurant, on vous a servi une petite portion d'un plat. Vous avez probablement pensé que vous n'en aviez pas pour votre argent au lieu de vous dire que les petites portions sont nettement meilleures pour la santé.

Il vaut mieux tenir compte de vos véritables besoins alimentaires et préparer vos plats à l'avance, que vous diviserez ensuite en portions raisonnables. Comme je fais 1,55 mètre, je dois surveiller de près mes portions. Pour maintenir mon poids, je ne dois pas ingérer plus de 1500 calories par jour, soit nettement moins que mon mari, qui fait plus de 1,90 mètre. Il y a bien des années, j'ai adopté l'habitude suivante : je passe environ une heure par semaine à faire cuire une bonne quantité de poitrine de poulet, de dinde et de filets de poisson, que je répartis ensuite dans de petits récipients de plastique (chacun contient environ 120 g) et que je congèle. Chaque matin, j'en sors un du congélateur et l'apporte au travail. C'est toujours une surprise puisque je ne sais pas ce qu'il contient. J'apporte aussi un sachet de légumes coupés, une pomme ou une orange, de l'eau et, à l'occasion, des bâtonnets de fromage maigre et une biscotte Melba. De retour du travail, je me précipite habituellement à la cuisine pour couper des légumes et confectionner une grosse salade tandis que j'écoute la télé ou la radio. Ce petit investissement en temps est très bénéfique pour ma santé.

Bien sûr, j'aime manger au restaurant, mais si je le faisais chaque jour, même en faisant attention, je prendrais du poids en un rien de temps. C'est justement dans le but de me permettre un petit écart à l'occasion sans éprouver de culpabilité que j'apporte mon repas le midi et cuisine mon souper. En effet, les portions qu'on sert au restaurant sont habituellement démesurées. D'ailleurs, je vous conseille, si c'est le cas, de commander une entrée comme plat principal.

La plupart des gens en surpoids affirment ne pas manger beaucoup mais, franchement, c'est généralement faux. Cela me rappelle une histoire pas politiquement correcte à propos d'un médecin insensible et d'une patiente pratiquant le déni. Cette femme, qui pesait plus de 136 kg et venait de faire une crise cardiaque, était assise sur un lit de l'unité des soins coronariens. Un médecin d'un certain âge aborde la question de son poids, ce sur quoi elle lui dit : «Mais docteur, je mange comme un oiseau !» À quoi, il répond : «Alors, votre oiseau, ce doit être un ptérodactyle.» Il devait savoir s'y prendre avec les gens, car elle ne s'en est pas offensée... La vieille école médicale, je suppose.

Lisez les étiquettes des produits alimentaires. Comparez deux produits alimentaires similaires : si l'un est plus riche en gras ou en calories, remettez-le sur l'étagère. Les étiquettes des produits vendus en épicerie donnent une très bonne idée de leur composition. Comme le rappelle la Fondation des maladies du cœur et de l'AVC, la liste d'ingrédients y est présentée par ordre descendant de poids. Autrement dit, plus un ingrédient se situe en haut de la liste, plus le produit en renferme. Si le premier ingrédient consiste en sucre ou en matières grasses, passez votre tour. Les matières grasses figurent sous divers noms : lard, shortening, huiles (de palme, de coco, hydrogénée), monoglycérides, triglycérides ou suif. Quant aux sucres, on les trouve aussi sous diverses appellations : miel, mélasse, sirop ou tout ce qui se termine en «ose» (dextrose, sucrose, fructose, maltose, lactose). Méfiez-vous aussi des diverses dénominations du sel : MSG, sodium, saumure et sauce soya en sont tous des synonymes. Si votre pression est plutôt élevée ou si vous avez des antécédents familiaux d'hypertension, vous devez surveiller votre apport en sel.

Le tableau des valeurs nutritives est l'autre élément important de l'étiquette. En principe, les valeurs sont données pour une portion, mais assurez-vous que c'est bien le cas. Si la portion est de 50 calories mais que l'emballage comprend l'équivalent de cinq portions, vous pourriez vous retrouver à ingérer 250 calories, en étant convaincu que votre collation est peu calorique.

Méfiez-vous des gras et tenez-vous-en aux produits qui sont pauvres en gras. À notre époque, les calories et les gras se cachent dans la plupart des produits alimentaires, particulièrement dans les plats préparés vendus en épicerie ou au restaurant. L'excès de gras peut contribuer à hausser votre taux de cholestérol LDL (le «mauvais») et à vous faire prendre du poids, ce qui peut mener à l'hypertension et à l'accumulation de plaque artérielle.

Optez pour des produits laitiers, ou leurs substituts, à faible teneur en gras, qu'il s'agisse de lait, fromage, yogourt ou boisson de soya enrichie. Ces aliments sont d'importantes sources de calcium et d'autres nutriments. Nombre de mes patients sont des amateurs de fromage qui ont réussi à faire baisser leur taux de cholestérol simplement en optant pour des produits à faible teneur en gras. Cependant, pour certains, le fromage relève presque de la dépendance. Un de mes patients, un homme d'âge mûr particulièrement brillant, était gros et en mauvaise forme physique, en plus de faire du diabète. Pendant un certain temps, il m'a caché qu'il consommait un demi-kilo de fromage par jour. Il m'a finalement révélé son secret et, avec beaucoup de détermination, a apporté des changements majeurs dans son mode de vie. Dès qu'il a renoncé à son faible, il a perdu du poids, son diabète et son hypertension se sont atténués, et il a pu diminuer ses doses d'antihypertenseur. Il a perdu 45 kilos et a réussi à ne pas les reprendre grâce à une alimentation saine, surtout en éliminant le fromage gras et calorique qu'il consommait auparavant. Comme il avait fait une crise cardiaque, il devait toujours prendre un hypocholestérolémiant. Cependant, ce genre de médicament n'est pas très efficace si l'on n'adopte pas une alimentation pauvre en gras. Au bout du compte, son risque de problèmes cardiaques futurs a diminué.

Personnellement, j'opte pour les viandes et les autres sources de protéines les plus saines. Je préfère tirer mon fer de la dinde, qui est moins grasse que le bœuf, et de la crevette. Le poulet, le bœuf maigre, les légumineuses et les produits de soya sont de bonnes sources de protéines qui comblent l'appétit tout en étant relativement pauvres en gras. Je consomme peu de viande rouge – en fait je n'en prends qu'une fois par mois – mais beaucoup de dinde, poisson et poulet, sans la peau bien entendu.

Bien qu'il soit difficile d'éliminer entièrement les gras de son alimentation, il importe de les choisir avec soin et de s'en tenir aux insaturés, qu'on ne consommera qu'avec modération : les huiles d'olive, de canola, de maïs, de lin et de tournesol appartiennent à cette catégorie.

Selon Santé Canada, les gras ne devraient constituer que 20 à 35 % de l'apport calorique, ce qui correspond à environ 3 à 5 cuillerées à soupe d'huile par jour pour les femmes et à 4 à 6 cuillerées à soupe pour les hommes.

Gardez à l'esprit que les gras cachés sont omniprésents dans les produits et font partie de l'environnement alimentaire toxique dans lequel nous vivons. Pour diminuer vos portions et votre apport calorique, optez aussi souvent que possible pour les produits à faible teneur en gras, par exemple le lait écrémé et les sauces à salade maigres.

Les corps gras se divisent en trois principales catégories : les insaturés, les saturés et les trans. Les insaturés peuvent contribuer à faire baisser le taux de cholestérol LDL, tandis que les saturés exercent plutôt un effet négatif sur les taux de cholestérol. Quant aux gras trans, ce sont les plus nuisibles à la santé.

Les gras insaturés comprennent les mono-insaturés et les polyinsaturés. Les premiers font baisser le taux de cholestérol LDL ; ils sont présents dans les huiles d'olive et de canola, ainsi que dans certaines margarines molles non hydrogénées. Les seconds se subdivisent en oméga-3 et oméga-6. Les oméga-3 contribuent à prévenir la formation de caillots sanguins et à faire baisser le taux de triglycérides, diminuant ainsi le risque de crise cardiaque et d'AVC. Ils sont présents dans les poissons gras tels que saumon, maquereau, hareng et sardine, ainsi que dans la graine de lin et certains nouveaux produits du commerce, par exemple les œufs oméga-3. Liquides à température ambiante, les oméga-6 sont présents dans les huiles de tournesol, de maïs et de carthame, les margarines non hydrogénées, l'amande, la pacane, la noix du Brésil et les graines de tournesol et de sésame. Bien que ces gras puissent contribuer à faire baisser le taux de cholestérol LDL (le « mauvais »), en excès, ils peuvent aussi faire baisser le taux de cholestérol HDL (le « bon »). L'alimentation des Canadiens en est particulièrement riche.

Solides à température ambiante, les gras saturés sont présents dans la viande, la volaille, les produits laitiers et les huiles de coco, de palme et de palmiste. Comme ils peuvent contribuer à élever le taux de cholestérol LDL, il importe d'en limiter son apport afin de diminuer son risque de cardiopathie et d'AVC. Optez pour les viandes et les produits laitiers maigres ou à faible teneur en gras, et retirez la peau de la volaille. En outre, préférez les modes de cuisson qui favorisent l'écoulement de la graisse ; par exemple, faites griller vos aliments ou faites-les rôtir sur une grille.

⋯⋯⋯⋯⋯⋯⋯⋯⋯⋯⋯⋯⋯⋯⋯⋯⋯⋯⋯⋯⋯⋯⋯⋯⋯⋯⋯⋯⋯⋯

❤ **Ce qu'il faut savoir :** Pour diminuer votre risque de cardiopathie et d'AVC, il importe que vous limitiez votre consommation de gras saturés. Optez pour les viandes et les produits laitiers maigres et le poulet sans la peau. Faites griller ou rôtir vos viandes sur une grille afin que la graisse s'en égoutte.

⋯⋯⋯⋯⋯⋯⋯⋯⋯⋯⋯⋯⋯⋯⋯⋯⋯⋯⋯⋯⋯⋯⋯⋯⋯⋯⋯⋯⋯⋯

Quant aux gras trans, évitez-les à tout prix ! Ces produits de l'industrie alimentaire consistent en gras insaturés qui ont été hydrogénés. Comme les gras saturés, ils contribuent à hausser le taux de cholestérol LDL. Ils sont présents dans certaines margarines partiellement hydrogénées et dans bien des craquelins, biscuits et produits de boulangerie et de pâtisserie du commerce : sur la liste d'ingrédients, ils sont qualifiés de « partiellement hydrogénés » ou figurent sous le nom de « shortening d'huile végétale ». Les plats frits des restaurants-minute en renferment généralement.

Comme le conseille la Fondation des maladies du cœur et de l'AVC, il faut supprimer les gras trans des aliments conditionnés, mais cela ne signifie pas que ces derniers seront nécessairement plus sains. Une teneur élevée en sucre et en sel, de même qu'un apport calorique excessif constituent aussi des facteurs nuisibles.

Au centre de prévention cardiaque de l'hôpital, j'ai reçu un jour un patient sud-asiatique de 44 ans qui avait fait une crise cardiaque. En plus de lui administrer un hypocholestérolémiant, nous lui avons conseillé de manger plus sainement, notamment en prenant plus de grains entiers. Il s'est engagé à suivre religieusement nos consignes. Malgré cela, son taux de cholestérol continuait de grimper, ce qui nous laissait perplexes. Nous avons finalement résolu le mystère quand la diététiste a demandé à sa femme de décrire les plats qu'elle préparait. Il se trouve qu'elle lui servait ses grains sous forme de barres de céréales, tel que l'avait conseillé la diététiste. Seulement voilà, elle les faisait frire dans l'huile de coco!

Préférez les aliments riches en vitamines et minéraux plutôt que des suppléments. Je suis convaincue qu'on peut combler ses besoins en vitamines et minéraux en consommant des fruits et légumes frais. Autant que possible, prenez-en 8 à 10 portions par jour. Cela peut paraître énorme, mais ça ne l'est pas. Si vous prenez l'habitude d'apporter des bâtonnets de légumes ou un fruit frais au travail ou d'en faire votre collation à la maison, vous aurez fait beaucoup pour améliorer votre santé cardiaque.

Pour tirer un maximum de nutriments des aliments tout en limitant l'apport calorique, le *Guide alimentaire canadien* conseille:

- d'opter pour des plats de légumes et de fruits sans gras, sucre ou sel ajoutés;
- de remplacer le jus par des fruits et légumes frais;
- de prendre chaque jour au moins un légume vert foncé – par exemple, brocoli, épinard ou chou frisé, qui comptent parmi les plus riches en nutriments – et un légume orangé – carotte, patate douce ou courge, qui sont particulièrement nutritifs;
- de cuire les légumes à la vapeur ou au four plutôt que de les frire.

En outre, comme les acides gras oméga-3 et certaines huiles de poisson sont réputés protéger contre la mort subite et la cardiopathie, la consommation de poisson deux fois par semaine contribuera à réduire votre risque.

J'aimerais croire que le chocolat protège le cœur, mais ce n'est malheureusement pas démontré. Bien sûr, le chocolat noir est moins calorique et moins gras que les autres mais, en dépit des nombreuses études menées dans le but de découvrir un lien entre sa consommation et la prévention de la cardiopathie, les résultats ne sont pas concluants. Cela dit, si, comme moi, vous êtes chocolatomane, rien ne vous interdit de prendre quelques carrés de chocolat ou d'une autre confiserie à l'occasion, du moment que vous mangez bien par ailleurs et surveillez votre poids.

Limitez votre consommation de sel. Le sel est associé à l'hypertension. Les raisons sont complexes mais tiennent au fait que ce sont les reins qui en régulent l'apport. En cas d'excès, ils n'arrivent plus à faire leur travail ; le sel se retrouve alors dans le sang, où il attire l'eau, ce qui élève la pression artérielle.

La Fondation des maladies du cœur et de l'AVC du Canada conseille de limiter son apport en sodium. Pour vous aider à le faire :

- limitez votre consommation d'aliments préparés et transformés ;
- optez pour des produits portant les mentions « pauvre en sodium », « à faible teneur en sodium » ou « sans sel ajouté » ;
- augmentez votre consommation de fruits et de légumes ;
- diminuez la quantité de sel que vous ajoutez aux plats cuisinés ou à table ;
- expérimentez d'autres assaisonnements, par exemple l'ail, le jus de citron et les fines herbes fraîches ou séchées ;
- au restaurant, informez-vous de la valeur nutritive des plats au menu et optez pour ceux qui renferment le moins de sodium ;
- recherchez le logo Visez santé[MC] sur les produits alimentaires. Visez santé est le programme d'information sur l'alimentation mis sur pied par la Fondation des maladies du cœur et de l'AVC du Canada ; il se fonde sur le *Guide alimentaire canadien*.

Le Canadien moyen consomme 3400 mg de sel par jour. Si vous souffrez de cardiopathie, vous devriez en prendre moins de 1500 mg. Tenez compte de l'apport en sodium qui apparaît sur le tableau de la valeur nutritive des aliments emballés et agissez en conséquence.

Quelques autres conseils pour vous aider à limiter votre apport en sel : ne laissez pas la salière sur la table. Loin des yeux, loin du cœur. De plus, optez de préférence pour les aliments frais ou surgelés plutôt que pour les conserves, le sel y étant employé comme préservateur. Évitez les produits transformés tels que les charcuteries, les mélanges secs à soupe, les mélanges à ragoûts ou plats semblables, les viandes et les poissons fumés, les noix salées et les crous-tilles de pomme de terre. Dans vos préparations culinaires, remplacez le sel par des herbes fraîches ou séchées, du jus de citron, du vinaigre aromatisé ou des épices telles que cari, paprika ou gingembre. Ne perdez pas de vue que, dans bien des restaurants, on ajoute des quantités invraisemblables de sel aux plats dans l'intention de plaire au palais des clients. En outre, certains pro-duits – soupes, sauces à trempette, plats asiatiques à base de sauce soya – peuvent en renfermer des quantités astronomiques.

Je suis convaincue qu'il est possible d'éduquer son palais. Quand on limite son apport de sel à la maison, on le détecte facilement dans les plats servis ailleurs. À la longue, on se rend compte que bien des plats sont trop salés. Je conseille à mes patients qui souffrent d'insuffisance cardiaque congestive (voir chapitre 12) et qui doivent renoncer au sel, d'assaisonner leurs plats de poivre ou d'autres épices de leur choix, par exemple, le cumin ou le gingembre.

Méfiez-vous des modes alimentaires. Pratiquement chaque jour, on voit apparaître dans le commerce un nouvel antioxydant, un nouveau pro-duit ou une nouvelle boisson, par exemple le jus de grenade ou la baie d'açaï. Si nombre d'entre eux sont bons pour la santé, on doit se méfier des alléga-tions voulant que la consommation en grande quantité d'un seul produit diminuerait le risque de cardiopathie. Il n'existe rien de tel qu'une panacée, surtout s'il s'agit d'un supplément. Gardez à l'esprit que le marché des sup-pléments en Amérique du Nord génère annuellement des millions de dol-lars de profit. Chaque semaine, j'entends vanter les vertus d'un nouveau composé ou supplément qui n'a pas fait l'objet d'études rigoureuses et dont on n'a pas prouvé qu'il diminuait le risque de cardiopathie. Je mets toujours mes patients en garde contre ce genre de battage médiatique. Pour discerner la bonne information de la mauvaise, voyez si le produit est cautionné par un organisme respecté, par exemple la Fondation des maladies du cœur et de l'AVC du Canada. Bref, ne vous laissez pas séduire par la publicité qui vante les mérites d'un produit diététique, à moins qu'il ne soit cautionné par un organisme crédible.

· **Suivez le programme Visez santé.** Faire des choix santé au supermarché est parfois complexe et demande du temps. Manger au restaurant constitue également un défi de taille. Dans le but d'aider les consommateurs à adopter une alimentation saine et équilibrée, la Fondation des maladies du cœur et de l'AVC du Canada a mis sur pied le programme d'information Visez santé. Des diététistes évaluent les produits vendus en épicerie et les menus de restaurant qui sont soumis volontairement en se fondant sur les lignes directrices du *Guide alimentaire canadien*. Une fois le produit approuvé, le fabricant est autorisé à apposer le symbole Visez santé et le nom de la Fondation des maladies du cœur et de l'AVC du Canada sur l'emballage. Le symbole figure sur de nombreux produits à base de grains, légumes, produits laitiers ou substituts de viande. Pour de plus amples renseignements, notamment sur la valeur nutritive des aliments et des recettes, allez sur www.visezsante.org.

MCLe logo Visez santé, les mots servant de marque Visez santé, le logo Fondation des maladies du cœur et de l'AVC et les mots servant de marque Fondation des maladies du cœur et de l'AVC sont des marques de commerces de la Fondation des maladies du cœur et de l'AVC du Canada utilisées sous licence.

SOYEZ ACTIF

La bonne alimentation va de pair avec l'activité physique. L'exercice, qu'il consiste en une marche rapide ou à s'entraîner sur les appareils cardio d'une salle d'entraînement, permet de brûler des calories tout en étant utile aux vaisseaux sanguins. Il contribue à prévenir l'élévation de la pression sanguine et du taux de cholestérol, ainsi que le diabète. Enfin, il peut faire baisser le taux de protéine C réactive, un marqueur de l'inflammation (voir chapitre 2). Comme vous le confirmera votre médecin, le meilleur moyen de rester en bonne santé consiste à bien manger et à faire de l'exercice. Mon père disait toujours : « La marche, c'est bon pour le cœur. »

La Fondation des maladies du cœur et de l'AVC recommande aux adultes canadiens de faire de l'exercice modéré ou vigoureux 30 à 60 minutes par jour, presque tous les jours. (Question de se montrer pratique, je conseille à mes patients de faire trois fois par semaine 30 minutes d'exercices assez vigoureux pour qu'ils transpirent.) La marche, le vélo, la natation, la danse, le râteau, tout cela convient. Au besoin, vous pouvez répartir votre entraînement en périodes d'au moins dix minutes plutôt que de vous en tenir à une seule séance. Quant aux enfants, ils devraient faire de l'activité au moins 90 minutes par jour, presque tous les jours. Les exercices plus vigoureux, par exemple l'aérobique, le jogging, le hockey ou le basketball sont plus exigeants et gratifiants, mais ils ne sont pas essentiels à la santé cardiaque.

❤ **Ce qu'il faut savoir :** Vous devriez faire de l'exercice modéré à vigoureux – c'est-à-dire assez pour vous essouffler et vous faire transpirer – 30 à 60 minutes par jour, tous les jours si possible.

> Le lieu d'habitation influe également sur la santé. Ainsi, la banlieue n'incite pas nécessairement à l'activité. Il est souvent plus simple de prendre sa voiture pour faire ses courses plutôt que d'y aller à pied. On entretient souvent la croyance que les grandes villes ne sont pas des endroits où l'on peut mener un mode de vie sain, alors que, en réalité, le contraire est possible, particulièrement si l'on peut se rendre à pied dans les divers commerces et centres de services.

Voici d'autres lignes directrices à considérer. Récemment, Santé Canada et la Société canadienne de physiologie de l'exercice (SCPE) ont modifié leurs recommandations en matière d'activité physique, de sorte que les objectifs soient réalisables. La SCPE recommande désormais que les enfants fassent 60 minutes d'activités par jour et les adultes, 2 ½ heures par semaine au lieu des 7 heures recommandées auparavant[41]. Bien sûr, rien n'interdit d'en faire plus, mais compte tenu de nos horaires surchargés, il importe de rester réaliste. La chose la plus importante, c'est que tous, quel que soit l'âge ou l'étape de l'existence, aient un programme d'activité physique et s'y tiennent.

Commencez par faire de l'exercice en famille. Les enfants de parents actifs sont plus susceptibles de l'être et de le rester en grandissant. Vous pouvez commencer par une simple routine qui consistera, par exemple, à faire après souper une marche dans le quartier en compagnie de votre conjoint ou de vos enfants. Chaque fois que c'est possible, laissez la voiture à la maison et faites vos courses à pied. À la longue, vous marcherez plus longtemps et votre santé en bénéficiera. On doit se défaire de cette mentalité qui consiste à tourner en rond dans le stationnement dans le but de ranger sa voiture le plus près possible de l'entrée du centre commercial.

Pour combattre l'épidémie d'obésité chez les jeunes et favoriser les bonnes habitudes en bas âge, la Fondation des maladies du cœur et de l'AVC du Canada recommande que les enfants aient un programme d'activité physique quotidien. Si les vôtres ne passent pas assez de temps dehors et ne courent pas suffisamment durant le jour, particulièrement l'hiver, parlez-en à leurs instituteurs ou moniteurs. Mettez sur pied un programme d'activités parascolaires et passez du temps en plein air avec eux. Il importe de préserver un certain équilibre : si votre enfant consacre tout son temps libre à ses devoirs ou à l'étude, trouvez des solutions qui lui permettront de se libérer plus rapidement de ses obligations pour aller jouer dehors.

Les bienfaits de l'activité physique sur la santé cardiaque sont nombreux. D'abord, elle renforce le cœur et le système cardiovasculaire et les garde en santé. De fait, l'exercice régulier peut faire baisser la pression artérielle et, par conséquent, contribuer à prévenir la cardiopathie et les AVC. Comme nous l'avons vu au chapitre 2, la pression est la force que le sang exerce sur les artères. On peut assimiler cela au tuyau d'arrosage du jardin : si le débit de l'eau est trop élevé et, en conséquence, la pression trop forte, on risque d'abîmer les fleurs en les arrosant. De même, si votre pression artérielle est élevée, la force qui s'exerce sur les parois de vos artères sera trop puissante, ce qui nuira à votre cœur. À la longue, l'hypertension provoque l'épaississement du muscle cardiaque ; en outre, elle peut accroître le risque d'athérosclérose.

Si vous faites de l'exercice régulièrement, votre cœur et vos vaisseaux seront en meilleure santé. De plus, l'exercice peut contribuer à maintenir un poids santé et même à prévenir la hausse de la pression qui accompagne souvent l'âge. Pour obtenir des résultats tangibles, la clé, c'est d'adopter un mode de vie actif plutôt que de ne faire de l'exercice qu'à l'occasion. Les résultats de nombreuses études indiquent que les personnes actives vivent plus longtemps et en meilleure santé que celles qui ne le sont pas.

L'activité physique peut également contribuer à faire baisser les taux de cholestérol et de glucose sanguin, et chez les patients souffrant de cardiopathie, à diminuer le risque de faire une seconde ou une troisième crise cardiaque. De plus, on a montré qu'elle contribuait de manière significative au bien-être psychologique et constituait un antidote contre la dépression. Les résultats d'études indiquent qu'il existe un lien entre les activités sédentaires (ordinateur, jeux vidéo, télévision et lecture) et l'inactivité physique. Ils indiquent également que plus le trajet domicile-travail est long, moins les gens sont actifs physiquement et plus ils risquent d'être en surpoids ou obèses. Si vous devez faire la navette, il vous faut trouver le moyen d'intégrer l'activité physique dans votre vie de tous les jours.

On a plus de chances de réussir à changer son mode de vie à long terme quand on incorpore des activités physiques au quotidien plutôt qu'en s'inscrivant à une salle d'entraînement. Cela dit, je demande toujours à mes patients s'ils font de l'entraînement physique, dans la mesure où la plupart d'entre eux devraient à la fois avoir des activités modérées et suivre un programme d'exercices structuré.

Si vous rechignez à l'idée d'enfiler une paire de collants en spandex et de vous rendre à la salle d'entraînement, sachez que je vous comprends. Dans ce cas, marchez. Procurez-vous un podomètre bon marché qui vous permettra de compter vos pas. Que votre allure soit rapide ou modérée, si vous arrivez à en faire 10 000 par jour, c'est merveilleux. Par contre, vous n'avez nul besoin d'un cardiofréquencemètre, appareil qui mesure la fréquence à laquelle bat le cœur. À moins d'avoir reçu un diagnostic de cardiopathie ou de s'entraîner pour les Jeux olympiques, il n'est pas nécessaire de connaître sa fréquence. Vous saurez que vous avez atteint un niveau d'activité suffisant quand vous serez essoufflé et transpirerez.

Pour la plupart, il nous faut planifier l'activité physique de manière à l'intégrer à notre routine, tout comme il faut programmer une visite chez le médecin, une réunion de travail ou un souper entre amis. Cependant, certains gestes peuvent s'intégrer facilement au quotidien. Ainsi, si vous prenez les transports en commun, descendez quelques arrêts avant votre destination et marchez jusqu'au travail ou, si vous êtes du genre à arriver en retard, faites-le sur le chemin du retour. Si vous travaillez dans un édifice où il y a des ascenseurs, empruntez les escaliers. Enfin, faites vos courses à pied.

Prenez l'engagement de suivre ce programme durant un mois et voyez si ces habitudes vous deviennent naturelles. Avant longtemps, vous grimperez les volées de marche au bureau et passerez probablement à une taille ou deux de pantalon au-dessous.

MAINTENEZ UN POIDS SANTÉ

En matière de perte de poids, le calcul est simple : on doit brûler plus de calories qu'on en ingère. La plupart des gens devraient manger moins et faire plus d'exercice. Il n'est pas nécessaire de consulter le médecin pour savoir quel serait votre poids idéal, compte tenu de votre taille. Vous pouvez trouver facilement cette information en ligne, par exemple sur le site de Santé Canada (http://www.hc-sc.gc.ca/fn-an/nutrition/weights-poids/guide-ld-adult/bmi_chart-graph_imc-fra.php). Gardez toutefois à l'esprit que tout ne se résume pas à des chiffres. On peut être très mince et souffrir de carences en certains nutriments, du fait d'un apport alimentaire inadéquat, par exemple si l'on se limite à consommer des fromages gras. Le poids santé n'a rien à voir avec la maigreur. Le but consiste à être en santé en dedans, même si cela signifie qu'on a 3 ou 4 kilos en trop.

Voici quelques points à garder à l'esprit.

Soyez honnête à propos de votre poids. Tous n'ont pas nécessairement besoin de suivre un régime hypocalorique pour perdre du poids. Si, malgré un léger surpoids, votre tour de taille n'est pas démesuré et que vous avez moins de deux facteurs de risque de cardiopathie (voir chapitre 2), il vous suffira peut-être de prévenir un gain de poids ultérieur plutôt que de devoir en perdre. Méfiez-vous simplement du kilo innocent que vous prenez chaque année à votre insu. À la longue, ces kilos s'additionnent, particulièrement en vieillissant, quand le métabolisme change. Avec l'âge, il est parfois nécessaire de réduire son apport calorique afin de maintenir un poids santé.

À l'inverse, si vous faites un peu de surpoids, mais que, par ailleurs, votre tour de taille est excessif ou que vous avez deux facteurs de risque de cardiopathie ou plus, votre risque correspond à celui d'un obèse (c'est-à-dire dont l'IMC est de plus de 30). Dans ce cas, vous diminuerez votre risque en perdant 5 à 10 % de votre poids actuel. (Pour en savoir plus sur le tour de taille, voir le chapitre 2.)

La perte de poids devrait être lente et régulière. En matière de perte de poids, il n'existe aucun régime qui soit meilleur ou plus sûr qu'un autre. En réalité, je ne crois pas aux régimes à la mode.

Lors d'une étude récente publiée dans le *New England Journal of Medicine*[42], des chercheurs ont analysé divers régimes afin de savoir lequel était le plus efficace. Selon leurs conclusions, peu importe qu'il soit à faible teneur en glucides ou pas, c'est la baisse de l'apport calorique qui importe. Je pense toutefois qu'on devrait éviter systématiquement les aliments gras. Le régime pauvre en glucides mais riche en gras et en protéines est tout sauf sain.

En fin de compte, pour être en meilleure santé et maintenir un poids adéquat, il vaut mieux apporter de petits changements graduels à son alimentation, par exemple en réduisant ses portions et en optant pour des aliments plus sains. Une perte graduelle mais continue de ¼ à ½ kg par semaine donnera de meilleurs résultats qu'une perte brutale. C'est généralement le signe qu'on a modifié pour de bon ses habitudes plutôt que de suivre un énième régime aux effets rapides qu'on s'empressera d'abandonner. Question de se motiver, il est souvent utile de rendre compte de ses résultats, par exemple en se pesant chaque semaine devant un ami ou un membre de la famille, ou dans le cadre d'un programme de perte de poids.

Les programmes de perte de poids les plus efficaces sont ceux dans lesquels on apporte des changements peu importants mais significatifs à ses habitudes quotidiennes. La raison pour laquelle les médecins ne recommandent pas les régimes à la mode, c'est que, malgré des résultats parfois spectaculaires, ils sont généralement trop drastiques et ne mènent pas à un changement définitif, si bien qu'on finit par reprendre le poids qu'on a perdu. Réduisez plutôt vos portions, adoptez une formule de repas nutritifs, engagez-vous à faire de l'exercice physique et modifiez vos habitudes de vie.

Déterminez vos objectifs de perte de poids. Mesurez, surveillez, planifiez et respectez votre programme. Les recommandations du National Heart, Lung and Blood Institute (NHLBI), une division des National Institutes of Health des États-Unis, sont, à mon sens, parmi les meilleures en matière de perte de poids. Voici en quoi elles consistent[43] :

- **Déterminez votre indice de masse corporelle.** L'IMC, mesure de la graisse corporelle et bon indicateur du risque de cardiopathie, correspond au poids divisé par le carré de la taille. S'il est de moins de 18,5, vous êtes trop maigre, s'il est de 18,5 à 24,9, votre poids est normal. S'il est de 25 à 29,9, vous êtes en surpoids, et de plus de 30, obèse.
- **Mesurez votre tour de taille.** Si vous affichez un gros ventre, votre risque de cardiopathie et de diabète est élevé. Ce risque s'élève à compter de 87,5 cm pour les femmes et de 100 cm pour les hommes (ou, pour les sujets asiatiques, sud-asiatiques, sud-américains ou de l'Amérique centrale, de taille généralement plus petite que les Caucasiens, de 80 cm pour les femmes et de 87,5 cm pour les hommes). Pour mesurer correctement votre tour de taille, tenez-vous debout et placez le ruban juste au-dessus de l'os de votre hanche. Expirez, puis prenez votre mesure. Surtout, ne rentrez pas le ventre, vous fausseriez les résultats, ce qui n'est pas le but recherché.
- **Sachez reconnaître vos facteurs de risque.** Pour une description exhaustive des facteurs de risque – taux de cholestérol élevé, hypertension, antécédents familiaux de cardiopathie, tabagisme et sédentarité – reportez-vous au chapitre 2. Conjugués à l'excès de poids, ces facteurs peuvent être très dangereux.
- **Mettez l'accent sur les changements à apporter à votre mode de vie.** La plupart des gens qui cherchent à perdre du poids ne se concentrent que sur le nombre de kilos à perdre sans se demander comment ils pourraient adopter de bonnes habitudes alimentaires et un mode de vie actif jusqu'à la fin de leur existence. Il est essentiel de changer son mode de vie de manière durable.
- **Déterminez des objectifs réalistes.** Autrement dit, ne recherchez pas la perfection. S'il est vrai que les effets d'une marche quotidienne de 5 km sont mesurables, peu d'entre nous peuvent s'y astreindre. La marche quotidienne de 30 minutes est plus réaliste, mais vous pourriez en être empêché à l'occasion. Par contre, la marche de 30 minutes cinq fois la semaine est tout à fait réalisable.

Le NHLBI fournit également quelques conseils qui vous permettront d'atteindre vos objectifs.

- **Déterminez des objectifs à court terme, et notez-les.** Allez-y par petites étapes. Ainsi, vous pourriez commencer par réduire votre apport de 100 calories, puis de 300 et, ultérieurement, de 500.
- **Pesez-vous régulièrement.** Il est essentiel de le faire toutes les semaines, histoire de rester honnête et sur la bonne voie. Il s'agit d'en faire une routine formelle. Vous pourriez même demander à un membre de votre famille de vous peser. Il s'agit d'assumer la responsabilité de ses décisions et de ses objectifs : si vous fuyez le pèse-personne, vous risquez de retomber peu à peu dans vos mauvaises habitudes. Vous n'avez pas idée du nombre de mes patients en surpoids qui souffrent de cardiopathie ou présentent des facteurs de risque et qui ne possèdent même pas de pèse-personne ! Il est essentiel que vous mesuriez vos progrès et les notiez.
- **Tenez un journal alimentaire.** En inscrivant en détail tout ce que vous consommez au quotidien, vous respecterez plus facilement votre objectif de maigrir ou de maintenir un poids santé. Vous pouvez imprimer le journal que la Fondation des maladies du cœur et de l'AVC du Canada présente sur son site à http://www.fmcoeur.on.ca/site/c.pkI0L9MMJpE/b.4619071/k.298B/Journal_alimentaire_quotidien.htm
- **Observez votre comportement.** Il importe que vous observiez certains aspects de votre comportement dont vous n'aviez pas conscience auparavant et les changements que vous avez apportés. Par exemple, consommiez-vous moins de fruits et de légumes ? Plus de malbouffe grasse ? Faites-vous plus d'exercice et, si oui, combien ? Cette pratique vous permettra, ainsi qu'à ceux qui vous aident, de savoir comment vous vous en tirez.
- **Fêtez vos réussites.** Même les plus petites méritent une récompense, à la condition que ce ne soit pas de la nourriture. N'attendez surtout pas d'avoir atteint votre objectif final. Les petites récompenses en cours de route valent mieux que le gros cadeau en bout de course.

En fin de compte, l'atteinte d'un poids santé est un accomplissement digne d'éloges. Je sais combien il est difficile de maigrir. Le processus pourrait ramener à la surface des problèmes personnels négligés de longue date. Dans ce cas, il est utile de compter sur le soutien des autres. Demandez à vos amis et aux membres de votre famille de vous seconder dans votre démarche : par exemple, ils pourraient vous accompagner quand vous faites les courses, puis préparer et partager des plats santé avec vous. L'isolement et le sentiment de privation ne sont définitivement pas souhaitables ; au contraire, il importe de se sentir positif et encouragé.

Les résultats d'une étude récente indiquent que même les grands obèses – c'est-à-dire ceux dont l'IMC est de 43 – peuvent perdre du poids de manière durable. Les sujets ont suivi un régime simple qui limitait leur apport calorique et se sont mis progressivement à faire de l'exercice. Peu à peu, ils en sont arrivés à faire 60 minutes de marche rapide – par intervalles de 10 minutes – cinq fois par semaine. On leur avait fourni un podomètre et déterminé un objectif de 10 000 pas par jour. Ceux qui ont perdu 5 à 10 % de leur poids corporel ont vu leur pression artérielle et leur taux de cholestérol diminuer, et leur diabète s'atténuer[44].

SURVEILLEZ VOTRE TAUX DE CHOLESTÉROL, LE BON COMME LE MAUVAIS

Le taux de cholestérol de l'organisme s'élève pour deux raisons : une hausse de la consommation d'aliments gras et l'hérédité. Dans la plupart des cas, on peut le faire baisser de 20 % en modifiant son alimentation. Chez ceux qui ne souffrent pas de cardiopathie, un simple changement dans l'alimentation et le mode de vie pourrait produire ce résultat.

Cependant, tous mes patients qui souffrent de maladie coronarienne ou d'artériopathie oblitérante des membres inférieurs, ou encore, qui ont fait un AVC doivent prendre des hypocholestérolémiants en plus de surveiller leur alimentation, et ce, quels que soient leurs taux de cholestérol de base. De nombreuses études à grande échelle (ou essais cliniques aléatoires, voir le chapitre 15) ont permis de démontrer les bienfaits de ces médicaments, particulièrement les statines comme le Lipitor. Ils font baisser le taux de cholestérol LDL (le « mauvais ») et, par conséquent, diminuent le risque de mourir de cardiopathie, de crises cardiaques récurrentes ou d'un AVC.

Beaucoup s'inquiètent des effets indésirables des statines. Cependant, les médicaments pour le cœur sont généralement sans effet secondaire. Un faible pourcentage de sujets pourrait éprouver des douleurs musculaires au début et, à l'occasion, on observe de légères anomalies dans les tests de la fonction hépatique. Mais c'est l'exception plutôt que la règle. Les effets indésirables se traitent et sont réversibles à l'arrêt du traitement. Si vous entreprenez ce genre de traitement, vous devriez passer une analyse de sang tous les 6 à 12 mois (selon vos antécédents médicaux) afin d'évaluer vos fonctions hépatique et musculaire. Le test de la fonction musculaire évalue la teneur du sang en CK, une enzyme. Cependant, les douleurs musculaires que provoquent ces médicaments ne sont pas toujours associées à une anomalie enzymatique. Dans ce cas, il suffit parfois de changer de statine pour voir ses symptômes disparaître.

J'insiste sur le fait que vous devriez prendre les médicaments qu'on vous prescrits. Les statistiques montrent que des millions de gens ne les prennent pas alors qu'ils le devraient. Des données américaines récentes indiquent que la moitié des gens qui devraient prendre un hypocholestérolémiant dans le but de contrer leur risque de cardiopathie ne le font pas et que moins de la moitié des patients les plus à risque – c'est-à-dire qui souffrent de maladie coronarienne – en prennent régulièrement. Ce n'est pas parce qu'on ne le leur a pas prescrit. Même quand je leur explique que ces médicaments sont efficaces et sans danger, bien des patients continuent de s'en méfier. Si vous souffrez de cardiopathie et que votre médecin vous en a prescrit, de grâce, facilitez-vous les choses et prenez-les!

....
❤ **Ce qu'il faut savoir:** Si vous souffrez de cardiopathie, prenez l'hypocholestérolémiant qu'on vous a prescrit. Même si votre taux de cholestérol n'est pas très élevé, le médicament diminuera votre risque de problèmes futurs.
....

En plus de prendre vos médicaments, vous devriez apporter certains changements à votre alimentation afin de mieux gérer vos taux de LDL et HDL. À cet égard, la Fondation des maladies du cœur et de l'AVC recommande dix approches simples.

1. Ramenez à 20 à 35 % l'apport calorique fourni par les lipides. Lisez attentivement les étiquettes et renoncez aux produits trop gras.
2. Optez pour les gras polyinsaturés et mono-insaturés présents dans de nombreuses huiles végétales, dans les noix et dans le poisson.
3. Limitez votre apport en gras saturés, présents essentiellement dans la viande rouge et les produits laitiers gras. Mes patients, même ceux qui

se soucient de leur santé, omettent souvent de surveiller leur consommation de fromage gras, aliment que beaucoup d'entre eux aiment à l'excès. En vous limitant au yogourt à faible teneur en gras et au lait écrémé, vous pourriez parvenir à mieux maîtriser votre taux de cholestérol.

4. Évitez les aliments renfermant des gras trans, qui sont toxiques pour les artères.

5. Au lieu de suivre les régimes à la mode, adoptez une alimentation saine en vous inspirant du *Guide alimentaire canadien*. En gros, augmentez votre consommation de grains entiers, céréales, légumes et fruits, ce qui contribuera à réguler votre taux de cholestérol.

6. Soyez avisé dans le choix de vos collations. Optez pour des bretzels à faible teneur en sodium, du maïs éclaté nature ou un fruit plutôt que pour des collations grasses ou de la camelote alimentaire.

7. Faites griller, rôtir ou cuire à la vapeur vos aliments et évitez les fritures.

8. Ne fumez pas. La cigarette fait baisser le taux sanguin de cholestérol HDL (le «bon»).

9. Faites des activités physiques presque tous les jours de la semaine. L'activité physique élève le taux de cholestérol HDL.

10. Si vous êtes en surpoids, vous pourriez parvenir à normaliser votre taux de cholestérol en perdant vos kilos superflus. Veillez à le faire de manière graduelle en surveillant vos portions et en adoptant une alimentation saine.

En 2006, le Groupe d'étude sur les graisses trans du Canada recommandait qu'on adopte une législation limitant la teneur de ces substances dans les aliments transformés. Le groupe, fruit d'un partenariat entre Santé Canada et la Fondation des maladies du cœur et de l'AVC, demandait qu'ils soient limités à 2 % de la teneur en gras totaux des margarines molles et à 5 % de tout autre aliment. L'année suivante, un rapport conjoint de la Fondation des maladies du cœur et du service de santé publique de Toronto demandait au gouvernement fédéral d'agir promptement dans le but d'éliminer tous les gras trans dans les aliments vendus au pays. Si certaines municipalités, de même que des fabricants alimentaires et des restaurateurs, font des efforts dans ce sens, les gras trans sont encore présents dans de nombreux produits alimentaires destinés aux adultes et aux enfants.

Un taux de triglycérides élevé (hypertriglycéridémie) n'exige pas tout à fait le même traitement qu'un taux de cholestérol LDL élevé. L'hypertriglycéridémie accroît le risque de cardiopathie, possiblement parce qu'elle s'accompagne souvent de diabète ou d'un faible taux de HDL. Quoi qu'il en soit, il importe de modifier votre alimentation et votre mode de vie de manière à faire baisser le taux de ces gras. Vous y parviendrez en consommant moins de sucres simples et d'alcool, et en éliminant une partie de votre graisse abdominale. Certains présentent un taux particulièrement élevé (de plus de 10 mmol/l), ce qui accroît le risque d'inflammation du pancréas et de pancréatite. Ceux-là doivent prendre des médicaments destinés à le faire baisser. Si, d'une part, vous souffrez de cardiopathie et, d'autre part, présentez un taux de triglycérides tel que vous devez prendre un médicament, il importe que vous preniez également un hypocholestérolémiant (statine).

SURVEILLEZ VOTRE PRESSION ARTÉRIELLE

Il importe de traiter l'hypertension quel que soit l'âge, mais tout particulièrement chez les aînés. Les résultats d'une étude récente indiquent que les patients de 80 ans et plus qui prennent des antihypertenseurs risquent moins de faire un AVC ou de souffrir d'insuffisance cardiaque, et d'en mourir.

Si vous faites de l'hypertension, le tensiomètre personnel vous sera utile. Mesurez votre pression quand vous êtes détendu et reposé, car elle est plus élevée en cas de stress physique ou émotionnel. Faites-le en position assise et toujours au même moment de la journée. Naturellement, quand je leur enfile le brassard, nombre de mes patients me disent qu'ils sont « vraiment très stressés ». Si vous faites partie des rares personnes à souffrir de stress aigu, tournez-vous vers les exercices de relaxation et demandez à votre médecin de vous renseigner sur les techniques de gestion du stress.

Je crois fermement que chacun doit prendre en charge sa santé, mais qu'on ne devrait pas se laisser paralyser par un problème. Nombre de mes patients prennent des antihypertenseurs et ont adopté de saines habitudes de vie, mais sont obsédés par leur pression artérielle, qu'ils mesurent plusieurs fois par jour. Il vaut mieux adopter un mode de vie sain et prendre ses médicaments que de se laisser perturber par des chiffres qui, de toute façon, pourraient s'avérer normaux pour une autre personne. Sans compter que la pression fluctue au cours d'une journée. Des résultats élevés à l'occasion ne constituent généralement pas une cause d'inquiétude.

Assurez-vous que votre tensiomètre personnel est homologué. Hypertension Canada présente une liste d'appareils sur son site Web, à l'adresse www.hypertension.ca/fr. Si la mesure de votre appareil semble différer de celle du médecin, apportez-le-lui et comparez les résultats sur place.

Pour faire baisser votre pression, consommez moins de sel, faites de l'exercice et, au besoin, perdez du poids. En outre, quoi qu'on vous ait dit sur les bienfaits du vin rouge, il est préférable d'en consommer avec modération. Ainsi, en cas d'hypertension, si vous passez de trois verres par jour à un ou à aucun, votre pression pourrait baisser de quatre unités systoliques ou mm Hg (le chiffre supérieur) et de 2,5 unités diastoliques (le chiffre inférieur). Par exemple, rien qu'avec ce changement, elle pourrait passer de 160/90 à 156/88. En outre, si vous faites de l'exercice durant au moins 30 minutes, trois fois par semaine, elle pourrait baisser de 10 unités systoliques et de 7,5 unités diastoliques ou, par exemple, passer de 150/80 à 140/73. C'est aussi efficace que certains antihypertenseurs.

Pour ce qui est de l'alimentation, veillez à diminuer votre apport en gras d'origine animale et à augmenter votre consommation de fruits, légumes et aliments riches en potassium (sauf si vous souffrez de maladie rénale, auquel cas le potassium n'est pas conseillé). De tous les aliments, la tomate est celui qui est le plus riche en ce minéral, sans compter qu'elle est peu calorique. L'orange et la banane en sont également de bonnes sources, mais elles sont plus caloriques.

Je recommande rarement des régimes spécifiques, à l'exception du régime DASH (Dietary Approaches to Stop Hypertension) qui est validé par la médecine pour la prise en charge de l'hypertension et est appuyé par le NHLBI. On y encourage la consommation d'aliments riches en potassium, magnésium et calcium, trois minéraux qui contribuent à réguler la pression. Le régime met l'accent sur les fruits et les légumes frais ainsi que sur les produits laitiers à faible teneur en gras ou sans gras, les grains entiers, le poisson, la volaille, les légumineuses et les graines[45]. L'apport en sodium est faible et on conseille de surveiller rigoureusement sa consommation de viandes rouges, gras et sucreries.

Ce régime peut contribuer à faire baisser la pression de plus de 10 unités systoliques et de 5 unités diastoliques. Votre risque de crise cardiaque et d'AVC diminuera également.

Cela dit, au départ, je ne conseille pas nécessairement à mes patients de suivre le régime DASH, car je pense que le mode de vie et un apport alimentaire modéré sont préférables pour la majorité des gens. Mais si vous avez du mal à maîtriser votre pression, alors c'est un programme raisonnable.

Si vous souffrez de cardiopathie, vous devrez probablement prendre des médicaments pour réguler votre pression artérielle, dans certains cas trois ou quatre différents. Ces médicaments sont efficaces. Lequel l'est le plus reste une question fort débattue à laquelle les nombreuses études cherchent à répondre en obtenant, semble-t-il, des résultats différents chaque fois. En fin de compte, je pense que le choix du médicament n'a pas vraiment d'importance, du moment qu'il régule adéquatement la pression sanguine. La chose est relativement simple : prenez les médicaments qu'on vous a prescrits, mesurez votre pression artérielle à la maison (ou à la pharmacie) et parlez de vos résultats avec vos médecins.

♥ **Ce qu'il faut savoir :** Prenez les médicaments qu'on vous a prescrits, mesurez votre pression artérielle à la maison (ou à la pharmacie) et parlez de vos résultats avec vos médecins. Le choix d'un antihypertenseur plutôt qu'un autre n'a habituellement pas d'importance si vous êtes par ailleurs en bonne santé. Tous sont plus efficaces quand on leur associe une bonne alimentation, de l'exercice régulier et le maintien d'un poids santé.

Comme bien d'autres, vous souhaiteriez probablement ne pas devoir prendre des médicaments jusqu'à la fin de vos jours. C'est l'une des questions qui préoccupent le plus les gens qui doivent maîtriser leur pression. Vous pourriez ne pas être entièrement convaincu de l'efficacité de ces médicaments pour la simple raison que l'AVC ou la crise cardiaque qu'ils contribuent à prévenir ne se manifeste justement pas. Les bienfaits quotidiens qu'ils procurent sont presque imperceptibles, à moins de passer un test médical.

Les résultats d'études indiquent que, au bout d'un an, 50 % des patients interrompront leur traitement médicamenteux, y compris leur hypocholestérolémiant et leur antihypertenseur[46] et 35 %, au bout de deux ans. Plusieurs craignent leurs effets indésirables ou sont incapables d'en estimer les bienfaits. Pourtant, la plupart des gens n'éprouvent pas d'effets secondaires majeurs quand ils prennent des médicaments qui leur sont utiles. En fin de compte, le plus grand bienfait consiste à vivre plus longtemps et en bonne santé, à l'abri de la crise cardiaque ou de l'AVC.

Je ne répéterai jamais assez que le but recherché est de prévenir la cardiopathie et l'AVC et, en la matière, les médicaments contribuent grandement à sauver des vies. Voyez les antihypertenseurs comme des pilules qui préviennent l'AVC. Je conseille également aux familles des patients de s'assurer que ceux qu'ils aiment continuent à prendre leurs médicaments. Le simple flacon convient, mais de nombreux patients optent pour les dosettes en emballage-coque qui sont préparées par le pharmacien et doivent être prises suivant un programme spécifique. Quoi qu'il en soit, gardez vos médicaments dans un endroit où ils seront visibles, par exemple près de votre brosse à dents ou de la cafetière.

Les octogénaires sous antihypertenseur se demandent souvent si les avantages compensent les risques. Dans le passé, les médecins ont beaucoup débattu de la question de savoir si ces médicaments étaient plus néfastes qu'utiles aux personnes âgées. S'il est vrai que le risque d'AVC est proportionnel à l'élévation de la pression, les résultats de certaines études indiquent que le taux de survie des sujets de 80 ans et plus était plus élevé chez ceux dont la pression était haute. Ces résultats ont été contredits par l'étude HYVET (Hypertension in the Very Elderly Trial), menée à l'échelle internationale. Les chercheurs ont en effet découvert que la plupart des sujets – dont la moyenne d'âge était de 83,4 ans et la pression, de 173/90 – ont vu leur risque d'AVC, d'insuffisance cardiaque congestive et de décès en résultant diminuer sensiblement alors qu'ils étaient sous antihypertenseur[47].

SURVEILLEZ VOTRE DIABÈTE

Le diabète de type 2 résulte de l'incapacité de l'organisme à utiliser ou gérer l'insuline produite par le pancréas. Cette hormone contribue à faire baisser le taux de glucose sanguin, c'est-à-dire le sucre résultant de la dégradation des aliments. Le diabète est fortement associé aux maladies cardiovasculaires. Dans le cas du type 2, les taux sanguins de glucose et d'insuline sont anormalement élevés, ce qui peut mener à l'athérosclérose (formation de plaque dans les artères).

Dans bien des cas, on peut prévenir ce diabète en respectant les principes de prévention dont il a été question dans ce chapitre. Une alimentation saine et l'exercice régulier pourraient non seulement vous permettre de diminuer vos doses d'antidiabétiques mais également exercer une action positive sur votre santé cardiovasculaire. Comme les personnes en surpoids sont plus susceptibles que les autres de souffrir de diabète, il importe également de maintenir un poids santé. De plus, évitez de fumer, veillez à ce que votre pression artérielle et vos taux de cholestérol restent bas, et prenez vos médicaments. Enfin, si vous faites du diabète, surveillez votre taux de glucose sanguin.

Comme pour tout ce qui concerne la prévention, il importe d'être bien informé et d'être suivi par un spécialiste qui vous aidera à gérer votre diabète. Tous les jours, je vois des patients diabétiques qui sont mal informés sur leur maladie. Demandez à votre médecin s'il serait pertinent que vous rencontriez une infirmière monitrice ou un diététiste qui pourrait vous conseiller sur votre alimentation et d'autres aspects de votre maladie. Ce genre de programme est inestimable.

Nous avons vu les fondements de la prévention en matière de santé cardiaque. Ce chapitre vous a peut-être donné l'impression de lire un guide de vie vertueuse dans un monde parfait. Mais bien sûr, personne n'est parfait. On ne peut s'attendre à mettre fin instantanément aux mauvaises habitudes qu'on entretient depuis toujours. Pour obtenir des résultats durables, vous devez mettre au point un programme viable qui vous mènera à un mode de vie sain. Le meilleur conseil que je puisse vous donner, c'est de ne pas entreprendre cette démarche seul. Informez-vous auprès de vos médecins et entourez-vous de gens qui vous aiment et vous encourageront. Dans une démarche comme celle-là, l'isolement est bien la dernière chose dont on ait besoin. Il est difficile de voir ses proches savourer un gros repas riche sous prétexte de célébrer tandis qu'on est assis à l'autre bout de la table devant une assiette de chou vapeur. Autant vous ne souhaitez pas être trop dur envers vous-même et trop impatient d'atteindre des résultats tangibles, autant vous avez besoin de soutien dans votre démarche. Enrôlez un ami, votre conjoint ou un proche qui vous accompagnera et vous encouragera. Surtout, ne mettez pas la nourriture au cœur de vos célébrations. Allez plutôt chez la manucure, achetez-vous un chemisier sur lequel vous avez l'œil depuis un moment ou accordez-vous un surplus de temps libre pour lire. Il y a bien des manières de célébrer un travail bien fait.

TROISIÈME PARTIE

QUAND LE CŒUR A DES ENNUIS

CHAPITRE 5

LES SYMPTÔMES

«J'ai des douleurs thoraciques et je ne sais quoi en penser. Quels sont les symptômes de l'angine? Est-ce grave?»

Pendant quelques minutes, vous vous mettrez à la place de deux personnes présentant chacune un scénario différent. Selon vous, laquelle souffre de cardiopathie?

Dans le premier scénario, vous êtes un homme de 67 ans. C'est le milieu de l'après-midi. Toute la journée vous avez combattu un sentiment de fatigue. Au cours de la dernière heure, alors que vous promeniez le chien, vous avez dû reprendre votre souffle plus souvent qu'à la normale. Vous n'êtes pas du genre à vous inquiéter, mais vous n'êtes tout de même plus un jeune homme. Il y a six mois, vous avez quitté vos fonctions d'avocat et pris votre retraite et, depuis, vous ne manquez pas une occasion de fêter en mangeant ou en buvant (il vous arrive même d'exagérer sur les biftecks et les cigares). Pour combattre l'ennui qui s'est installé depuis votre retraite, le midi vous mangez au restaurant avec d'anciens collègues et le soir, avec les membres de votre famille et vos amis. Vous commandez des plats réconfortants et avalez sans retenue les portions gargantuesques qu'on vous sert. En six mois, vous avez pris 5,5 kilos. Au moins, vous promenez encore le chien, du moins de temps en temps. Mais aujourd'hui, vous n'allez pas très bien. Péniblement, vous réussissez à vous rendre à la maison. Une fois assis sur le divan, vous constatez que le sentiment de lourdeur à la poitrine ne vous a pas quitté. Cela ne ressemble à rien de ce que vous connaissez, comme si quelqu'un appuyait sur votre poitrine. Vous êtes fatigué et manquez de souffle. Au bout d'un moment, le sentiment de lourdeur s'estompe mais vous découvrez que vous avez la nausée. Vous composez le 9-1-1.

Dans le deuxième scénario, vous êtes une femme de 49 ans. Comme c'est samedi, vous pouvez vous détendre, façon de parler. Vous n'avez pas à vous préoccuper du covoiturage, à préparer les repas du midi et à entamer tôt le matin les préparatifs du souper pour les enfants. Ça, c'était hier. Aujourd'hui est jour de congé. Il est 7 h 45. Vous notez que la sensation que vous avez éprouvée à plusieurs reprises la veille – comme une mauvaise indigestion – revient. Vous n'êtes pas certaine que les serrements qui ont gagné votre poitrine et votre bras gauche soient normaux en cas d'indigestion, mais ce sont les symptômes que vous éprouvez. À votre réveil à l'aube, vous éprouviez de la fatigue et n'étiez pas vous-même. Une fois habillée, vous avez plié le linge propre et chargé de linge sale la machine à laver, puis vous avez fait 10 minutes de tapis roulant au sous-sol. Mais vous avez dû interrompre l'exercice, car vos symptômes s'aggravaient. Vous avez pris un antiacide en espérant que vos malaises disparaîtraient. Vous éprouvez un drôle de sentiment, comme si vous aviez le mal des transports, vous avez chaud et vous transpirez. Vous tentez d'oublier la chose étant donné que vous devez conduire les enfants au cours de karaté. Peut-être avez-vous la grippe, à moins que ce soit quelque chose que vous avez mangé? Vous allez de plus en plus mal à mesure que la douleur s'étend à votre bras et à votre mâchoire. N'avez-vous pas lu quelque part que la douleur dans le bras pouvait être signe de crise cardiaque? Vous respirez avec difficulté et manquez d'air. Vous soulevez le combiné et après avoir pris quelques moments pour vous calmer, vous appelez votre sœur pour lui demander ce qu'elle connaît des crises cardiaques. Après tout, elle était là quand votre père a fait la sienne il y a vingt ans.

Laquelle de ces deux personnes souffre d'un problème potentiellement grave, l'homme ou la femme? Les deux, bien entendu. Chacune d'elles a réagi à un problème différent en faisant ce que nous appelons une angine, qui se manifeste par des douleurs thoraciques. Il n'a pas fallu longtemps à l'homme pour composer le 9-1-1; bravo! Mais la femme a mis plus d'un jour à reconnaître son malaise. Elle ne faisait pas le lien entre ses symptômes et le fait que son cœur était partiellement privé de sang.

Les symptômes de la maladie coronarienne sont variés. Dans les pages suivantes, vous trouverez des descriptions détaillées de ceux que les gens éprouvent couramment, à commencer par les douleurs thoraciques. En lisant ceci, gardez à l'esprit que ce chapitre n'a pas pour but de remplacer une visite à votre professionnel de la santé. Si vous, ou un proche, éprouvez des douleurs thoraciques, il est essentiel de faire évaluer le problème par un médecin. Si vous croyez que vos douleurs ont à voir avec votre cœur, communiquez avec le service des urgences.

LES CAUSES FRÉQUENTES DES DOULEURS THORACIQUES

Le cœur est situé légèrement à gauche du sternum, au milieu de la poitrine. Il faut toutefois savoir que les douleurs thoraciques n'ont pas nécessairement à voir avec le cœur. À l'inverse, les douleurs en rapport avec le cœur ne sont pas toujours ressenties dans la poitrine. Les cardiologues sont particulièrement préoccupés quand elles résultent d'un apport réduit de sang au cœur, problème qui est généralement causé par l'athérosclérose (encrassement des artères). C'est ce qu'on appelle l'angine. Quand elle dure plus de 20 minutes, on court le risque de lésions au muscle cardiaque ou de crise.

Quand le cœur manque de sang, cela se manifeste – si l'on a de la chance – par des symptômes tels que des douleurs thoraciques ou une difficulté à respirer. Dans ce cas, on doit communiquer avec les services médicaux sans délai. Dans certaines situations – en cas de diabète notamment – il arrive malheureusement qu'on n'éprouve pas de symptômes. En effet, cette maladie supprime chez certains la sensibilité à la douleur, que ce soit dans les membres ou au cœur.

....

❤ **Ce qu'il faut savoir :** Les douleurs thoraciques résultant d'un apport réduit de sang au cœur sont particulièrement inquiétantes. L'angine est un signe avertisseur. Si elle dure plus de 20 minutes, vous risquez la crise cardiaque. Appelez les ambulanciers.

....

Les douleurs thoraciques ont de nombreuses causes. Il peut s'agir du cœur, des poumons, de l'appareil musculosquelettique, du stress, de l'anxiété, voire du tractus gastro-intestinal. Cette dernière cause peut sembler étonnante mais, en fait, c'est le même nerf qui innerve le cœur et l'estomac, quoique les choses soient un peu plus complexes. Le plus gros de mon travail consiste à découvrir si la douleur d'un patient vient de son cœur ou de son tractus gastro-intestinal, par exemple en conséquence d'un ulcère ou d'un reflux gastro-œsophagien (RGO). Seul un médecin peut le déterminer. Par conséquent, par mesure de précaution, parlez-en à votre médecin et si vous éprouvez des serrements ou une lourdeur à la poitrine durant plus de 20 minutes, précipitez-vous à l'urgence.

Comment savoir alors si vous faites une angine ? En règle générale, la douleur d'origine cardiaque apparaît quand on est actif et disparaît au repos, autrement dit, il s'agit d'une douleur d'effort. Si le sang circule mal dans les artères coronaires, le cœur peut compenser, jusqu'à un certain point, quand on est au repos. Les artères sont des organes complexes. Si l'une d'elles est rétrécie, une autre en aval cherchera à se dilater, bref à accroître son diamètre. Mais elle ne peut le faire que dans une certaine mesure. Voilà pourquoi les médecins ont recours à la nitroglycérine (sous forme de vaporisateur ou de pilule) pour dilater les vaisseaux sanguins, rétablir la circulation dans le cœur et soulager les symptômes de l'angine.

Si vos artères ne laissent pas passer suffisamment de sang quand vous courez, marchez, jardinez, jouez avec les enfants ou menez une autre activité, votre cœur pourrait ne pas être en mesure de répondre à la demande. C'est également vrai si vous êtes sous le coup d'un stress émotionnel. Si votre douleur ne vous empêche pas de marcher ou si elle tend à disparaître durant une activité prolongée, alors, elle pourrait ne pas être d'origine cardiaque. En outre, si elle persiste au repos, elle ne résulte probablement pas d'une maladie coronarienne, à moins qu'il s'agisse d'une crise cardiaque.

On a souvent vu dans les films un personnage faire une crise cardiaque et agripper brusquement le haut de son bras. En fait, la douleur provenant du cœur peut se répandre non seulement dans le bras, mais dans le cou, la mâchoire, le dos et les omoplates. Elle se propage rarement, voire jamais, au-dessus du nez ou au-dessous du nombril. On m'a souvent consultée pour un mal de tête d'effort, des douleurs aux jambes ou dans le bas du dos, mais il ne s'agit pas là de problèmes cardiaques.

QUAND LES DOULEURS THORACIQUES SONT GRAVES

Selon la Fondation des maladies du cœur et de l'AVC, les signes annonciateurs d'une crise cardiaque comprennent le souffle court ou un malaise soudain qui ne disparaît pas. Gardez à l'esprit que la douleur peut se manifester dans la poitrine, le cou, la mâchoire, l'épaule, le bras ou le dos. Ces situations nécessitent une attention médicale immédiate. Si la douleur n'apparaît pas au repos, il n'y a généralement pas de risque à attendre au lendemain pour consulter le médecin. Inutile alors de vous précipiter au service des urgences. Quoi qu'il en soit, consultez votre médecin et demandez-lui sans détour si le problème pourrait être de nature cardiaque. En posant les bonnes questions, vous serez mieux protégé et comblerez toute lacune éventuelle dans les soins qu'on vous prodiguera.

Composez le 9-1-1 si :

- vos douleurs thoraciques disparaissent au repos ou durent plus de 20 minutes d'affilée. Au bout de ce laps de temps, l'interruption du flux sanguin vers le cœur pourrait provoquer des lésions au muscle cardiaque ;
- vos douleurs thoraciques s'étendent aux bras, au cou, à la mâchoire, au dos et aux omoplates. Elles ne se propagent généralement pas au-dessus du nez ou au-dessous du nombril ;
- vous manquez gravement de souffle, éprouvez des nausées apparentées à l'indigestion, vomissez, transpirez, avez froid, avez la peau moite ou êtes soudainement étourdi.

La douleur d'origine cardiaque peut être ressentie comme une brûlure, un serrement, une lourdeur ou une pression. Les malaises qui apparaissent avec l'activité et disparaissent au repos peuvent être annonciateurs d'une crise cardiaque. (Alors que, en cas de crise réelle, ils ne disparaissent pas.) Les autres symptômes dont il faut tenir compte sont l'essoufflement, une difficulté à respirer, des nausées, une indigestion, des vomissements, des sueurs, une sensation de froid, la moiteur de la peau, ou un étourdissement soudain et prononcé. Si vous éprouvez ces symptômes, composez le 9-1-1 sans délai.

L'angine et la crise cardiaque se produisent plus souvent chez les personnes à risque. Par conséquent, si vous êtes d'âge moyen ou mûr et souffrez de diabète, fumez ou faites de l'hypertension ou de l'hypercholestérolémie, vos douleurs thoraciques pourraient être plus graves que si vous êtes plus jeune, en meilleure santé et ne présentez pas de facteurs de risque. Parlez de vos symptômes à votre médecin.

On peut parfois sauver des vies en posant les bonnes questions. Ma mère Dolorès en est la preuve vivante. Bien que ce soit une enseignante, nous disons souvent en riant que c'est la troisième cardiologue de la famille ; elle en a marié un il y a 45 ans et ils filent toujours le parfait bonheur. Bref, il y a quelques années, une de ses amies dans la soixantaine a éprouvé une douleur à l'épaule. Elle en a parlé à son médecin, qui lui a fait passer une radiographie dans le but de déterminer si elle faisait de l'arthrite. Mais ce qu'il y avait d'inhabituel à cette douleur c'est qu'elle apparaissait quand elle se dépensait en s'occupant de ses petits-enfants, et disparaissait au repos. Sachant que cela avait toutes les apparences d'une maladie coronarienne, ma mère a insisté pour que son amie parle à nouveau de ses symptômes à son médecin. Il lui a fait passer une épreuve d'effort et a diagnostiqué une maladie coronarienne. Elle a ensuite subi un pontage cardiaque. Cela se passait il y a dix ans et, à ma grande joie, elle se porte très bien aujourd'hui.

Dans les films, pour décrire l'intensité d'une crise cardiaque, les personnages disent avoir l'impression qu'un éléphant repose sur leur poitrine. C'est ce que les médecins appellent la «crise cardiaque à la Hollywood». Les gens qui arrivent au service des urgences en pleine crise cardiaque éprouvent effectivement des douleurs thoraciques qui leur semblent inhabituelles, mais ce n'est pas nécessairement aussi spectaculaire que l'image de l'éléphant reposant sur la poitrine. Souvent, ils ont une sensation de serrement, ont du mal à respirer, ont la peau grise ou moite, ont froid ou sont pris d'étourdissements soudains.

Les analyses sanguines détermineront si la diminution du flux sanguin a causé des microlésions à votre muscle cardiaque. Parfois, les douleurs thoraciques résultent d'une rupture ou d'une déchirure de l'aorte, auquel cas elles sont insoutenables, qu'elles se situent au niveau de la poitrine ou du dos. Les déchirures de l'aorte s'observent souvent chez les personnes âgées hypertendues.

❤ **Ce qu'il faut savoir :** Si vous, ou un membre de votre famille, éprouvez soudainement une gêne à la poitrine, au bras, à la gorge ou à la mâchoire, ou un essoufflement qui apparaît durant l'activité et disparaît au repos, consultez votre médecin dans les plus brefs délais.

QUAND LES DOULEURS THORACIQUES SONT BÉNIGNES

Votre médecin peut déterminer si vos douleurs thoraciques sont d'origine cardiaque en évaluant vos symptômes. Celles qui se manifestent sous forme de piqûres d'épingle ou d'élancements cuisants n'excédant généralement pas une surface équivalente à une pièce d'un dollar, ne sont pas de nature cardiaque. Par contre, si vous éprouvez une sensation de pression ou de lourdeur dans la poitrine – l'image de l'étau est souvent utilisée pour la décrire –, ce pourrait être un signe de cardiopathie. En cas de crise cardiaque, plutôt que de la douleur, les gens disent ressentir un malaise profond qui est assez grave pour limiter leurs mouvements. Rarement sera-t-il aigu au point de se tordre de douleur. L'irritation ou la douleur cuisante peut résulter d'une inflammation de l'enveloppe du cœur (ou péricardite), mais c'est rare. La douleur qui s'aggrave quand on respire profondément n'est généralement pas de nature cardiaque, mais, plus vraisemblablement, pulmonaire. Les médecins parlent alors de douleur pleurétique, c'est-à-dire qui a rapport avec les poumons. À cela, il existe des causes bénignes et graves. Consultez votre médecin afin d'en avoir le cœur net.

LES PROBLÈMES CARDIAQUES « SILENCIEUX »

Les crises cardiaques dites silencieuses sont celles qui ne s'accompagnent pas de douleur. Elles touchent généralement les gens qui sont à risque de cardiopathie, particulièrement les femmes de plus de 60 ans, les hommes de plus de 50 ans ou quiconque présente un facteur de risque. (Pour une description complète des facteurs de risque, reportez-vous au chapitre 2.)

En fait, ces crises ne sont pas vraiment silencieuses. Si vous vous sentez soudainement mal, nauséeux ou faible, il se pourrait que ce soit dû à des problèmes cardiaques. Bien entendu, tout malaise n'est pas forcément signe d'une crise cardiaque ; la plupart du temps, il s'agit d'un trouble banal, par exemple d'une grippe. Il vaut tout de même mieux consulter le médecin dans les jours qui suivent, ne serait-ce que pour acquérir la certitude que le problème n'est pas de nature cardiaque.

L'ESSOUFFLEMENT OU LE SOUFFLE COURT

Le terme médical pour désigner l'essoufflement est «dyspnée», qui dérive du latin *dys*, «anormal», et *pnea*, «respiration». Il arrive qu'on manque de souffle à l'effort, ce qui peut simplement indiquer qu'on est en mauvaise forme physique. Pour le reste, ce sont généralement les poumons qui sont en cause, par exemple une simple infection des voies respiratoires supérieures ou un problème plus grave comme la pneumonie. On peut aussi manquer de souffle quand les taux d'éléments figurés du sang sont faibles ou qu'on fait de l'anémie.

....

❤ **Ce qu'il faut savoir:** Les causes fréquentes de l'essoufflement comprennent la cardiopathie, les problèmes pulmonaires ou la mauvaise forme physique.

....

L'essoufflement à l'effort pourrait avoir rapport avec le cœur. S'il ne s'accompagne pas d'un malaise thoracique, il pourrait résulter d'un problème que les médecins qualifient d'«équivalent de l'angine». Autrement dit, le problème est de nature circulatoire, même s'il ne se manifeste pas sous forme de douleur thoracique. À première vue, il n'est pas simple pour le médecin de déterminer la cause de l'essoufflement, qui pourrait simplement indiquer que la personne n'est pas en forme. Il faut toutefois savoir que la mauvaise forme physique peut s'accompagner d'autres facteurs de risque de cardiopathie, dont l'obésité, le diabète et l'hypertension. Votre médecin devra peut-être vous faire passer un test de stress (voir chapitre 7) ou de la fonction pulmonaire.

Certains signes indiquant qu'il pourrait s'agir d'une maladie coronarienne sont plutôt évidents. Ainsi, une de mes patientes âgée de 55 ans faisait partie d'un groupe s'adonnant à la course. Normalement, elle arrivait à suivre ses copines mais, soudainement, elle s'est laissée distancer. Comme elle était en forme, j'ai prescrit un test de stress afin de déterminer la nature de ses symptômes. On a découvert que la branche antérieure de son artère coronaire gauche (voir chapitre 1) présentait un rétrécissement, ce qui la ralentissait et l'essoufflait. Par contraste, une autre de mes patientes, qui faisait de l'hypertension, a pris près de 14 kilos en quatre ans. Son gain de poids résultait de son stress; elle vivait une situation difficile et n'avait pas le temps de s'occuper de sa santé. Normalement, elle n'était pas essoufflée. Son cas était très différent de celle qui a soudainement découvert qu'elle ne pouvait plus courir. Elle devait perdre du poids, commencer à faire de l'exercice régulièrement et consulter son médecin de famille au bout de six mois. À la longue, ses symptômes se sont estompés.

....

❤ **Ce qu'il faut savoir :** Si vous êtes généralement en forme et que, soudainement, vous êtes essoufflé et n'arrivez plus à tenir le rythme de vos activités régulières, consultez votre médecin. Le problème pourrait être de nature cardiaque. D'un autre côté, si, dans le but de perdre du poids, vous venez de vous remettre à l'exercice après des années d'inactivité, votre essoufflement est simplement dû au fait que vous n'êtes pas en forme. Commencez lentement. Consultez votre médecin si le problème persiste malgré une meilleure forme physique.

....

Quand la pompe cardiaque fonctionne mal, la pression peut monter du côté gauche du cœur et dans les poumons. L'hypertension dite pulmonaire peut provoquer de l'essoufflement. C'est un problème grave qui pourrait être dû à un trouble du muscle cardiaque ou des valvules. Dans de rares cas, c'est dû à une maladie pulmonaire grave. Votre médecin peut en déterminer la cause en vous faisant passer une radiographie, une échocardiographie et des tests de la fonction pulmonaire.

L'essoufflement dû à l'insuffisance cardiaque congestive, c'est-à-dire quand la pompe cardiaque fonctionne mal, est dit positionnel. En d'autres mots, le problème s'aggrave quand on est allongé et s'atténue quand on s'assoit. Il peut survenir en plein milieu de la nuit : on se réveille alors avec le sentiment de manquer d'air, symptôme qui résulte d'une accumulation de liquide dans les poumons durant le sommeil. La toux peut également en résulter. Par contraste, les patients souffrant de troubles de circulation coronariens – maladie différente et grave – peuvent ne s'essouffler qu'à l'effort. Dans leur cas, de même que chez ceux qui souffrent d'une maladie pulmonaire, l'essoufflement n'est pas positionnel. L'insuffisance cardiaque est décrite en détail au chapitre 12.

LA FAIBLESSE, LES ÉTOURDISSEMENTS ET LE VERTIGE

Peut-être comptez-vous consulter le médecin du fait que vous vous sentez faible, étourdi ou pris de vertige. Voyons ces symptômes individuellement.

Si votre muscle cardiaque fonctionne normalement, c'est-à-dire qu'il assure la bonne circulation du sang dans votre organisme, la faiblesse n'est généralement pas de nature cardiaque.

Par contre, si vous êtes pris d'étourdissements ou avez le sentiment que vous allez perdre connaissance, c'est peut-être le signe que votre cœur fonctionne mal. Les étourdissements diffèrent du vertige, qui se manifeste par l'impression que la pièce tourne. Habituellement, ce dernier résulte d'un problème de l'oreille interne.

Parfois, les étourdissements sont causés par les médicaments prescrits pour le cœur ou l'hypertension ; il se peut que la dose soit trop forte et fasse baisser excessivement votre pression artérielle. Il est rare qu'on se sente étourdi quand la pression systolique (chiffre supérieur) est de plus de 110. De fait, j'ai souvent entendu des patients dire que leur pression artérielle était trop basse et qu'ils se sentaient étourdis alors que, après vérification, elle était de 120/70, ce qui est parfaitement normal.

L'« hypotension orthostatique » est une autre cause d'étourdissements. Dans ce cas, la pression artérielle chute brutalement quand on se met debout brusquement. Cela peut se produire chez les sujets plus âgés qui ne sont pas en parfaite santé ou chez ceux qui prennent plusieurs antihypertenseurs. Pour s'en assurer, le médecin prendra votre pression deux fois, la première quand vous êtes allongé, la seconde quand vous êtes debout, histoire de vérifier si la différence entre les deux est substantielle. Le traitement de l'hypotension orthostatique est généralement simple : le médecin vous dira de vous lever lentement et d'éviter toute précipitation. Le port de bas de contention est également très utile, dans la mesure où ils empêchent le sang de se concentrer dans les membres inférieurs. D'ailleurs, j'estime que le port de ces bas n'est pas assez répandu chez les patients : pure vanité !

....

♥ **Ce qu'il faut savoir :** En cas d'hypotension orthostatique, la pression artérielle chute quand on passe rapidement de la position assise ou couchée à la position debout. C'est un problème fréquent chez les personnes âgées. Le traitement consiste généralement à se lever lentement ou à porter des bas de contention afin d'éviter que le sang ne stagne dans les jambes.

....

L'ÉVANOUISSEMENT

Vos oreilles bourdonnent, les voix autour de vous semblent plus distantes, vous éprouvez peut-être des nausées puis, vous ouvrez soudainement les yeux pour vous rendre compte que vous avez chuté : voilà qui peut sembler une des choses les plus dramatiques à survenir. L'évanouissement peut être alarmant. Appelé « syncope » en médecine, il consiste en une interruption momentanée de l'apport d'oxygène au cerveau. Les causes sont parfois simples. Si les jeunes en santé n'ont généralement pas lieu de s'en inquiéter, c'est tout le contraire pour les personnes qui présentent une fréquence cardiaque rapide et qui ont déjà fait une crise cardiaque. Je m'explique.

Il existe une forme bénigne de syncope, qu'on appelle « épisode vaso-vagal ». Si la vue du sang vous rend malade ou si vous êtes sous le coup d'un stress émotionnel, vous pourriez faire un évanouissement dit simple, phénomène qui se produit généralement chez des personnes en santé dont la pression artérielle est normale. Croyez-le ou non, c'est là le signe que le système nerveux fonctionne bien. Le système nerveux autonome est une machine finement réglée. Dans des circonstances normales, si quelqu'un vous fait sursauter en criant « hou ! », votre système nerveux libérera de l'adrénaline, votre rythme cardiaque s'accélérera et votre pression artérielle grimpera. Un stress physique, la douleur ou la maladie peuvent avoir les mêmes conséquences. Pour éviter que la pression artérielle s'élève au point de déclencher un AVC ou une crise cardiaque, le système nerveux autonome stimule le nerf vague, dont le rôle est de contrebalancer les effets de l'adrénaline. On peut l'assimiler au panneau ARRÊT en ce sens que, quand il est stimulé, il dilate les vaisseaux sanguins afin de faire baisser la pression artérielle et ralentir le rythme cardiaque. L'évanouissement simple est qualifié de « syndrome vaso-vagal ».

Chez les personnes particulièrement en forme et en santé, le nerf vague est stimulé plus souvent, même au repos. Ce qui signifie que leur fréquence cardiaque et leur pression artérielle sont plus basses que chez la plupart des gens. C'est le cas des athlètes olympiques, dont l'organisme a appris à composer avec le surplus d'adrénaline en ralentissant le nerf vagal. En outre, chez certains jeunes en santé, ce dernier est hyperactif. Quand ils sont effrayés ou stressés, il s'active avec plus d'intensité, entraînant une baisse de la fréquence cardiaque et de la pression artérielle. Ils peuvent alors avoir des étourdissements ou s'évanouir.

Habituellement, l'évanouissement est précédé d'un signal, le nerf vague mettant un certain temps à abaisser la pression artérielle. Par exemple, les oreilles bourdonneront, on se sentira nauséeux ou on éprouvera le besoin impérieux d'aller aux toilettes.

Si l'évanouissement simple déclenché par la réponse « combat ou fuite » était nécessaire chez l'homme des cavernes, l'hyperactivité du nerf vague est aujourd'hui inutile. Pourtant, bien des gens s'évanouissent. Si cela vous arrive souvent, essayez d'éviter les situations susceptibles de déclencher cette réaction ; par exemple, optez pour une comédie romantique plutôt qu'un film d'horreur. Veillez à ce que, en période de stress, votre température corporelle ne soit pas trop élevée (ce qui aggrave souvent les effets du nerf vague). Buvez de l'eau et mangez un morceau, le nerf vague étant généralement plus actif à jeun. Déjeunez et autorisez-vous (dans ce cas seulement) un peu plus de sel, étant donné que vous ferez le plein de liquide. Un goûter à faible teneur en gras, par exemple des bretzels salés ou une boisson renfermant du sel, par exemple du Gatorade ou du jus V8, pourrait suffire à résoudre le problème de l'évanouissement simple.

....

❤ **Ce qu'il faut savoir :** Si vous êtes sujet aux évanouissements, augmentez votre consommation de sel, d'aliments en général et de liquide, particulièrement en cas de stress. Dans les situations stressantes, évitez l'alcool.

....

Je suis sujette aux évanouissements depuis l'âge de neuf ans. La première fois, c'était lors d'un camp de Guides ; on a fait venir une ambulance. Malheureusement, la personne qui a téléphoné à ma mère était sous le coup de la panique et lui a dit qu'elle craignait que je sois morte ! Au cours des dix dernières années, cela m'est arrivé à quelques reprises durant des épisodes de stress physique extrême, par exemple quand je me suis blessée le genou en faisant du ski. (Dans des situations semblables, je demande à l'une de mes collègues, qui se trouve à faire autorité en matière d'évanouissement, d'envoyer un courriel à ma mère pour la rassurer sur mon état.) Certaines situations, par exemple si l'on se trouve à l'étroit dans un avion, peuvent provoquer l'évanouissement. Dans ce cas, le sang peut stagner dans les jambes. D'où l'importance de ne boire que de l'eau et d'éviter l'alcool en avion. (L'alcool étant un vasodilatateur, c'est-à-dire qu'il dilate les vaisseaux sanguins, il est déconseillé aux personnes sujettes à l'évanouissement.) En outre, si vos oreilles se mettent à bourdonner et si vous avez la nausée, changez de position de manière à accroître l'apport de sang à votre cerveau. Asseyez-vous et mettez votre tête entre vos genoux, de sorte qu'elle soit plus basse que votre cœur. Ou allongez-vous sur le sol et levez les pieds.

Dans de rares cas, on implante un stimulateur cardiaque spécialisé dans le but de traiter la syncope simple extrême. L'appareil est muni d'un mécanisme particulier qui ralentit le rythme cardiaque (en médecine, on parle d'«hystérésis») quand la syncope est sur le point de se produire. Mais cela ne fonctionne pas toujours. Je me rappelle très bien de ce moment de mon internat en cardiologie où le code bleu a retenti, ce qui signifie que le patient ne présente plus de pulsations cardiaques détectables. La personne venait tout juste de se faire implanter un stimulateur cardiaque, mais ce dernier n'avait pas fonctionné : il n'avait pas fait baisser sa pression ou contré la dilatation de ses vaisseaux, d'où son évanouissement. Heureusement, elle a repris conscience.

Il existe aussi une forme de syncope plus grave. Dans ce cas, aucun signal avertisseur ne prévient de l'évanouissement imminent. Le problème est souvent assez grave pour causer des contusions, des saignements ou d'autres blessures. Il résulte généralement d'une irrégularité de la fréquence cardiaque, autrement appelée arythmie. Chez les personnes plus âgées, la fréquence est parfois trop lente, ce qui peut provoquer un évanouissement. Ou, au contraire, elle est trop rapide : c'est la tachycardie. Cette situation est particulièrement préoccupante chez ceux qui ont fait une crise cardiaque dans le passé et qui présentent des lésions au muscle cardiaque. (La crise peut provoquer un court-circuit dans le cœur et de l'arythmie.) Habituellement, pour traiter une tachycardie, en plus d'administrer un médicament, on implante un défibrillateur ou on pratique une ablation (voir chapitre 11). En outre, si vous présentez un problème de valvule aortique, vous pourriez faire une syncope grave, le calcium qui s'accumule dans la valvule risquant d'affecter le système électrique et de ralentir votre cœur (voir chapitre 11).

Ceux qui souffrent de problèmes circulatoires ou de troubles épileptiques peuvent également être sujets à l'évanouissement. On sait que la crise épileptique est en cause quand la personne bouge les bras ou les jambes, se mord l'intérieur de la bouche, produit de l'écume ou perd le contrôle de sa vessie ou de ses intestins durant l'évanouissement. C'est un problème qu'on ne doit pas prendre à la légère.

Cela dit, gardez à l'esprit que si, en conséquence d'une fréquence cardiaque rapide, vous perdez connaissance mais que votre cœur est, par ailleurs, en santé, le problème n'est probablement pas très grave. Parlez-en à votre médecin, qui en évaluera l'importance.

LES PALPITATIONS

Les palpitations sont chose courante. Selon les cas, le cœur semble cogner ou battre plus rapidement. Les gens diront que leur cœur s'emballe ou qu'il est sur le point de sortir de leur poitrine. Dans tous les cas, il s'agit de palpitations. Cependant, ces dernières ne résultent pas toujours d'une cardiopathie. Parmi les patients qui me consultent pour cette raison, la moitié seulement présente un véritable problème de fréquence cardiaque (arythmie).

Si vous avez des palpitations quand vous êtes stressé ou anxieux, ce n'est probablement pas le fruit de votre imagination. Les palpitations liées au stress proviennent de ce que le subconscient nous joue des tours. La crise de panique en est l'exemple extrême : on respire difficilement, le cœur s'emballe et on a le sentiment d'une catastrophe imminente. Pour déterminer si vos palpitations résultent du stress, de l'anxiété ou d'une véritable arythmie, votre médecin pourrait vous faire porter un moniteur Holter, appareil qui enregistre les battements et l'activité électrique du cœur (voir chapitre 7). Si la cause en est le stress ou l'anxiété, vous auriez sûrement intérêt à discuter de vos problèmes avec des gens en qui vous avez confiance, ou encore, à pratiquer régulièrement des exercices de relaxation, comme le yoga ou la respiration profonde.

❤ **Ce qu'il faut savoir :** Si vous êtes très stressé, vous pourriez avoir des palpitations qui ne sont pas de nature cardiaque. Dans ce cas, la respiration profonde peut vous aider : inspirez durant trois secondes, retenez votre souffle trois secondes et expirez durant trois secondes. Faites-le chaque fois qu'un problème se présente au cours de la journée, ce qui vous aidera à atténuer votre stress.

Si vos palpitations s'accompagnent de douleurs thoraciques, ce pourrait être le signe qu'elles ne sont pas graves. L'arythmie ne s'accompagne généralement pas de douleur thoracique. Par ailleurs, les palpitations dues à l'accélération de la fréquence cardiaque peuvent se manifester dans la partie supérieure du cœur (on parle de battements ou contractions supraventriculaires) ou inférieure (battements ou contractions ventriculaires). Nous verrons ce point en détail au chapitre 9. L'accélération de la fréquence cardiaque est habituellement sans gravité chez ceux qui sont par ailleurs en santé, ne présentent pas de lésions au muscle cardiaque et ne sont pas sujets à l'évanouissement.

LES CRAMPES, LES DOULEURS ET LA FATIGUE DANS LES JAMBES

Ceux qui souffrent d'une maladie des artères des jambes présentent généralement des troubles de la circulation et ont de la difficulté à marcher. On parle alors de claudication, affection se manifestant par des crampes, des douleurs ou de la fatigue dans les membres inférieurs, habituellement dans le muscle du mollet, qui apparaissent durant l'activité et disparaissent au repos. En fait, il s'agit d'une angine des jambes, symptôme d'un trouble circulatoire grave et d'artériopathie oblitérante des membres inférieurs. Pour déterminer si vous souffrez de claudication, votre médecin pourrait vous faire passer un test simple et non effractif (voir chapitre 7).

....

❤ **Ce qu'il faut savoir :** Si vous avez des crampes dans les mollets quand vous marchez et qu'elles disparaissent au repos, consultez votre médecin afin de savoir si vous souffrez d'un trouble circulatoire.

....

LES SYMPTÔMES DES FEMMES DIFFÈRENT-ILS DE CEUX DES HOMMES ?

Pour une raison qui m'échappe, les médias perpétuent le mythe que les symptômes des femmes diffèrent de ceux des hommes. (Nous avons traité de cette question à fond au chapitre 3.) C'est le sujet du jour et là principale chose dont veulent discuter les gens quand je leur parle de la cardiopathie chez les femmes. Mais la réalité est tout autre. L'homme qui fait une crise cardiaque ressent une lourdeur dans la poitrine, a le souffle court, se sent nauséeux ou éprouve d'autres malaises d'ordre général, mais cela peut se produire également chez les femmes[48]. La seule vraie différence, c'est que les femmes s'expriment souvent autrement que les hommes ou alors, minimisent leur problème du fait qu'elles en ont lourd à porter. Elles ne peuvent imaginer comment diable leur famille ou leur patron réussiront à se passer d'elles. Leur comportement se résume souvent à ceci : tout pour les autres, rien pour soi. Cette mentalité peut les pousser à se montrer exagérément stoïques devant la douleur ou une crise, et à mettre leur santé en péril.

Je rappelle toujours aux gens l'importance de demander de l'aide. Il n'existe pas une telle chose que la noblesse stoïque. Quand j'entends des patientes me dire qu'elles ont éprouvé des douleurs thoraciques et d'autres signes annonciateurs, je suis catégorique : l'inaction ne constitue pas une bonne ligne de conduite. Une des choses les plus importantes que chacun doit garder à l'esprit, fût-il homme ou femme, c'est qu'on ne doit pas se priver d'une expertise médicale, particulièrement quand le besoin est pressant.

Dans les pages suivantes, je décrirai certains des tests que vous pourriez passer quand vous prendrez la décision de consulter. Ces outils sont essentiels au diagnostic cardiaque.

CHAPITRE 6

TESTS ET ÉVALUATION DES DOULEURS THORACIQUES

« Comment le médecin saura-t-il si mes douleurs thoraciques
sont de nature cardiaque ? »

Nous avons vu les facteurs de risque et les manières de se protéger, ainsi que ses proches, de la maladie coronarienne. Nous avons également vu les symptômes de la maladie, par exemple les douleurs thoraciques et l'essoufflement, et leur gravité potentielle. Nous verrons maintenant les méthodes de dépistage et les tests auxquels ont recours les médecins pour évaluer les symptômes, établir un diagnostic et décider d'un traitement (voir chapitres 10 à 12).

Tous ont passé au moins un test médical dans leur vie, qu'il s'agisse d'une simple analyse sanguine de routine ou d'un électrocardiogramme (ECG) nécessitant l'emploi d'électrodes branchées sur un ordinateur. Ce dernier est un outil essentiel pour les soins cardiaques. (Il en sera question plus en détail ultérieurement.) Quoi qu'il en soit, nombre d'entre vous ignorent le but exact de ces tests et leur valeur, d'autant plus que, en cas d'urgence, on pourrait ne vous expliquer que très sommairement pourquoi on vous prélève un échantillon sanguin ou vous pose des électrodes sur la poitrine.

Certains tests sont administrés par le cardiologue dans son bureau, d'autres au service des urgences de l'hôpital. Dans les pages qui suivent, nous verrons ce qu'il importe de savoir sur l'évaluation de la cardiopathie. Nous verrons sur quels principes reposent les principaux tests, leur raison d'être, comment on les administre et les renseignements qu'ils fournissent aux médecins. Une bonne compréhension de ces tests et du contexte dans lequel ils sont administrés vous permettra de mieux vous préparer à ce qui vous attend. Cette compréhension est nécessaire pour la même raison que l'est celle des risques et des symptômes : pour que vous acquériez l'assurance requise pour poser les bonnes questions aux bons professionnels médicaux au bon moment.

Tout test s'accompagne d'un dialogue. Que vous consultiez votre cardiologue ou votre médecin de famille, ou que vous vous retrouviez devant le poste de l'infirmière de triage de l'hôpital, on vous posera une série de questions essentielles. Les médecins voudront connaître les circonstances entourant vos symptômes, par exemple quand vous les avez éprouvés, leur durée ainsi que vos antécédents médicaux. Il se peut que vous ayez oublié certains détails, ce qui est tout à fait normal. Faites de votre mieux, mais gardez à l'esprit que ces questions ne constituent qu'un des éléments de l'évaluation. Les médecins en sauront plus sur votre état après vous avoir fait passer les tests appropriés. Voici donc un récapitulatif des cinq principaux tests qu'on vous fera subir en cas de douleur thoracique et ce que vous pouvez en attendre.

L'ÉLECTROCARDIOGRAMME

L'électrocardiogramme (ou ECG ou EKG, ou cardiogramme) est le premier test auquel ont recours les médecins pour diagnostiquer un problème cardiaque. Il consiste à mesurer l'activité électrique du cœur au moyen d'électrodes ou de fils posés sur la poitrine, les bras et les jambes. Les résultats apparaissent sur papier ou sur un moniteur. L'ECG classique analyse l'activité électrique du cœur de 12 manières différentes. Il ne demande que cinq minutes et n'exige aucune préparation. Le patient n'a qu'à s'allonger.

L'ECG détecte le rythme cardiaque, qu'il soit normal ou irrégulier. Il permet de savoir si vous avez fait une crise cardiaque substantielle, dans la mesure où il n'y a plus d'activité électrique dans la région du cœur atteinte. De plus, il peut détecter une ischémie, c'est-à-dire un arrêt temporaire de l'apport de sang au cœur, à la condition d'être effectué quand le patient ressent de la douleur. Si elle a disparu, les résultats pourraient sembler normaux. Cependant, si la douleur est causée par une interruption grave et prolongée du flux sanguin vers le cœur, l'ECG peut enregistrer (mais ne le fait pas toujours) des anomalies mineures de l'activité électrique. De plus, il renseigne les cardiologues sur un épaississement potentiel du muscle cardiaque ou un agrandissement des chambres. Dans ce dernier cas, l'échocardiographie (voir chapitre 7) ou d'autres tests permettront de confirmer le diagnostic.

L'ECG est administré dans le bureau du cardiologue ou du médecin de famille, ou à la salle des urgences. C'est généralement l'un des premiers tests qu'on vous fera passer si vous vous êtes précipité à la salle des urgences pour une angine ou si vous faites une crise cardiaque. Si la crise est en cours au moment du test, il pourra détecter une anomalie grave de l'activité électrique résultant d'un apport insuffisant de sang au cœur. Ainsi, le médecin saura s'il doit vous prescrire un anticoagulant (voir chapitre 10) ou vous adresser au service de cathétérisation afin de vous faire subir une angioplastie destinée à dilater l'artère rétrécie (voir chapitre 10).

Cependant, l'ECG ne dit pas tout. Il n'informe pas directement de l'état de rétrécissement des artères, le cœur compensant ce dernier, de même que l'apport réduit en sang. En cas de ralentissement du flux sanguin dans une artère, cette dernière peut se dilater en aval de l'obstruction afin de rétablir la circulation. On peut comparer cela à ce qui se produit sur l'autoroute durant les travaux. Si l'on a aménagé une voie de contournement, les travaux risquent moins de ralentir les voitures.

En outre, l'ECG ne renseigne pas spécifiquement sur l'état des valvules ou sur les problèmes relatifs au muscle cardiaque, non plus qu'il ne permet d'évaluer le risque futur de cardiopathie. En d'autres mots, en dépit d'un ECG normal, votre risque pourrait être élevé, notamment si vous faites de l'hypertension ou du diabète.

En cas de douleur thoracique, il est nécessaire de passer un ECG. En tant que cardiologue, je le prescris toujours lors d'un examen physique. Je me fie à l'information qu'il me fournit, de même que d'autres tests, pour former mon diagnostic.

Les résultats supposément anormaux d'un ECG préoccupent souvent les patients, qui se présentent à mon bureau munis de leur électrocardiogramme et inquiets de ce qu'il indique. C'est ici que le cardiologue entre en jeu. Le fait est que l'ordinateur met souvent l'accent sur des anomalies que les médecins considèrent comme n'étant pas spécifiques. J'entends par là que certaines pourraient ne pas être graves. Par conséquent, si votre ECG ou celui d'un proche indique la présence d'anomalies, il se pourrait que ce soit sans conséquence. Votre médecin évaluera les résultats en tenant compte de vos antécédents médicaux.

LES ANALYSES SANGUINES

Si vous éprouvez un malaise thoracique ou un essoufflement qui se prolonge, j'espère que vous vous précipiterez à la salle des urgences. Là, les médecins prescriront des analyses sanguines consistant à mesurer certaines enzymes, ou biomarqueurs, qui permettent d'évaluer l'ampleur des lésions au muscle cardiaque et de déterminer si vos symptômes sont dus à une maladie coronarienne, par exemple une crise cardiaque.

Ces analyses s'effectuent le plus souvent en salle des urgences. C'est que, en conséquence d'une crise cardiaque et de lésions au muscle, le sang présente une anomalie qui atteint un sommet durant les quelques heures qui suivent l'apparition des symptômes avant de disparaître. Il importe donc de prélever un échantillon sanguin le plus rapidement possible, soit en plein milieu d'un épisode de douleurs thoraciques ou aussitôt après.

En général, les douleurs thoraciques constituent littéralement un cri du cœur, qui informe qu'il ne reçoit pas assez de sang. Quand il en est privé durant plus de 20 à 30 minutes, il peut subir des lésions, microscopiques ou plus importantes. Il suffit qu'une ou deux cellules (myocites) du muscle cardiaque soient lésées pour qu'elles libèrent dans le sang une enzyme qu'il est possible de détecter dans les échantillons. Sa présence permet de dire si le sujet fait une crise cardiaque.

Comme les lésions au muscle cardiaque peuvent ne se produire que quelques heures après un épisode de douleurs thoraciques, les médecins prélèvent souvent un second échantillon sanguin six à huit heures après le premier. Ils pourraient même le faire une troisième fois avant de décider de vous renvoyer à la maison.

Cependant, les analyses sanguines présentent des lacunes. Ainsi, en cas de douleurs thoraciques ne durant que cinq à dix minutes, les résultats pourraient paraître normaux, signe que vous n'avez pas fait de crise cardiaque ou que vos douleurs étaient effectivement de nature cardiaque. Votre médecin devra poursuivre son investigation. Si votre taux d'enzymes et votre ECG reviennent à la normale, l'urgentologue estimera généralement qu'il peut vous renvoyer chez vous en toute sécurité et vous faire évaluer en consultation externe. Si le test d'enzymes est négatif au bout de 30 minutes de douleur thoracique continue, c'est bon signe : il est peu probable que la douleur soit de nature cardiaque.

Plus l'anomalie enzymatique est élevée, plus le risque de souffrir de problèmes cardiaques dans un proche futur l'est. En général, si l'analyse sanguine montre des anomalies, votre médecin devra pousser plus loin son investigation et demander à ce que vous passiez une scintigraphie par perfusion (voir page 131) ou coronarographie (voir page 133) afin de prendre des images de votre cœur.

Autrefois, les médecins avaient recours au test de CK (créatine kinase), enzyme musculaire permettant de détecter les lésions au muscle cardiaque. Cependant, il n'est pas particulièrement sensible ou spécifique au cœur. Le taux sanguin de CK peut être élevé pour diverses raisons, dont certaines n'ont rien à voir avec le cœur, par exemple en cas d'activité physique vigoureuse ou en conséquence d'une chute. Certains services des urgences y ont toujours recours, mais on préfère généralement le test à la troponine, qui est très sensible et spécifique au cœur. Si votre médecin a détecté un taux élevé de troponine, c'est peut-être signe que votre muscle cardiaque a subi des lésions. Ce test est tellement sensible qu'il peut détecter des lésions microscopiques résultant d'un épisode bref mais grave de douleur thoracique. En fait, il l'est parfois trop. Même si votre taux de troponine est à la limite de la normalité, ce n'est pas nécessairement le signe que vous faites une maladie coronarienne ou que l'apport de sang à votre cœur est insuffisant. Pour établir son diagnostic, votre médecin devra dresser la liste de vos antécédents médicaux et vous faire subir d'autres tests.

....

❤ **Ce qu'il faut savoir :** Très sensible, le test de troponine est employé pour déterminer si les douleurs thoraciques s'accompagnent de lésions microscopiques au muscle cardiaque. Si, au bout de 30 minutes de douleur thoracique continue, il présente des résultats normaux, il est peu probable que le problème soit de nature cardiaque.

....

LE TEST DE STRESS

Ce test fait partie des premiers outils d'évaluation de la douleur thoracique. Il évalue le cœur à divers stades d'activité. Le médecin ne le prescrit qu'en présence de symptômes de maladie tels que douleur thoracique et essoufflement. D'abord, un technicien installera des timbres ou des électrodes en divers points sur votre poitrine. Puis, on vous demandera de marcher sur un tapis roulant, sous la surveillance du médecin. En cours de route, la vitesse et la pente de l'appareil augmenteront. Plus votre dépense sera grande, plus votre cœur aura besoin d'oxygène. Durant le transport de ce dernier dans vos artères coronaires, votre ECG pourrait présenter des anomalies si l'apport de sang à votre cœur est réduit.

Durant le test, l'ECG mesurera l'activité électrique de votre cœur ainsi que votre fréquence cardiaque, tandis que le technicien relèvera votre pression sanguine. En présence d'un problème sérieux de flux sanguin, c'est-à-dire d'un rétrécissement de plus de 50 % des artères coronaires, le test présentera des résultats positifs, ou anormaux, durant l'activité. En cas de douleur thoracique ne s'accompagnant pas de changements sur l'ECG, les résultats seront considérés comme négatifs, ou normaux. Pour déterminer le traitement, les cardiologues tiennent compte du temps qu'une personne peut marcher sur le tapis roulant avant d'éprouver des douleurs. Plus longtemps vous tenez, meilleur est votre état.

....

❤ **Ce qu'il faut savoir :** Il n'y a généralement pas de raison de passer un test de stress, à moins de présenter des symptômes de cardiopathie.

....

Il arrive que les résultats du test de stress soient anormaux même en l'absence de cardiopathie. Les raisons de cette situation sont quelque peu complexes mais elles se résument au fait qu'aucun test n'est parfait. Le médecin doit souvent en effectuer d'autres afin de confirmer son diagnostic.

En tant que cardiologue, je ne ferais pas passer ce test à quelqu'un dont le risque de cardiopathie est faible. Il n'y a aucune raison de le subir à moins de présenter des symptômes, notamment des douleurs à la poitrine, à la gorge, au bras ou à la mâchoire, ou un essoufflement qui apparaît durant l'activité et disparaît au repos. Les palpitations ou l'accélération du pouls ne sont généralement pas des problèmes de nature coronarienne. Ils concernent l'« électricité » plutôt que la « plomberie » du cœur, c'est-à-dire la fréquence cardiaque (voir chapitre 11). Dans ce cas, le test de stress est généralement inutile.

Chez ceux qui sont incapables de monter sur le tapis roulant, on peut reproduire les effets de l'activité sur le cœur en injectant un médicament comme la dobutamine, qui provoque une accélération de la fréquence cardiaque et une intensité des contractions. Le test à la dobutamine fournit la même information que le test de stress sur tapis roulant, mais il ne permet pas au médecin de déterminer la tolérance à l'exercice du patient.

Le test de stress donne parfois des résultats erronément positifs, mais aussi erronément normaux, c'est-à-dire qu'il ne détecte pas toujours la cardiopathie là où elle existe. Cela peut paraître déroutant et, à dire vrai, ça l'est. Mais rassurez-vous : un bon jugement clinique permet habituellement de séparer le vrai du faux. Dans la plupart des cas, on aura d'abord recours à des outils de dépistage préventif, par exemple la grille de Framingham (voir chapitre 2), et on identifiera et réduira au minimum les facteurs de risque de cardiopathie comme le diabète et l'hypertension. En règle générale, les médecins ne recommandent les tests qu'en présence de symptômes. Malheureusement, il n'en existe aucun que l'on pourrait faire passer à l'ensemble de la population, quelle que soit l'occupation des sujets, et qui dépisterait systématiquement la maladie coronarienne.

En fait, un premier test déclenche généralement une réaction en chaîne. Si les résultats du test de stress par ECG sont anormaux, alors le médecin pourra prescrire une échocardiographie (voir prochaine section) ou une scintigraphie par perfusion (voir page 131). Si les résultats semblent bons, on pourra dire que le test par ECG a donné des résultats erronément anormaux. C'est un peu comme le jeu roche-papier-ciseaux : un geste de la main, par exemple celui de la roche, en battra un autre, par exemple celui des ciseaux. Dans le cas qui nous occupe, l'échographie du cœur bat le test du tapis roulant.

Pas de symptômes, pas de test de stress !

En règle générale, vous ne devriez pas demander à passer un test de stress si vous n'avez pas de symptômes indiquant la présence d'une cardiopathie et votre médecin ne devrait pas vous le conseiller non plus. Quand il n'est pas justifié, ce test entraîne une perte de temps, d'énergie et de ressources. (De plus, je ne suis pas convaincue de la pertinence d'adopter la manière de faire du système américain à but lucratif, où ceux qui en ont les moyens peuvent passer tous les tests et interventions qu'ils souhaitent, que ce soit nécessaire ou pas.) Je suis préoccupée par le fait que, dans l'univers corporatif canadien, le test de stress soit de plus en plus répandu. Ce sont les gestionnaires des ressources humaines, et non les médecins, qui le réclament systématiquement! De nombreuses entreprises l'offrent sur une base annuelle à leurs clients, que ces derniers présentent des symptômes ou pas. C'est là une perte de temps et de ressources et, pire encore, il peut donner des résultats erronément anormaux.

Vous ne devriez passer un test de stress que si vous présentez des symptômes de cardiopathie ou si le médecin suspecte que vous souffrez de cette maladie. Un homme de 60 ans peut être en bonne santé malgré son âge, qui en fait un sujet à risque. Il pourrait ne présenter aucun symptôme, mais s'il passe un test sur tapis roulant, ce dernier risque de donner des résultats erronément positifs. Sur le tapis, son ECG peut changer même si son flux sanguin est normal. Dans ce cas, les apparences sont parfois trompeuses. À l'inverse, prenez une femme de carrière dynamique de 50 ans et faites-la monter sur le tapis. D'un point de vue statistique, étant donné son âge, son risque de cardiopathie est beaucoup plus faible que celui de l'homme plus âgé. Pourtant, elle est aussi plus susceptible d'obtenir des résultats erronément positifs, c'est-à-dire anormaux. Cette logique se fonde sur le théorème de Bayes, qui veut que les résultats d'un test soient déterminés, jusqu'à un certain point, par le degré de probabilité que le sujet souffre de la maladie. Cela peut sembler complexe et même les étudiants de première année en statistique s'y trompent. En fait, il s'agit de probabilité statistique: si votre risque de souffrir d'une maladie est très faible, celui d'obtenir des résultats erronément anormaux est plus élevé. C'est un principe très important dont les médecins tiennent compte chaque fois qu'ils prescrivent un test en vue de porter un diagnostic, qu'il s'agisse de cardiopathie, d'anomalies durant la grossesse, voire du VIH.

Il arrive que des jeunes femmes me consultent après avoir passé un test de stress dans le cadre des examens médicaux exigés par leur employeur, inquiètes des résultats. Quand je leur dis qu'elles ne souffrent pas de cardiopathie et que les résultats sont erronés, elles se montrent extrêmement reconnaissantes, déclarant que je leur ai «sauvé la vie». Franchement, je n'ai rien fait. J'aurais simplement souhaité qu'elles ne subissent pas le test en premier lieu et que cette inquiétude leur soit épargnée.

L'ÉCHOCARDIOGRAPHIE DE STRESS (OU À L'EFFORT)

L'échocardiographie de stress est un test qui a recours aux ultrasons pour observer le cœur. Le patient monte sur un tapis roulant ou un vélo stationnaire (la partie stress du test), puis s'allonge sur une table pour passer une échographie, au cours de laquelle l'appareil prend des images de son cœur. On enduit d'abord sa poitrine de gel à ultrasons et, au moyen d'une sonde, un technicien observe son cœur sous divers angles. L'échocardiographie prend environ 30 minutes et ne présente aucun risque, bien que la pression exercée sur la poitrine afin d'obtenir de meilleures images soit parfois inconfortable. Cet examen est apparenté à l'échographie qu'on fait passer aux femmes enceintes, à cette différence près qu'il s'agit ici d'observer le cœur.

Si l'apport de sang au cœur est réduit, ce dernier fonctionnera mal sous l'effet d'un stress physique. Les ultrasons permettent d'en observer les mouvements, ce que les médecins appellent «contractilité». En cas d'anomalie de la contractilité présente à l'effort mais non au repos, l'apport de sang à une partie du cœur est réduit et, par conséquent, elle est à risque.

Le médecin observe l'échogramme afin de voir si la fonction du muscle cardiaque est affectée par les douleurs thoraciques et l'exercice. Cet examen complète le test de stress ordinaire. Contrairement à ce dernier, il permet de visualiser, le cas échéant, la partie du cœur qui est mal irriguée.

La réussite de ce test dépend de la qualité des images. Si le patient est en surpoids ou si le laboratoire qui l'effectue n'a pas un bon roulement ou n'est pas accrédité, l'information en résultant pourrait ne pas être juste.

LA SCINTIGRAPHIE PAR PERFUSION

Perfusion signifie flux sanguin. La scintigraphie par perfusion consiste donc à prendre des images du sang circulant en direction du cœur tant à l'effort qu'au repos. Un technicien injecte dans une veine une substance chimique radioactive, ou marqueur, afin de suivre le mouvement du sang. Les médecins sont alors en mesure de localiser la partie du cœur qui en est privée. Si l'apport est réduit, ce sera plus manifeste à l'effort (c'est-à-dire durant l'exercice) qu'au repos. En d'autres mots, il sera inférieur à la demande.

Ce test révèle une anomalie de l'apport en sang même en l'absence de douleur thoracique à ce moment-là ou même si l'ECG est normal. Les médecins le prescriront également afin de compléter l'information obtenue à l'ECG ou au test de stress. Il est habituellement requis en cas de résultats anormaux de l'ECG au repos.

La scintigraphie par perfusion n'est pas effractive et la plupart des patients peuvent la subir. Elle présente toutefois l'inconvénient d'exposer le patient à une dose relativement faible de radiation, soit l'équivalent de dix radiographies thoraciques. On considère que cette dose est comparable au degré de rayonnement naturel à laquelle on est exposé sur une période d'environ deux ans. Cela dit, je ne prescris pas ce test aux jeunes, qui seront exposés à la radioactivité durant de longues années, contrairement aux personnes plus âgées. Qu'elle provienne des tests médicaux, des voyages en avion ou d'autres sources, la radioactivité est, en effet, cumulative. Par principe, je ne prescris pas ce test à la légère. Je pense qu'on ne devrait passer une scintigraphie que si l'on présente des symptômes.

Le cœur est situé sous le tissu mammaire. Comme, chez les femmes, ce dernier est plus abondant, cela peut constituer un problème quand il s'agit de mesurer les impulsions électriques au moyen d'un ECG ou de recourir à l'imagerie médicale pour évaluer l'activité cardiaque. Le tissu mammaire peut en effet troubler les images et donner des résultats erronément anormaux. Demandez à votre médecin si cela risque de se produire dans votre cas et ce qu'il est possible de faire pour vous assurer de la justesse des résultats.

Si vous passez une scintigraphie par perfusion, on pourrait vous administrer par intraveineuse de la persantine, médicament destiné à simuler l'exercice sans pour autant stresser le cœur. La persantine dilate les artères coronaires et fait dériver le sang de l'artère malade vers une artère saine. Le scintigramme montrera la différence relative dans l'apport en sang. Cependant, comme le médicament peut causer des nausées, des maux de tête ou des douleurs thoraciques transitoires, le médecin pourrait vous administrer de l'aminophylline, médicament essentiellement composé de caféine. Pour assurer l'efficacité de ce test, il importe d'éviter la caféine sous toutes ses formes durant au moins un jour avant de le passer.

Si l'on coupait le cœur en sections, chacune d'elles aurait la forme d'un beignet. Durant une scintigraphie par perfusion, nous prenons des images des sections du cœur au repos et à l'effort, puis nous les comparons. Normalement, il n'y a pas de différence entre les deux. Cependant, si l'apport de sang est anormal, l'image donne l'impression qu'on a mordu dans le beignet. L'importance de la «bouchée» permet aux médecins de déterminer le problème.

LA CORONAROGRAPHIE

La coronarographie est une technique d'imagerie médicale effractive permettant de mesurer l'apport de sang au cœur et de détecter, le cas échéant, un rétrécissement ou une obstruction dans les artères coronaires. C'est l'outil le plus précis dont disposent les médecins, les techniques non effractives comme le test de stress et l'échocardiographie de stress ne leur fournissant pas une information aussi complète.

Voici comment le test se déroule : suite à une anesthésie locale, le cardiologue pratique une petite incision dans le bras ou la jambe et insère dans l'aorte un tube menant au cœur. On injecte un colorant dans les artères coronaires et un technicien prend des radiographies. Le colorant présente peu de risques mais, si vous pensez souffrir d'une allergie à ce genre de substance, parlez-en à votre médecin. Avant la coronarographie, il pourrait vous administrer du Gravol ou des stéroïdes dans le but de prévenir toute réaction allergique.

Chaque année, des dizaines de milliers de Canadiens passent une coronarographie. Cependant, comme il s'agit d'une intervention effractive, l'insertion d'un tube à proximité du cœur présente certains risques. C'est pourquoi, je ne la recommande pas à tous mes patients. Trois sur mille risquent la crise cardiaque, l'AVC ou d'autres problèmes graves en conséquence du test. Le tube pourrait exciter le cœur, provoquant une arythmie (voir chapitre 9), voire même ouvrir ou déchirer une artère coronaire. En revanche, 997 patients sur 1000 n'auront aucun problème. Autrement dit, les chances sont de votre côté.

De nombreux patients souffrant d'insuffisance rénale chronique souffrent également de cardiopathie. Si c'est votre cas, votre cardiologue travaillera en étroite collaboration avec votre néphrologue (spécialiste des maladies rénales) pour vous soigner. Les médecins se préoccupent notamment du fait que le colorant dont on se sert pour la coronarographie est potentiellement néfaste pour les reins. Mais ce n'est le cas que si vous souffrez de maladie rénale grave.

La coronarographie risque également de provoquer des saignements au site de ponction, c'est-à-dire à l'endroit où l'on insère le tube dans l'artère de la jambe (voie fémorale) ou du bras (voie radiale). Dans le cas de la ponction par voie fémorale, 1 patient sur 200 court le risque d'un saignement à l'aine ; ce ratio est un peu plus élevé chez les personnes en surpoids.

Durant l'examen, vous serez ou bien réveillé ou bien sous sédatif, tel le Valium. De temps à autre, on vous demandera de retenir votre souffle quand on vous injectera le colorant et prendra les radiographies. Pour ce test, l'exposition à la radioactivité correspond à un peu plus de 10 radiographies. Une fois de plus, on pèse le pour et le contre, en tenant compte du risque d'exposition à la radioactivité du patient au cours de son existence et des bienfaits qu'il peut en tirer s'il souffre d'un problème coronarien grave.

Je ne fais pas passer de coronarographie à mes patients dont le cœur est généralement stable, mais je le fais si les résultats d'un test de stress ou d'une scintigraphie sont anormaux ou préoccupants. C'est un préalable pour les situations où l'on doit déterminer si l'on rétablira la circulation au cœur au moyen d'une angioplastie ou d'un pontage cardiaque (voir chapitre 10).

En cas de crise cardiaque, plusieurs (mais pas tous) pourraient devoir passer une coronarographie dans le cadre d'un programme de soins de santé de qualité. Si vous êtes une femme, vous devriez porter une attention particulière à ceci. Selon les résultats d'études, pour des raisons quelque peu obscures, les femmes sont moins susceptibles que les hommes de subir cette intervention. Peut-être est-ce dû au fait qu'elles sont généralement plus âgées et plus frêles quand elles font une crise cardiaque, les médecins hésitant alors à leur faire subir une intervention effractive. Pourtant, suite à une crise, les femmes courent généralement plus de risques que les hommes de souffrir de troubles cardiaques ultérieurs. Si vous – ou un membre de votre famille – avez récemment fait une attaque sans qu'on vous ait prescrit une coronarographie, demandez-en la raison à votre médecin. Ce test n'est pas toujours nécessaire dans une situation semblable, particulièrement si vous avez bien réussi le test de stress à l'effort et si les résultats de la scintigraphie par perfusion ou de l'échocardiographie sont normaux, mais il vaut toujours mieux poser la question.

Vous auriez tout intérêt à vous faire accompagner chez le médecin par un ami ou un membre de la famille qui, sans se montrer agressif, vous aidera à formuler les bonnes questions. Quand on n'a pas une idée claire du processus médical qu'ils impliquent, les tests peuvent susciter beaucoup d'angoisse. En posant les bonnes questions et en étant informé, vous pourrez, avec l'aide de votre médecin, transformer votre inquiétude en assurance. C'est vrai tant pour les situations d'urgence, où il se passe beaucoup de choses en peu de temps, que pour les visites chez le spécialiste, où le temps est compté.

Nous venons de voir six des outils d'évaluation de la maladie coronarienne les plus courants. Cependant, les cardiologues disposent d'autres tests de dépistage et d'évaluation, que ce soit pour cette maladie ou pour des problèmes d'une autre nature, par exemple ceux qui concernent la fréquence cardiaque. Vos médecins détermineront ceux qui sont appropriés à votre situation en fonction de vos symptômes et de vos antécédents médicaux. Nous en verrons quelques-uns au chapitre suivant.

CHAPITRE 7

AUTRES TESTS CARDIAQUES IMPORTANTS

«Si j'ai un problème de fréquence cardiaque,
quels sont les tests que je dois passer et que révéleront-ils?»

Au chapitre 6, nous avons vu les tests auxquels les médecins ont recours pour évaluer les douleurs thoraciques, dont l'électrocardiogramme, le test de stress et les analyses sanguines de dépistage. Il s'agit d'outils permettant de diagnostiquer la maladie coronarienne, c'est-à-dire les problèmes résultant d'un apport réduit de sang au cœur. Cependant, la médecine dispose d'autres tests de dépistage pour évaluer les troubles qui ne sont pas de nature coronarienne. Par exemple, ceux qui permettent de mesurer l'ampleur des contractions cardiaques et la capacité du cœur à pomper le sang (fraction d'éjection, voir chapitre 1) ou encore, d'évaluer les anomalies de la fréquence cardiaque (arythmie) ou la gravité des souffles cardiaques, c'est-à-dire les bruits résultant d'une anomalie du flux sanguin dans la valvule cardiaque. Les médecins disposent d'outils sophistiqués pour évaluer tous les problèmes de nature cardiaque. Voici la description de neuf de ceux auxquels on a recours en cardiologie.

L'ÉCHOCARDIOGRAPHIE

L'échocardiographie transthoracique (ETT), ou simplement échocardiographie, est un test non effractif à ultrasons. Il permet aux médecins de prendre des images des valvules cardiaques et du flux sanguin, et de voir si le cœur se contracte normalement. Pour la plupart des problèmes cardiaques, les cardiologues doivent généralement évaluer la fonction du muscle cardiaque au moyen de l'échocardiographie.

Nous avons vu que l'échocardiographie de stress (chapitre 6) consiste à évaluer le cœur à l'effort, c'est-à-dire après que le patient soit monté sur le tapis roulant. En cas de problème de flux sanguin vers le cœur, les mouvements cardiaques se feront mal à l'effort. L'échocardiographie de stress permet d'observer ces mouvements que, en médecine, on désigne par «contractilité». Une anomalie de la contractilité à l'effort met le sujet à risque de faire une crise cardiaque.

Cependant, l'échocardiographie ne sert pas uniquement à évaluer le cœur à l'effort. On y a recours pour diverses autres raisons, par exemple si le patient présente un problème de valvule ou si son médecin veut écarter cette possibilité après avoir perçu un souffle cardiaque à l'auscultation. (Nous reviendrons plus en détail sur la question des souffles cardiaques au chapitre 9.) L'échocardiographie permet de déterminer si le souffle cardiaque est grave ou, selon nos termes, «innocent». Dans ce dernier cas, le flux sanguin au cœur est rapide ou anormal en conséquence, par exemple, d'une anémie ou d'une grossesse. *A contrario,* un souffle cardiaque grave peut être le signe d'un problème de valvule. Le test aidera le médecin à poser un diagnostic.

Cependant, il ne fait pas tout. Ainsi, il ne peut déterminer si les douleurs thoraciques sont de nature cardiaque. Par contre, si, en conséquence d'une crise cardiaque, le muscle présente des lésions, il percevra l'anomalie dans l'une des parois du cœur au repos, ce que nous appelons «anomalie de la contractilité régionale».

Les médecins ont parfois besoin d'une information plus spécifique et d'images plus précises du cœur, par exemple s'ils décident de pratiquer une intervention chirurgicale dans le but de réparer (plutôt que de remplacer) la valvule mitrale, soit celle qui se trouve entre l'oreillette et le ventricule gauches. Dans ce cas, on pourrait vous faire passer une échographie transœsophagienne (ETO). Le cœur étant situé à proximité de l'œsophage, une sonde à ultrasons insérée par cette voie et dirigée vers l'estomac pourrait donner de meilleures images que l'échographie habituelle. Ce test est similaire à la gastroscopie, au cours de laquelle on insère un tube par la bouche et dans l'œsophage afin d'obtenir des images de l'estomac, à cette différence près que ce dernier est muni d'une sonde à ultrasons à son extrémité plutôt que d'une lampe. L'ETO n'est généralement pas requis à moins de problèmes complexes des valvules.

LA VENTRICULOGRAPHIE ISOTOPIQUE

La ventriculographie isotopique (ou scintigraphie cavitaire) est un examen de TDM (tomodensitométrie) du cœur qui fournit aux médecins une information spécifique sur le fonctionnement de la pompe cardiaque. C'est le meilleur test dont ils disposent pour l'évaluation de la fraction d'éjection, laquelle est nécessaire pour poser un diagnostic d'insuffisance cardiaque.

La fraction d'éjection (FE) est une mesure de la capacité du cœur à se contracter. Voyez cet organe comme une tasse contenant du sang. S'il est normal, il éjectera la moitié du sang contenu dans la tasse à chaque contraction ; c'est ce qu'on appelle la fraction d'éjection. Elle est diminuée si le muscle cardiaque est affaibli et la pompe en mauvais état. Normalement, elle oscille entre 55 et 70 %. À moins de 55 %, elle est considérée comme faible et à moins de 30 %, comme très faible, ce qui constitue un problème grave.

La ventriculographie isotopique relève de la médecine nucléaire, qui a recours à des substances radioactives tenant lieu de colorant dans le but d'observer la structure et le fonctionnement d'une partie spécifique du corps. Elle peut évaluer le fonctionnement du ventricule gauche et, parfois, du droit. Quand elles sont injectées dans le sang, les particules radioactives se fixent sur les globules rouges, qui deviennent alors visibles et peuvent être dénombrés. On prend la mesure quand le cœur se contracte et quand il est au repos. L'information obtenue permet de calculer la fraction d'éjection.

Ce test ne fournit aucune information sur l'état des valvules ou du flux sanguin vers le cœur. On s'en sert pour évaluer les patients dont le muscle cardiaque est affaibli, soit à l'issue d'une crise ou en conséquence de certains traitements de chimiothérapie. On le fait également passer à ceux qui souffrent de cardiomyopathie, dysfonctionnement grave mais rare du muscle cardiaque (voir chapitre 9). L'information obtenue permet de déterminer si le dysfonctionnement nécessitera un traitement tel que la pose d'un défibrillateur implantable (voir chapitre 11).

L'IRM

Peut-être avez-vous déjà passé un test d'IRM (imagerie par résonance magnétique) à la suite d'une blessure au dos, au genou ou ailleurs, ou en raison de maux de tête persistants nécessitant une investigation plus poussée de votre cerveau. Lors de cette intervention, le patient est allongé dans un grand tunnel mobile muni d'un aimant puissant, qui fournit des images du corps.

En médecine, on a largement recours à l'IRM. Cela dit, pour obtenir de bonnes images du cœur, certaines conditions s'imposent. Ainsi, le patient doit rester allongé un long moment sans bouger, à défaut de quoi l'image sera floue, ce qui se produira également si sa fréquence cardiaque est trop rapide. Par conséquent, pour le passer, votre fréquence doit être lente.

L'IRM du cœur prend environ une heure. On y a recours pour certaines affections particulières mais on ne le prescrit pas systématiquement. Il pourrait s'avérer utile surtout pour le dépistage de tumeurs inhabituelles, d'anomalies congénitales, d'affections rares se caractérisant par une infiltration de graisse ou pour déterminer si le muscle cardiaque est viable ou encore vivant à l'issue d'une crise.

Étant donné la présence d'aimants, ce test est proscrit aux patients qui se sont fait implanter de grosses pièces métalliques. En revanche, le tuteur vasculaire (voir chapitre 10) ne constitue généralement pas un problème. Assurez-vous-en tout de même auprès de votre médecin.

LA TEP

La TEP, ou tomographie par émission de positrons, est une méthode d'imagerie médicale qui observe l'activité des cellules. Comme toutes les techniques de médecine nucléaire, elle nécessite l'injection d'un produit radioactif qui permet la formation d'images. On y a souvent recours en oncologie dans le but de détecter des tumeurs cancéreuses et des grappes de cellules cancéreuses actives. En cardiologie, on s'en sert parfois pour déterminer si les cellules du muscle cardiaque sont vivantes. Autrement dit, si à l'issue d'une crise cardiaque, votre médecin veut déterminer l'ampleur de la destruction, ou de l'inactivité, de ces cellules. Il pourrait vouloir en évaluer la viabilité si votre muscle cardiaque est affaibli en conséquence de multiples crises cardiaques et s'il envisage la possibilité de vous faire subir un pontage cardiaque ou une angioplastie (voir chapitre 10). Mais il ne s'agit pas d'un test de routine. On le réserve habituellement aux patients présentant un grave dysfonctionnement du muscle cardiaque, c'est-à-dire une fraction d'éjection de moins de 30 %.

L'ANGIOGRAPHIE CORONARIENNE PAR TOMODENSITOMÉTRIE (TDM)

L'angiographie coronarienne par TDM est un examen non effractif des artères coronaires. Un technicien injecte dans les veines un colorant que l'appareil peut retracer afin de produire des images détaillées des vaisseaux sanguins. Il permet également de détecter les dépôts de calcium dans les artères, signe d'athérosclérose, et un éventuel rétrécissement dans celles qui acheminent le sang au cœur. Il faut garder à l'esprit que ces artères sont plutôt petites, si bien que cette technique d'imagerie n'est employée que depuis quelques années, soit depuis l'arrivée d'appareils plus perfectionnés et plus précis.

La TDM est utile pour identifier des problèmes complexes, par exemple une déchirure ou une ouverture de l'aorte dans la poitrine, chose considérée comme une urgence médicale. Cependant, l'angiographie par TDM ne fait pas partie des tests de première ligne pour le dépistage de la maladie coronarienne, car elle implique une exposition à la radioactivité équivalant à environ 100 radiographies thoraciques, ce qui est tout de même considéré comme sûr. Elle n'est pas non plus aussi efficace que l'angiographie coronarienne, plus effractive, pour le dépistage des obstructions dans les artères (voir chapitre 6).

En cas d'obésité, les doses de radioactivité requises pour obtenir de bonnes images sont plus élevées. Voilà pourquoi je ne suis pas portée à avoir recours systématiquement à cette technologie.

Selon les résultats d'une étude récente, les doses de radioactivité émises durant une angiographie par TDM varient en fonction de l'endroit où on l'effectue, de la personne qui l'effectue et du modèle de l'appareil[49]. C'est une question préoccupante étant donné qu'une exposition élevée à la radioactivité durant l'existence est associée à un risque accru de souffrir du cancer. Or, l'imagerie médicale est l'une des plus grandes sources de radioactivité. Heureusement, les temps ont changé, si bien que la TDM permet désormais d'obtenir de bonnes images tout en produisant moins d'émissions. Les médecins sont conscients du problème et n'irradient pas les gens au hasard. (Durant l'enfance de mon père, il était normal qu'un vendeur de chaussures mesure les pieds des clients à l'aide de la fluoroscopie, appareil émettant un rayonnement.) D'ailleurs la science change rapidement et, dans le futur, nous pourrions voir émerger des techniques qui minimiseront encore davantage les doses émises.

LE HOLTER

Le moniteur Holter (ou enregistreur ambulatoire) mesure la fréquence cardiaque. Votre médecin pourrait décider de vous en faire porter un si vous êtes sujet aux évanouissements et qu'il pense que cela pourrait être dû à une anomalie de votre fréquence. On fixera des électrodes sur votre poitrine et les reliera à l'enregistreur, qui évaluera vos battements en continu durant les 24 à 48 heures où vous le porterez. On vous donnera la consigne d'appuyer sur un bouton quand vous éprouvez des palpitations, de sorte que le médecin puisse savoir à quel moment exactement vos symptômes apparaissent et s'ils sont dus à l'arythmie.

L'ENREGISTREUR AMBULATOIRE DE LONGUE DURÉE

Cet appareil ressemble au Holter, à cette différence près que le patient le porte plus longtemps, généralement durant deux semaines. Il enregistre les battements cardiaques mais ne conserve que les données pertinentes, c'est-à-dire l'arythmie éventuelle. Ainsi, si vous avez un épisode de palpitations, l'information sera enregistrée, conservée et transmise par téléphone à un centre d'analyse des données. Comme, pour bien des patients, les épisodes de palpitations et d'évanouissement ne se produisent pas quotidiennement, cet appareil est un bon outil pour évaluer les symptômes à plus long terme. Il permet aussi d'enregistrer les épisodes de fibrillation auriculaire, affection se caractérisant par des battements irréguliers et qui touche environ 5 % des personnes de plus de 65 ans (voir chapitre 11).

LA MESURE DE L'IPS PAR DOPPLER

La mesure de l'IPS, ou indice de pression systolique cheville-bras, est un test destiné à dépister les problèmes de circulation qui risquent de mener à la crise cardiaque ou à l'AVC. La mauvaise circulation dans les jambes est presque toujours due à l'athérosclérose, ou rétrécissement des artères dû à l'accumulation de plaque. C'est la même affection qui touche les artères du cœur. Les troubles de la circulation se manifestent souvent par une difficulté à marcher, des crampes et de la fatigue dans les jambes (voir chapitre 5).

L'IPS compare la pression artérielle des jambes (mesurée au niveau de la cheville) à celle des bras. Normalement, en l'absence de rétrécissement des vaisseaux, les deux mesures sont semblables, mais en cas d'athérosclérose, celle des jambes sera inférieure à celle des bras. Pour percevoir la pression dans les jambes, les médecins doivent se servir d'un appareil spécial, l'écho-Doppler, qui est posé sur le pied.

Si votre IPS, ou celui d'un proche, est de moins de 0,9, vous faites une AOMI ou artériopathie oblitérante des membres inférieurs (voir chapitre 8). Dans ce cas, votre risque de mourir de troubles cardiaques est nettement plus élevé que celui des personnes ne souffrant pas de cette maladie. Les patients dont l'IPS est faible et qui souffrent d'AOMI ont six fois plus de chances de mourir d'une crise cardiaque ou d'un AVC que la population en général.

Les patients dont la qualité de vie est sérieusement compromise par des crampes dans les membres inférieurs de nature circulatoire (claudication, voir chapitre 5) pourraient nécessiter une angioplastie ou un pontage. Dans ce cas, l'écho-Doppler est utile pour déterminer l'emplacement des rétrécissements ou obstructions. Si les symptômes ne sont pas graves, le traitement consiste à arrêter de fumer et à prendre des antihypertenseurs et des hypocholestérolémiants. On pourrait aussi vous prescrire des médicaments de type Aspirine afin d'éclaircir votre sang et de prévenir la formation de caillots. Enfin, vous devrez vous attaquer à vos autres facteurs de risque vasculaire.

LA MESURE DES CALCIFICATIONS CORONAIRES

Une artère saine est dépourvue de calcium. Cependant, ce minéral peut s'accumuler dans les artères touchées par l'athérosclérose, ce qui mène à la crise cardiaque et à l'AVC. La tomodensitométrie des calcifications coronaires permet de déterminer la quantité de calcium se trouvant dans les artères. Elle n'indique pas directement si on est en présence de maladie coronarienne ; cependant, on sait que plus il y a de calcium, plus le risque est élevé. On n'y a pas recours systématiquement pour le dépistage, étant donné que l'appareil expose à la radioactivité.

Jadis, avant l'apparition des technologies avancées d'angiographie et de tomodensitométrie, on se servait, pour le dépistage de la maladie coronarienne, d'un fluoroscope, appareil à radiographies qui permettait de détecter la présence de calcium dans les artères. Nous disposons désormais de meilleures méthodes pour observer le cœur.

La mesure des calcifications coronaires ne fournit pas aux médecins l'information qui permettrait de dire que le risque de cardiopathie future est faible (c'est-à-dire si votre risque de faire une crise cardiaque ou un AVC au cours des 10 prochaines années est de moins de 10 %). Elle n'ajoute rien non plus à l'information si vous savez déjà que vous présentez de nombreux facteurs de risque, ou si souffrez de cardiopathie ou de maladie vasculaire. Ce sont les personnes présentant un risque modéré qui pourraient bénéficier le plus de ce test. Par exemple, il pourrait mener à la décision de prendre un hypocholestérolémiant.

Personnellement, je ne suis pas très partisane de ce test et ne le recommande pas à mes patients. L'exposition à la radioactivité et la mesure du calcium ne constituent pas une méthode idéale pour évaluer le risque.

Le test de mesure des calcifications coronaires est très populaire aux États-Unis et là où les soins médicaux ne sont pas gratuits. Il suffit de naviguer sur Internet pour découvrir de nombreux sites Web vantant les vertus de cette technique. Chaque année, dans mon bureau de Toronto, je reçois des gens qui arrivent de Buffalo après avoir payé des centaines de dollars pour ce test, voire pour une tomodensitométrie complète. À mes yeux, c'est complètement insensé. En tant que cardiologue spécialisée dans la prévention, je crois beaucoup plus à la détermination du risque global à partir des facteurs de risque (voir chapitre 2). Il est également insensé qu'une personne souffrant de diabète, d'hypertension ou de maladie rénale chronique passe des tests additionnels pour se faire dire ce qu'elle sait déjà, à savoir qu'elle est à risque ! Si votre risque de cardiopathie est élevé, des tests additionnels ne vous diront pas le contraire.

LES LIMITES DES TESTS

En réalité, il existe peu de tests médicaux qui permettent de savoir en toute certitude si on souffre ou non de cardiopathie, à l'exception de l'angiographie (voir chapitre 6), un test effractif qui comporte des risques et n'est pas recommandé à tous ceux dont la cardiopathie est stabilisée. Par contraste, les tests de stress et par tomodensitométrie peuvent fournir une preuve indirecte de la présence de maladie coronarienne. Par preuve indirecte, on entend qu'elle permet raisonnablement de penser que la personne en souffre. De plus, quand les médecins évaluent votre risque global, c'est dans le but de déterminer votre risque futur plutôt que de répondre par oui ou par non à la question : « Est-ce que je souffre présentement de cardiopathie ? »

Il est tout à fait possible que si vous êtes à haut risque de souffrir d'accidents cardiovasculaires dans les dix prochaines années, vous présentiez déjà des signes précoces d'athérosclérose. Cependant, à moins qu'une de vos artères n'ait rétréci de 50 % ou plus, vous ne présenterez pas de symptômes pour l'heure. Si votre médecin sait que votre risque est élevé, il importe peu que les tests indiquent que le rétrécissement de vos artères coronaires soit de 20 % ou de 40 %. Le fait est que, dans un cas comme dans l'autre, votre médecin agira de la même manière : il tentera de diminuer votre risque de maladie coronarienne et de crise cardiaque en vous incitant à changer de mode de vie et en vous administrant des médicaments.

Toutes les semaines, des patients me demandent quels sont les tests qui montreront des occlusions dans leurs artères. Si vous souffrez de cardiopathie, vous pourriez souhaiter constater de visu que la plaque rétrécit vos artères coronaires et ainsi acquérir la preuve que votre médecin fait bien son boulot. Mais les cardiologues n'ont pas toujours besoin de voir une image pour savoir si un traitement est efficace. Bien sûr, nous disposons de l'échographie intravasculaire, mais il s'agit essentiellement d'un outil de recherche; on ne s'en sert pas de manière systématique dans la pratique clinique. Ainsi, les résultats d'études récentes en échographie intravasculaire indiquent que l'administration de très hautes doses de médicaments hypocholestérolémiants fait régresser ou diminuer la plaque dans les artères[50]. Mais, en ce qui concerne les soins à donner aux patients, ce genre d'étude n'est pas très utile. Pour le traitement, les médecins se fient plutôt aux résultats des essais cliniques. Ces derniers permettent de savoir si un médicament ou un traitement contribue efficacement à diminuer les accidents réels, c'est-à-dire le nombre d'admissions à l'hôpital pour les cas d'angine, de crise cardiaque ou d'AVC. Ainsi, on a montré dans des essais cliniques à grande échelle que les médicaments hypocholestérolémiants diminuaient le risque, pour un patient, de faire une crise cardiaque ou un AVC dans le futur. C'est beaucoup plus important que le test qui permet de voir combien il s'est accumulé de plaque dans ses artères coronaires. S'il est vrai qu'une image vaut mille mots, ce n'est pas nécessairement le cas en cardiologie préventive.

Chapitre 8

CE QUE SIGNIFIE VOTRE DIAGNOSTIC DE MALADIE CORONARIENNE

«Les tests ont confirmé que j'ai fait une crise cardiaque. Qu'est-ce que cela signifie pour moi désormais?»

Le diagnostic de cardiopathie peut être accablant pour la personne qui le reçoit, particulièrement si l'affection est considérée comme grave. L'avenir paraît alors sombre. Peut-être devez-vous faire face à la perspective d'une intervention chirurgicale ou vous inquiétez-vous du fait que vous ne pourrez plus mener la même vie qu'auparavant? D'un autre côté, le diagnostic constitue un pas dans la bonne direction et vous éprouverez probablement un certain soulagement à connaître exactement la nature de votre problème. Après les tests, l'attente et l'anxiété, il vous rapproche des traitements et outils nécessaires pour gérer et vivre avec votre maladie. Mais il vous faut d'abord savoir ce que le diagnostic implique, en quoi consiste la maladie, ce qui la cause et ce que vous devez en attendre dans un avenir proche.

Avant toute chose, gardez à l'esprit que les maladies du cœur et des vaisseaux sanguins couvrent un large éventail. «Maladie cardiovasculaire» est le terme générique pour décrire tous les problèmes cardiaques. Les maladies cardiovasculaires se subdivisent en deux groupes, coronariennes et non coronariennes.

L'essentiel de ce livre a porté jusqu'à présent sur les premières, connues également sous les noms de «maladies des coronaires» et «coronaropathies». Nous avons vu les facteurs de risque, les symptômes et les tests permettant de les dépister. Ces affections concernent la plomberie du cœur, c'est-à-dire le rétrécissement des artères coronaires causé par l'athérosclérose. Quand les artères sont rétrécies et que le cœur ne reçoit pas assez de sang, la pompe cardiaque est privée de nutriments essentiels et d'oxygène, et fonctionne mal. L'angine (douleurs thoraciques) ou la crise cardiaque peuvent en résulter. En général, quand les médecins parlent de « maladie du cœur » ou de « cardiopathie », ce sont les affections coronariennes qu'ils désignent. Il va de soi qu'elles peuvent être très graves. Voyons-les chacune en détail.

L'ANGINE STABLE

Si vous avez reçu un diagnostic d'angine, c'est que vous éprouvez des douleurs thoraciques qui surviennent quand votre cœur ne reçoit pas assez de sang. Pour décrire cette affection, je parle toujours de douleurs thoraciques, mais, en fait, il ne s'agit habituellement pas d'une douleur aiguë ou lancinante qui s'apparenterait à une piqûre d'aiguille. Elle se manifeste plutôt par un profond malaise, qui prend souvent la forme d'un serrement ou d'une lourdeur dans la poitrine. On peut aussi la ressentir dans le bras, la mâchoire, le dos, les omoplates et même les dents. Elle est généralement liée à l'effort, c'est-à-dire qu'elle apparaît durant l'activité et disparaît au repos.

En cas de stress accru – activité physique ou choc émotionnel, par exemple, la demande du cœur en sang augmente. Si vous faites de l'athérosclérose, c'est-à-dire une accumulation de plaque dans les artères, votre débit sanguin est compromis et l'apport en sang, insuffisant. Ce déséquilibre entre apport et demande provoque l'angine. On n'éprouve habituellement pas de douleur au repos, étant donné que le cœur peut s'accommoder d'un apport réduit en sang, même en présence d'athérosclérose.

Si votre médecin vous informe que votre angine est stable, c'est que vos symptômes n'ont pas changé au fil du temps. Habituellement, cela signifie que vos malaises apparaissent avec les émotions ou l'activité physique et durent quelques minutes à chaque épisode d'angine ; vous pouvez soulager la douleur, qui se manifeste sous forme de pression ou de serrement dans la poitrine, en prenant une dose de nitroglycérine. Administré en inhalation ou sous forme de comprimé, ce médicament dilate les artères. Souvent, l'angine s'accompagne d'essoufflements. Le malaise peut apparaître d'abord dans la poitrine puis se propager à la gorge, au bras, à la mâchoire ou au dos. Dans l'angine stable, il n'apparaît généralement pas de manière soudaine au repos. Cependant, il peut se manifester quand il fait froid – le froid contracte les vaisseaux sanguins – ou après qu'on a gravi une pente.

Si la fréquence de l'angine s'accroît ou si elle se manifeste à un moindre degré d'activité, cela signifie que l'apport de sang au cœur est davantage réduit et perturbé ; alors, elle n'est probablement plus stable.

L'ANGINE INSTABLE

Si un épisode d'angine se prolonge de manière inhabituelle, par exemple durant 20 minutes, il se peut qu'elle soit instable. Vous devriez faire appel au service des urgences si le repos ou deux inhalations de nitroglycérine à intervalle de cinq minutes – commençant cinq minutes après le début de la crise – ne vous soulagent pas. L'angine instable peut se manifester par une sensation de froid, de la moiteur, un teint gris ou livide, voire des nausées. Mais avant tout, le malaise dans la poitrine, le bras, la gorge ou la mâchoire que vous n'éprouviez auparavant que durant une activité survient désormais au repos ou à un moindre degré d'activité, et peut même vous réveiller la nuit. C'est généralement le signe que l'apport en sang au cœur a diminué de manière progressive et potentiellement grave. En d'autres mots, c'est le signe que votre organisme cherche à faire une crise cardiaque.

En cas d'angine instable, une partie de la plaque d'athérosclérose peut se rompre, libérant des débris dans une artère. Ces derniers constituent en quelque sorte un aimant pour les globules rouges, qui s'y agglutinent pour former un caillot sanguin, ce qui peut mener à la crise cardiaque.

Ironiquement, le caillot sanguin est une bonne chose qui a mal tourné. Le corps humain est conçu pour se soigner quand un vaisseau sanguin se rompt, c'est-à-dire que, dans des circonstances normales, il favorise la formation d'un caillot dans le but d'arrêter le saignement. En revanche, quand un caillot se forme dans une artère, ce peut être très grave.

Comme nous le verrons plus en détail dans un prochain chapitre, on traite l'angine instable à l'aide d'anticoagulants qu'on administre à l'hôpital par intraveineuse, injection ou voie orale, dans le but de réguler les plaquettes sanguines et prévenir la formation d'un caillot sanguin. Dans certains cas, le traitement médicamenteux suffit, mais dans d'autres, on doit recourir à des interventions plus substantielles, par exemple l'angioplastie ou, plus rarement, une opération à cœur ouvert (voir chapitre 10).

LA CRISE CARDIAQUE OU L'INFARCTUS DU MYOCARDE

Pour parler crûment, l'infarctus du myocarde signifie la mort du muscle cardiaque. Cependant, la crise cardiaque n'est pas toujours aussi grave ni ne cause nécessairement autant de lésions au muscle cardiaque qu'il y a quelques dizaines d'années. La technologie médicale a évolué, de même que les connaissances que les gens ont de la maladie coronarienne et de la crise cardiaque. Ils sont beaucoup plus nombreux aujourd'hui à savoir reconnaître les symptômes d'une crise et à faire appel au service des urgences quand ils éprouvent des douleurs à la poitrine ou au bras.

Anatomie d'une crise cardiaque

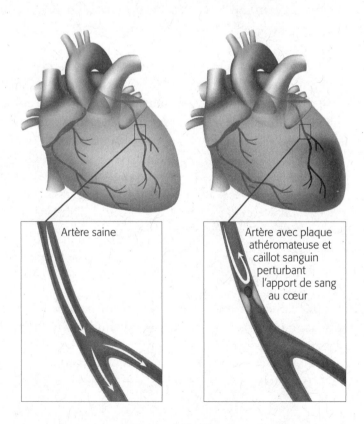

Artère saine

Artère avec plaque athéromateuse et caillot sanguin perturbant l'apport de sang au cœur

La crise cardiaque se produit quand un caillot sanguin se forme dans un vaisseau, souvent en conséquence d'une instabilité de la plaque et d'une interruption du débit sanguin vers une partie du cœur. L'attaque alors peut être considérable et grave. Dans d'autres cas, un caillot sanguin cherche à se former, mais l'interruption du flux sanguin est intermittente et finit par se corriger, causant des lésions de moindre gravité.

Les médecins sont de plus en plus précis dans leur évaluation des lésions au muscle cardiaque, qu'ils conduisent en recherchant d'éventuelles anomalies dans le sang (enzymes cardiaques) et en étudiant la courbe des changements spécifiques qui apparaissent sur un électrocardiogramme (voir chapitre 6). On peut désormais savoir qu'un sujet a fait une crise cardiaque même quand les analyses sanguines ne révèlent que quelques lésions microscopiques. Quand une cellule du muscle cardiaque est lésée, elle libère une enzyme (contrairement aux cellules saines qui gardent leur contenu à l'intérieur de leur membrane). Les médecins sont en mesure de détecter cette fuite même en cas de lésions mineures ne touchant que quelques cellules (myosites), les résultats de l'analyse sanguine étant alors anormaux. Remarquez que cette situation diffère de celle où un véritable caillot sanguin se forme dans une artère, provoquant des douleurs thoraciques pendant de longues heures. Si, à l'issue d'une période prolongée de douleurs, vous ne sollicitez pas rapidement de l'aide médicale, vous pourriez faire une crise cardiaque qui causera des lésions substantielles et permanentes à votre muscle cardiaque.

Pour désigner l'éventail des crises cardiaques, on parle de « syndrome coronarien aigu (SCA) ». Essentiellement, ce terme englobe toutes les affections qui vont de l'angine instable à la crise cardiaque à la Hollywood, c'est-à-dire celle qu'on nous présente généralement dans les films, où, incapable de respirer, le personnage serre brusquement sa poitrine. Je n'insisterai jamais assez sur l'importance d'interrompre immédiatement toute activité, que ce soit travailler, faire des provisions à l'épicerie ou garder un enfant, et de faire appel au service des urgences – en composant le 9-1-1 – si vous ou l'un des vôtres éprouvez des malaises thoraciques prolongés, particulièrement s'ils s'accompagnent d'une sensation de froid, de moiteur, d'essoufflements ou de douleur au bras, à la gorge ou à la mâchoire.

♥ **Ce qu'il faut savoir :** Chez les hommes comme chez les femmes, le symptôme de crise cardiaque le plus répandu est le malaise thoracique. Si vous l'éprouvez de manière prolongée, particulièrement s'il s'accompagne d'une sensation de froid, de moiteur, d'essoufflements ou de douleur au bras, à la gorge ou à la mâchoire, communiquez sans délai avec le service des urgences.

Une fois le diagnostic de crise cardiaque posé, les médecins passent rapidement au traitement. Il en sera question plus à fond au chapitre 10, mais en voici les grandes lignes : si un caillot obstrue entièrement l'artère, ce qui survient généralement de manière brutale, les médecins administreront un médicament qui le désagrégera (thrombolyse) ou procéderont à une angioplastie. Cette intervention consiste à insérer dans l'artère coronaire un ballon monté à l'extrémité d'un cathéter et à le dilater là où le caillot s'est formé, ce qui permet de rétablir le flux sanguin vers le cœur. À la suite d'une crise cardiaque, les patients reçoivent également un anticoagulant par voie intraveineuse afin de réduire le risque qu'un autre caillot se forme.

Dans mon métier, chaque minute compte. Si, à la suite d'une crise cardiaque, vous êtes traité dans un intervalle de six heures, il y a de bonnes chances que les lésions soient limitées. Au-delà de ce délai, elles se répareront plus difficilement. Gardez à l'esprit que même une fois à l'hôpital, la préparation à l'angioplastie demande un certain temps.

Un de mes patients, un homme dans la quarantaine qui aimait beaucoup son travail, a été pris un jour de sérieuses douleurs thoraciques. Comme il craignait de perdre son emploi, il s'est tout de même présenté au travail. Il se trouve qu'il faisait une crise cardiaque qui a causé des lésions graves à son muscle cardiaque. Bien que sa maladie soit désormais prise en charge par le traitement médicamenteux, des changements apportés à son mode de vie et la réadaptation cardiaque, il reste anxieux au point de consulter pour chaque petit élancement qu'il ressent. S'il avait réagi dès l'apparition de la douleur, il n'aurait pas à faire face aujourd'hui au stress émotionnel que sa cardiopathie et ses lésions cardiaques suscitent au quotidien.

Quand, durant une crise cardiaque, le débit sanguin est compromis, le cœur peut devenir « irritable » et présenter une arythmie grave (souvent sous forme d'accélération de la fréquence). Dans ce cas, le patient est transféré à la salle des urgences où il sera ressuscité. Autrement dit, on lui appliquera un défibrillateur dans le but de contrer l'arythmie. Dans certains cas, le cœur est irritable et ralentit au point de subir un bloc cardiaque. Il pourrait alors être nécessaire d'implanter au patient un stimulateur temporaire, alors qu'il fait une crise cardiaque aiguë. Il va de soi que cette intervention doit être pratiquée de toute urgence à l'hôpital, où le patient recevra des soins avancés.

❤ **Ce qu'il faut savoir :** La crise cardiaque peut s'accompagner d'une arythmie grave en conséquence d'un apport réduit de sang au cœur. Si vous n'êtes pas déjà à l'hôpital, appelez les ambulanciers.

Quand une partie du muscle cardiaque est détruite en conséquence d'une crise, elle s'enflamme et pourrait être sujette, plus tard, à des troubles de fréquence. Souvent, une cicatrice (fibrose) se forme, ce qui constitue un terrain favorable à des complications ultérieures. Essentiellement, un court-circuit peut se produire dans le système électrique, entraînant une arythmie grave, ou maligne. (En fait, si votre muscle cardiaque présente des lésions importantes en conséquence d'une crise cardiaque, vous pourriez devoir vous faire implanter un défibrillateur dans le but de prévenir ce problème.) L'arythmie maligne peut être soudaine et mortelle ; raison de plus, si vous éprouvez des douleurs thoraciques, pour appeler les ambulanciers plutôt que de vous rendre en voiture à l'hôpital. Les équipes des soins d'urgence sont en mesure de faire face aux arythmies graves.

❤ **Ce qu'il faut savoir :** Si vous faites une crise cardiaque, ne vous rendez surtout pas à l'hôpital en voiture. Composez le 9-1-1 et demandez une ambulance. Les équipes des soins d'urgence sont en mesure de faire face aux arythmies soudaines et graves.

À la suite du traitement d'urgence d'une crise cardiaque, le suivi médicamenteux et thérapeutique à long terme est essentiel. Il en sera question au chapitre 14.

LA DOULEUR THORACIQUE ET LES ARTÈRES CORONAIRES NORMALES

Il arrive qu'un patient éprouve les douleurs caractéristiques de l'angine sans que les tests en déterminent la cause. Autrement dit, ils n'ont pas permis de détecter une obstruction ou un rétrécissement dans une artère. Plus répandue chez les femmes que chez les hommes, cette situation est généralement résolue à la coronarographie. Les médecins donnent à ce syndrome le nom de «douleur thoracique avec artères coronaires normales», ou encore, de «syndrome X», du fait qu'on n'en connaît pas la cause. Il existe une foule de théories non fondées sur son origine, de même que de nombreux traitements proposés qui, pour la plupart, sont inefficaces.

Certains pensent que ce syndrome résulte d'un défaut de communication imputable à des récepteurs excessivement sensibles (mécanorécepteurs) du muscle cardiaque, qui transmettent des signaux que le cerveau interprète comme étant de la douleur. Cette dernière peut en outre être causée par des troubles musculosquelettiques ou gastro-intestinaux. Dans d'autres cas, elle serait attribuable à un stress extrême, par exemple la crainte de mourir d'une maladie qui a touché un membre de la famille ou le chagrin éprouvé à l'occasion de l'anniversaire du décès d'un être cher. Chez d'autres, le simple fait de se rendre à l'hôpital suscite des douleurs thoraciques. Dans de rares cas, j'ai pris soin de patients qui présentaient un traumatisme émotionnel sous-jacent. Ce qui ne signifie pas que des problèmes de nature psychologique soient à la base du syndrome X chez tous ceux qui le présentent, loin de là. Il est plutôt frustrant d'éprouver ce genre de douleur mystérieuse, mais bien réelle. Souvent, il s'agit de sujets brillants, bien adaptés et fonctionnels tant au travail que dans leur vie familiale. On assiste d'ailleurs à une certaine tendance à abuser de l'étiquette «syndrome X», particulièrement pour les femmes, sans qu'on sache au juste pourquoi. Je n'aime pas étiqueter mes patients ou, pire encore, minimiser leur douleur. Chose rassurante, dans bien des cas, l'état de santé de ceux qui présentent ce syndrome s'améliore à la longue.

Si vous recevez un tel diagnostic, votre médecin devrait vous conseiller d'adopter une alimentation et un mode de vie favorisant votre santé cardiaque, de faire en sorte d'atténuer votre stress et, au besoin, de prendre un antidépresseur ou un médicament contre les troubles gastriques. En veillant sur votre qualité de vie et en minimisant vos facteurs de risque, vous aurez une attitude plus positive et contribuerez à soulager vos douleurs.

L'ARTÉRIOPATHIE OBLITÉRANTE DES MEMBRES INFÉRIEURS (AOMI)

L'AOMI est une maladie grave qui, trop souvent, est sous-diagnostiquée, sous-évaluée et insuffisamment traitée. Le risque de faire une crise cardiaque ou un AVC est plus élevé chez ceux qui en souffrent. Cette affection, qui est due à l'athérosclérose, se caractérise par un rétrécissement du calibre des artères irriguant les membres inférieurs. Elle apparaît d'abord sous la forme de claudication, qui est essentiellement une angine des jambes. L'apport de sang y étant réduit, c'est là que la douleur à l'effort se manifestera plutôt qu'au niveau de la poitrine. Le sujet ressent habituellement une crampe à l'arrière du mollet, qui disparaît au repos. Il arrive toutefois que l'AOMI soit asymptomatique, c'est-à-dire qu'on n'éprouve aucun symptôme.

On estime que, en Amérique du Nord et en Europe, 27 millions de personnes souffrent d'AOMI et que près de la moitié d'entre elles n'éprouve aucun symptôme. Bien qu'on dispose de peu de données sur son incidence au Canada, elle toucherait environ 4 % de la population de plus de 40 ans[51].

❤ **Ce qu'il faut savoir :** Si vous souffrez d'une maladie vasculaire des membres inférieurs, vous pourriez éprouver de la fatigue ou de la douleur quand vous marchez, vos jambes ne recevant pas assez de sang. En outre, cette affection élève votre risque de crise cardiaque et d'AVC, l'athérosclérose ne touchant généralement pas que les jambes, mais aussi le cœur et les vaisseaux sanguins du cou.

À mes yeux, l'AOMI est le parent pauvre de la maladie cardiovasculaire ; comme elle n'est pas aussi « prestigieuse » que la crise cardiaque et l'AVC, on en parle beaucoup moins. Pourtant, elle est tout aussi mortelle. Si vous présentez un problème vasculaire dans les membres inférieurs, c'est signe que l'athérosclérose est également présente ailleurs dans votre organisme. De fait, ceux qui en souffrent risquent six fois plus de mourir d'une crise cardiaque ou d'un AVC que la population en général.

Comme l'AOMI intéresse énormément la cardiologue que je suis, j'ai accepté de rédiger, pour la Société canadienne de cardiologie, un guide à l'intention des médecins. On doit l'aborder de la même manière que la maladie coronarienne, c'est-à-dire s'attaquer aux facteurs de risque en adoptant une alimentation saine et un programme d'activités physiques, en cessant de fumer et en prenant les moyens nécessaires pour faire baisser sa pression artérielle et son taux de « mauvais » cholestérol. Vous trouverez plus d'information sur cette maladie sur les sites Web du National Heart Lung and Blood Institute (www.nhlbi.nih.gov) et de la PAD Coalition (www.padcoalition.org).

Les facteurs de risque de l'AOMI sont généralement les mêmes que ceux de la maladie coronarienne. En d'autres mots, vous êtes à risque d'en souffrir si : vous faites du diabète ; votre taux de cholestérol et votre pression artérielle sont élevés ; vous fumez ; vous êtes sédentaire. Il est essentiel que la population prenne conscience des signes et symptômes de cette maladie et que les médecins de famille prennent les moyens pour la dépister. On la diagnostique en mesurant l'IPS par écho-Doppler (voir chapitre 7). Il faut savoir toutefois que certains facteurs de risque prédisposent plus à l'AOMI qu'à la maladie coronarienne. Ainsi, les fumeurs et les diabétiques sont plus susceptibles d'en souffrir.

Chose rassurante, on peut réduire son risque en mangeant sainement, en faisant de l'exercice et, surtout, en cessant de fumer, en plus de prendre un hypocholestérolémiant (médicament abaissant le taux de cholestérol). En outre, les médecins prescrivent souvent à ceux qui en souffrent de prendre un médicament comme l'Aspirine ou un antiagrégant plaquettaire, dans le but de prévenir la formation de caillots sanguins.

Les patients sont encouragés à marcher jusqu'à ce qu'ils éprouvent de la douleur dans les jambes, ce qui améliorera leur tolérance à l'exercice. Voilà qui distingue clairement cette affection de la maladie coronarienne, pour laquelle il importe de ne pas se dépenser au point de provoquer des douleurs thoraciques. On dispose également de preuves voulant que la marche favorise, chez les patients atteints d'AOMI, la formation de nouveaux vaisseaux sanguins dans les jambes, c'est-à-dire de « pontages naturels ». À la longue, leur tolérance à l'exercice s'améliore sans qu'ils risquent pour autant la crise. Cependant, il arrive que le patient soit incapable de marcher. Si c'est votre cas ou si l'athérosclérose compromet votre qualité de vie, votre médecin pourrait recommander une angioplastie ou un pontage des membres inférieurs afin de désobstruer les vaisseaux sanguins touchés.

Chapitre 9

CE QUE SIGNIFIE VOTRE DIAGNOSTIC DE MALADIE NON CORONARIENNE

«Si j'ai des palpitations, est-ce le signe que je ferai une crise cardiaque?»

L'arythmie, qui se caractérise par un dérèglement de la fréquence cardiaque se manifestant notamment par des palpitations, peut intimider le patient le plus informé. Bien qu'elle possède une longue formation d'infirmière et soit mariée à un médecin, une de mes amies m'a consultée un jour pour des palpitations qui la préoccupaient au plus haut point. Bien sûr, quand on a l'impression que le cœur va nous sortir de la poitrine, il y a de quoi s'inquiéter. Mais, dans son cas, ses palpitations étaient bénignes. J'ai pu la rassurer en l'informant de ce simple fait: ceux qui font de l'arythmie ne sont généralement pas à risque de souffrir de maladies coronariennes plus graves telles que l'athérosclérose, qui peut mener à l'angine, la crise cardiaque ou l'AVC.

L'arythmie fait partie des maladies qui ne sont pas de nature coronarienne, c'est-à-dire que votre état n'est pas lié avec la plomberie du cœur et de ses vaisseaux sanguins. Pour des raisons étrangères à l'apport de sang au cœur, ce dernier peut cesser de fonctionner ou présenter un trouble du rythme. Le problème peut être congénital, c'est-à-dire présent à la naissance. Selon votre situation particulière et sa nature, il peut être dangereux ou bénin.

LES TYPES D'ARYTHMIE

L'arythmie peut être bénigne ou grave. Elle se caractérise soit par des battements additionnels (extrasystoles) ou occasionnellement absents, soit par une accélération ou un ralentissement du rythme cardiaque. Ces perturbations électriques entraînent à leur tour divers symptômes. Vous pourriez ne rien éprouver ou, au contraire, ressentir des palpitations ou des battements cardiaques vigoureux. Dans certains cas, l'arythmie peut même provoquer l'évanouissement.

L'arythmie bénigne peut résulter d'une simple prédisposition du cœur, qui produit un battement additionnel suivi d'une pause ; il ne s'arrêtera pas de battre. À l'issue de la pause, il est normal qu'il se contracte vigoureusement au battement suivant. La pause permet au ventricule (principale pompe cardiaque) de se remplir de sang. C'est souvent ce que les patients éprouvent : une contraction vigoureuse provenant d'un cœur rempli de sang à la suite d'un battement additionnel.

Pour déterminer la gravité de l'arythmie, je me pose deux questions : d'abord, le cœur est-il par ailleurs normal ? Je dois m'assurer que le muscle cardiaque n'est pas lésé en conséquence d'une maladie coronarienne ou de troubles des valvules. En l'absence de cardiopathie structurelle, c'est-à-dire d'un dysfonctionnement de la pompe ou des valvules, l'arythmie n'est généralement pas grave.

⋯⋯

❤ **Ce qu'il faut savoir :** L'arythmie n'est habituellement pas grave si le cœur est structurellement normal, c'est-à-dire que la pompe, la fraction d'éjection et les valvules fonctionnent normalement. Si, malgré la présence de battements additionnels (extrasystoles), votre cœur correspond à cette description, vous n'avez pas lieu de vous inquiéter de votre arythmie.

⋯⋯

En second lieu, je cherche à savoir si l'hémodynamique est compromise, c'est-à-dire si l'apport de sang au cerveau est inadéquat. Si c'est le cas, il y a tout lieu de s'inquiéter, étant donné que cette situation peut entraîner des étourdissements ou une perte de conscience. Le traitement varie selon que la perte de conscience est due à un ralentissement (bradycardie) ou à une accélération (tachycardie) de la fréquence cardiaque.

Examinons d'un peu plus près chacun de ces deux problèmes.

La bradycardie résulte d'une mauvaise transmission des impulsions électriques d'une partie du cœur à une autre. La perte de conscience en conséquence d'un ralentissement de la fréquence cardiaque ou d'un bloc cardiaque est le signe que la transmission des signaux électriques est interrompue entre la partie supérieure du cœur (oreillette) et la partie inférieure (ventricule). En d'autres mots, l'oreillette et le ventricule ne communiquent plus. Si une telle situation vous arrive, vous pourriez devoir vous faire implanter un stimulateur cardiaque, appareil qui stimule l'activité électrique du cœur et en régule les battements (voir chapitre 11).

En revanche, le cœur peut battre trop rapidement. Cette situation résulte de troubles électriques se produisant dans sa partie supérieure (tachycardie supraventriculaire, ou TSV) ou sa partie inférieure (tachycardie ventriculaire, ou TV).

La tachycardie supraventriculaire (TSV)

En cas de TSV, le problème électrique qui provoque une accélération de la fréquence survient dans la partie supérieure du cœur. TSV est un terme générique englobant divers troubles du rythme. Le plus répandu consiste en un court-circuit portant le nom de «tachycardie atrioventriculaire par réentrée intranodale» (TAVRI). Dans un cœur par ailleurs normal, l'impulsion électrique est initialement transmise au sommet du nœud AS et se propage au nœud AV, puis au ventricule. Mais en cas de TAVRI, il se produit un court-circuit au nœud AV, ce qui provoque une accélération du rythme. De nombreuses personnes par ailleurs en santé naissent avec ce problème, que l'on traite avec des médicaments qui ralentissent l'impulsion au niveau du court-circuit ou par une ablation effectuée à l'aide d'un cathéter, qui a pour effet de supprimer le court-circuit. La TSV se traite facilement et n'accroît pas le risque de maladie coronarienne future. Il arrive même qu'elle ne demande aucun traitement.

....

❤ **Ce qu'il faut savoir :** La tachycardie supraventriculaire (TSV), une accélération du rythme cardiaque qui se produit dans la partie haute du cœur, est un problème fréquent chez des gens par ailleurs en santé. Elle se traite facilement et n'accroît pas le risque de maladie coronarienne.

....

La TSV n'est généralement pas grave. Cependant, d'autres troubles liés à l'accélération du rythme, tels que la fibrillation et le flutter auriculaires, la tachycardie et la fibrillation ventriculaire sont nettement plus sérieux. Voyons-les à tour de rôle.

La fibrillation auriculaire (ou atriale)

Cette TSV nécessite une surveillance médicale. Elle se produit quand la chambre supérieure du cœur bat de manière irrégulière et anarchique. Si j'écoute un cœur touché de fibrillation auriculaire, je n'entends pas le toc, toc habituel des battements. Certains patients perçoivent l'irrégularité des battements, d'autres pas.

Cette affection touche environ 1 % de la population. Le risque croît avec l'âge : environ 4 % des personnes de plus de 60 ans et près de 10 % de celles de plus de 80 ans en souffrent[52]. L'hypertension accroît également le risque, du fait qu'elle favorise une élévation de la pression dans le ventricule gauche, ce qui, en revanche, peut dilater l'oreillette. Quand cela se produit, les battements risquent d'être moins réguliers.

Fréquence cardiaque normale et Fibrillation auriculaire

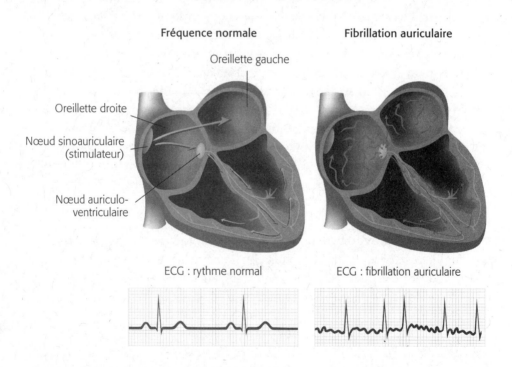

Fréquence normale   Fibrillation auriculaire

Oreillette gauche

Oreillette droite

Nœud sinoauriculaire (stimulateur)

Nœud auriculo-ventriculaire

ECG : rythme normal   ECG : fibrillation auriculaire

La fibrillation auriculaire peut toucher ceux dont la thyroïde est hyperactive (hyperthyroïdie) ou hypoactive (hypothyroïdie), du fait que cette glande joue dans l'organisme le rôle d'un thermostat. Quand elle est détraquée, le cœur peut se mettre à battre irrégulièrement. On a également associé la fibrillation à la consommation d'alcool. À l'école de médecine, j'ai appris qu'il existait ce que les médecins appellent le «syndrome cardiaque des fêtes», c'est-à-dire une fibrillation résultant d'un excès d'alcool durant un long week-end ou la période des fêtes. J'ai rencontré une jeune femme qui présentait ce problème: elle n'avait nullement besoin d'un médicament pour le cœur, mais elle devait arrêter de boire. L'apnée du sommeil, de même que la valvulopathie mitrale – dysfonctionnement de la valvule mitrale du côté gauche du cœur (voir les troubles courants des valvules à la page 168) – peuvent également la causer. Si vous avez reçu un diagnostic de fibrillation, votre médecin vous prescrira un échocardiogramme afin d'exclure toute possibilité de troubles valvulaires graves.

Fibrillation auriculaire et AVC

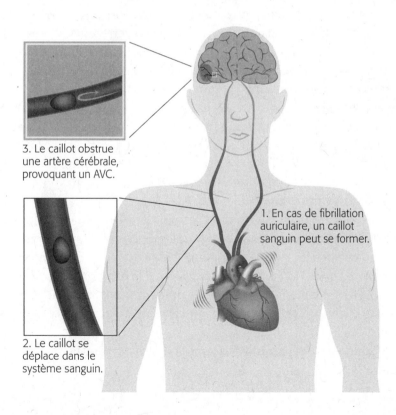

3. Le caillot obstrue une artère cérébrale, provoquant un AVC.

1. En cas de fibrillation auriculaire, un caillot sanguin peut se former.

2. Le caillot se déplace dans le système sanguin.

La formation de caillots sanguins dans l'oreillette constitue l'une des conséquences potentiellement graves de la fibrillation auriculaire. Les caillots risquent de migrer vers le cerveau en traversant le cœur et l'aorte, perturbant ainsi le flux sanguin et causant un AVC (ou attaque cérébrale).

Le flutter auriculaire (ou atrial)

Également grave, cette TSV se caractérise par une irrégularité du rythme cardiaque dans la partie supérieure du cœur. Chez certains, elle accroît le risque d'AVC. Le flutter se différencie de la fibrillation en ce sens que l'irrégularité est, en quelque sorte, mieux organisée. Le court-circuit peut se traiter plus facilement par l'ablation (voir chapitre 11).

La tachycardie ventriculaire

La tachycardie ventriculaire (ou TV) se caractérise par des battements rapides qui commencent dans les ventricules (parties inférieures du cœur). La plupart du temps, il s'agit d'une arythmie grave, ou maligne, nécessitant des traitements importants. Cependant, son degré de gravité dépend des symptômes qui l'accompagnent. Autrement dit, si, en conséquence d'une TV, vous avez des étourdissements et que, par ailleurs, votre muscle cardiaque présente des lésions attribuables à une crise cardiaque antérieure, votre médecin recommandera vraisemblablement qu'on vous implante un défibrillateur, dispositif qui provoque une décharge électrique dans le but de rétablir la fréquence normale. Plus le muscle est faible, plus il est sujet à l'arythmie maligne. L'accélération du rythme cardiaque qui caractérise la TV peut provoquer un arrêt cardiaque. Dans ce cas, une décharge électrique provenant d'un défibrillateur externe ou interne peut sauver la vie du patient.

La fibrillation ventriculaire

Voilà l'un des troubles rythmiques les plus graves dont on puisse souffrir. La fibrillation ventriculaire se caractérise par des battements rapides et désordonnés se produisant dans la partie basse du cœur. La pompe cardiaque cesse alors de fonctionner, cause fréquente d'arrêt cardiaque. Comme cette affection est également associée à une interruption brutale du flux sanguin, elle peut survenir durant une crise cardiaque ou provoquer l'arrêt cardiaque.

Pour en savoir plus sur le traitement de ces arythmies, reportez-vous au chapitre 11.

L'INSUFFISANCE CARDIAQUE CONGESTIVE

Bien que terrifiante à première vue, l'insuffisance cardiaque congestive (ICC) ne constitue pas le signe d'une mort imminente. Elle se caractérise par un dysfonctionnement du muscle cardiaque qui, en raison d'un affaiblissement ou de rigidité, ne peut pomper efficacement le sang à travers l'organisme. Voyons en détail en quoi cela consiste : généralement, l'ICC est causée soit par le raidissement du muscle cardiaque qui, par ailleurs, se contracte normalement (dysfonctionnement diastolique), ou par son affaiblissement (dysfonctionnement systolique). Dans les deux cas, la pression s'élève dans les poumons et le liquide s'y accumule, causant un essoufflement qui s'aggrave en position allongée et s'atténue en position assise. Souvent, les patients se réveillent durant la nuit en suffoquant et se précipitent alors pour ouvrir les fenêtres dans le but de mieux respirer. Pour soulager ce symptôme, ils redressent leur torse à l'aide d'oreillers.

Quand la pompe cardiaque fonctionne mal, le cœur transmet des signaux au cerveau, qui les répercute à l'organisme en lui indiquant de retenir le sel et l'eau, ce qui entraîne de l'œdème. Quand le côté gauche du cœur fonctionne mal, la pression et les liquides refluent dans les poumons puis dans la partie droite du cœur. Les liquides s'accumuleront alors dans les veines. Si l'accumulation est substantielle, les jambes enflent.

Pour diagnostiquer l'insuffisance cardiaque, le médecin effectuera un examen particulier : il posera la main sur votre poitrine afin de sentir votre cœur, écoutera le bruit qu'il produit, de même que vos poumons, et palpera les veines de votre cou. Cette dernière étape – l'évaluation de la pression veineuse jugulaire – est essentielle. On peut la comparer à une jauge de carburant qui mesure indirectement la pression dans le côté droit du cœur et les poumons.

Le médecin vérifiera également si vos chevilles sont enflées. On dit que l'œdème, ou l'enflure, qui résulte de l'insuffisance cardiaque prend le godet du fait que la dépression qui se forme sur la peau quand on appuie dessus avec le doigt persiste un certain temps. Les chaussures ou les chaussettes serrées laisseront également une marque. Cet œdème se distingue des autres formes, souvent bénignes.

Comme nous l'avons souligné aux chapitres 6 et 7, les tests permettant de diagnostiquer l'insuffisance cardiaque congestive sont l'électrocardiogramme (ECG), l'échocardiographie, la radiographie thoracique et l'analyse sanguine. L'ECG permet au médecin de savoir si le muscle cardiaque s'est épaissi ou affaibli en conséquence d'une crise cardiaque antérieure. Souvent, les patients dont le muscle est gravement affaibli présentent une anomalie qui apparaît au test et qui porte le nom de «bloc de branche gauche (BBG)». On a également recours à l'échocardiographie, examen par ultrasons du cœur, afin de déterminer si le muscle s'est hypertrophié (augmentation de sa taille), raidi ou affaibli en conséquence d'une crise cardiaque, ou si l'insuffisance est causée par un rétrécissement ou une fuite d'une valvule cardiaque.

Quant à la radiographie thoracique, elle permet de détecter une accumulation éventuelle de liquide dans les poumons. Cependant, si ces derniers présentent des cicatrices ou une affection résultant d'un autre problème (par exemple, le tabagisme), il est parfois difficile de déterminer la quantité exacte de liquide qui s'y trouve. Il pourrait également s'avérer ardu pour le médecin de déterminer si l'essoufflement résulte d'une insuffisance cardiaque ou de maladies indépendantes du cœur, par exemple la bronchopneumopathie chronique obstructive (BPCO, autre nom désignant l'emphysème et la bronchite chronique) ou l'asthme. D'où le recours, plus récemment, à une analyse sanguine permettant de détecter la partie N terminale de la prohormone du peptide cérébral natriurétique (NTproBNP), substance chimique dont le taux est plus élevé chez ceux qui souffrent d'insuffisance cardiaque. Cependant, on ne la prescrit pas nécessairement, notamment si le patient présente une importante accumulation de liquide dans les poumons (œdème pulmonaire) et si le diagnostic est évident pour les médecins. (Pour les traitements de l'insuffisance cardiaque congestive, reportez-vous au chapitre 12).

L'insuffisance cardiaque congestive est une maladie répandue et grave qui touche chaque année des millions de personnes dans le monde. Plus de 400 000 Canadiens ayant fait une crise cardiaque ou souffrant d'autres problèmes cardiaques graves en sont atteints. La Fondation des maladies du cœur et de l'AVC a publié à l'intention de ces survivants *Le contrôle de l'insuffisance cardiaque*, un excellent guide qu'on peut télécharger sur son site à www.fmcoeur.qc.ca.

L'INSUFFISANCE CARDIAQUE À LA SUITE D'UNE ATTAQUE

Quand le cœur ne fonctionne pas, la pression sanguine chute et, plutôt que d'être acheminés vers le reste de l'organisme, les liquides vitaux refluent dans les poumons. Cette conséquence grave de la crise cardiaque porte le nom de «choc cardiogène». Les risques qu'il soit fatal sont élevés. Les personnes ayant fait une crise cardiaque majeure ou qui ont tardé à obtenir des soins médicaux y sont particulièrement sujettes.

Pour traiter le choc cardiogène, il est nécessaire de transférer le patient de toute urgence à une unité de cathétérisme cardiaque afin de lui faire subir un traitement d'urgence tel qu'une angioplastie. Cependant, tous les hôpitaux ne sont pas dotés d'une telle unité. Si vous vous retrouvez dans la situation où un membre de votre famille est en état de choc dans la salle des urgences, soyez proactif et demandez à ce qu'il soit transféré dans une unité de cathétérisme en vue de subir une angioplastie. On a montré dans des études que les femmes sont moins susceptibles que les hommes de bénéficier de ce traitement, de même d'ailleurs que de soins intensifs[53]. Si les raisons de cet état de fait sont quelque peu obscures, on peut dire sans risque de se tromper que, historiquement, les médecins sous-estiment souvent le risque des femmes et sont moins portés à les traiter.

Il n'y a jamais de mal à se montrer proactif et à poser les bonnes questions, ne serait-ce que: « Y a-t-il autre chose que vous puissiez faire? Peut-on transférer ma mère dans un hôpital où l'on pratique l'angioplastie? »

L'insuffisance temporaire peut se produire durant une crise cardiaque, mais pas le choc cardiogène. Bien que cela puisse donner l'impression d'avoir échappé au pire, le risque de complications futures reste élevé, particulièrement en cas de lésions au muscle cardiaque. S'il fonctionne particulièrement mal, par exemple si la fraction d'éjection est de moins de 35 %, on court le risque de faire de l'insuffisance cardiaque et de l'arythmie dans le futur. Dans ce cas, le test du stress ou la coronographie permettra aux médecins d'évaluer la fonction cardiaque et l'étendue des lésions. La ventriculographie isotopique (voir chapitre 7) est le meilleur test pour l'évaluation de la fraction d'éjection, laquelle informe sur le bon fonctionnement de la pompe cardiaque. Si elle est faible (moins de 30 %) et si l'insuffisance cardiaque est maîtrisée depuis plus de six mois, vous pourriez vous faire implanter un défibrillateur. Par contre, si elle est de plus de 40 %, ce n'est généralement pas justifié.

♥ **Ce qu'il faut savoir :** L'affaiblissement du muscle cardiaque résultant d'une crise constitue la cause la plus fréquente d'insuffisance cardiaque congestive. Si la fonction de votre muscle cardiaque est affaiblie, vous risquez de souffrir d'insuffisance cardiaque et d'arythmie dans le futur.

LA CARDIOMYOPATHIE

Les troubles du muscle cardiaque ne résultent pas toujours d'une crise cardiaque. C'est le cas de la cardiomyopathie, maladie grave mais rare, qui se caractérise par son affaiblissement. On parle de cardiomyopathie non ischémique pour désigner un dysfonctionnement important causé par certains virus ou d'autres causes, parfois indécelables.

Deux formes de cardiomyopathie

Cardiomyopathie dilatée   Cardiomyopathie hypertrophique

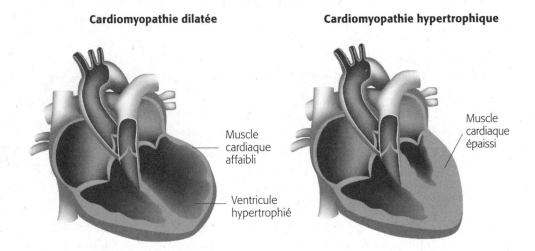

Muscle
cardiaque
affaibli

Ventricule
hypertrophié

Muscle
cardiaque
épaissi

Le cœur peut « attraper une grippe », ce qui entraîne une défaillance grave de la fonction cardiaque. Il arrive que la cardiomyopathie se manifeste durant la grossesse. On en ignore la cause, mais on sait que c'est une maladie grave, qui peut aussi survenir après la naissance du bébé. Rarement, elle est causée par l'excès d'alcool ou la chimiothérapie. Bien que, dans ce dernier cas, la recherche soit récente et en pleine évolution, certains éléments donnent à penser que les lésions au muscle cardiaque sont réversibles. Ainsi, on a prouvé que celles qui sont causées par les nouveaux médicaments contre le cancer du sein, telle l'herceptine, étaient réversibles, contrairement aux anthracyclines. Le traitement de la cardiomyopathie passe par l'administration de médicaments et nécessite une surveillance médicale par un spécialiste du cœur ; de plus, le patient doit modifier son mode de vie en conséquence.

Chez le tiers de ceux qui en souffrent, le traitement sera généralement efficace. L'état du second tiers restera stationnaire tandis que, chez le dernier, on observera une détérioration du muscle cardiaque. Malheureusement, il n'y a aucune manière de savoir si un patient réagira bien au traitement ou pas.

Parfois, les résultats sont étonnants. J'ai eu une patiente de 41 ans dont les symptômes apparentés à ceux de la grippe avaient mené à un diagnostic de cardiomyopathie. Malgré son traitement médicamenteux, elle était tellement malade que les médecins lui ont annoncé qu'elle devrait peut-être subir une transplantation cardiaque. Six mois plus tard, elle s'est présentée à mon service. À notre grande joie, sa fonction cardiaque s'était entièrement rétablie, les médicaments et sa patience ayant porté fruit. Elle pleurait littéralement de joie quand je lui ai dit qu'elle pouvait reprendre son travail. Son cœur était guéri.

LA RIGIDITÉ DU CŒUR CHEZ LA FEMME

L'insuffisance cardiaque due à la rigidité du cœur porte le nom « d'insuffisance cardiaque à fraction d'éjection préservée ». Autrement dit, le cœur pompe suffisamment de sang, mais il peine à se relâcher et à se remplir de sang, ce qui entraîne une accumulation de liquide dans les poumons. Cette insuffisance diastolique est plus répandue chez les femmes âgées et s'observe également chez les diabétiques et les hypertendus. On peut en souffrir à son insu, c'est-à-dire qu'on ne présente aucun symptôme et que l'organisme arrive à compenser la rigidité. Dans ce cas, vous pourriez présenter d'autres troubles, par exemple des battements irréguliers causés

par la fibrillation auriculaire, ce qui, en retour, peut provoquer de l'essoufflement et, en conséquence, mener au diagnostic de rigidité cardiaque et au
traitement approprié.

Hypertrophie ventriculaire gauche (Une cause de la rigidité)

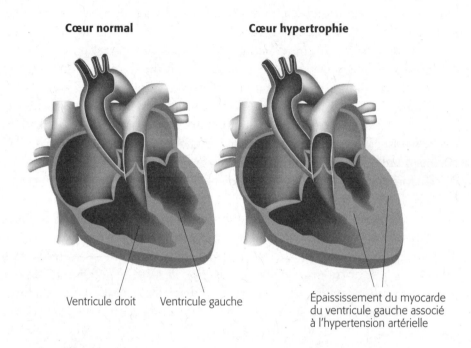

Cœur normal

Cœur hypertrophie

Ventricule droit   Ventricule gauche

Épaississement du myocarde
du ventricule gauche associé
à l'hypertension artérielle

LES TROUBLES COURANTS DES VALVULES

Le cœur comprend quatre valvules. Les deux qui se trouvent du côté gauche
(mitrale et aortique) sont les plus susceptibles de rétrécir (sténose) ou de fuir
(régurgitation ou insuffisance). Pour chaque patient présentant un trouble
valvulaire grave, j'en vois trois qui s'imaginent en souffrir. Ils me sont adres-
sés à la suite d'une échocardiographie ayant révélé une légère anomalie du
débit sanguin. C'est ainsi que j'ai reçu un jour une femme de 53 ans qui serrait
nerveusement son échocardiogramme dans la main, convaincue qu'elle était
sur le point de mourir. Les résultats indiquaient que son oreillette était hyper-
trophiée et que l'une de ses valvules présentait des traces de régurgitation
(fuite). Ce qu'elle ignorait, c'est que ses résultats se situaient dans une four-

chette normale. Ne perdez pas de vue que la fourchette de normalité diffère légèrement d'un patient à l'autre et qu'il est essentiel qu'un rapport d'échocardiographie présentant des résultats anormaux soit interprété par un médecin. Gardez cela à l'esprit la prochaine fois que vous analyserez vos résultats avec le vôtre. Nous disposons aujourd'hui d'appareils ultrasensibles capables de détecter des anomalies qui ne constituent pas nécessairement un sujet de préoccupation. Si les mots «traces, physiologique ou légère» apparaissent sur votre rapport, il n'y a généralement pas lieu de vous inquiéter, l'état de votre valvule se situant dans une fourchette acceptable.

❤ **Ce qu'il faut savoir:** La médecine moderne est parfois trop efficace. Ainsi, l'échocardiographie est tellement sensible qu'elle peut détecter des irrégularités du débit sanguin qui ne constituent pas un sujet de préoccupation. Si les mots «traces, physiologique ou légère» apparaissent sur votre rapport, il n'y a généralement pas lieu de vous inquiéter.

Le souffle cardiaque

Le souffle cardiaque est une anomalie que le médecin peut percevoir à l'auscultation. Il est causé par un flux sanguin anormal et est parfois, mais rarement, associé à des symptômes d'essoufflement et de fatigue. Il peut résulter du rétrécissement (sténose) ou de la fuite (régurgitation) de la valvule. On dit qu'il est «innocent» s'il ne résulte pas d'une anomalie de la valvule. Ce peut être le cas chez les jeunes femmes souffrant d'anémie ou présentant un taux d'hémoglobine faible.

La sténose aortique

Le rétrécissement du calibre de la valvule aortique est un trouble très répandu et potentiellement grave. On l'observe chez deux groupes de patients: les octogénaires et les sujets âgés de 30 à 50 ans. Ceux du deuxième groupe naissent généralement avec une valvule anormale, tandis que, chez les sujets plus âgés, le problème résulte de l'usure. Aucun médicament ne peut prévenir ou traiter ce problème. On doit donc pratiquer une intervention chirurgicale en vue de remplacer la valvule, mais uniquement chez ceux qui présentent des symptômes tels qu'essoufflement, angine, étourdissement ou évanouissement. Si vous, ou l'un des membres de votre famille, avez reçu un diagnostic de sténose aortique et présentez l'un de ces symptômes, consultez votre médecin dans les plus brefs délais.

Environ une personne sur cent présente à la naissance une légère anomalie de la valvule aortique, c'est-à-dire que cette dernière ne comprend que deux feuillets (bicuspide) au lieu des trois habituels (tricuspide). Généralement, elle fonctionne bien durant de nombreuses années, mais peut s'user à la longue et entraîner la formation d'une cicatrice sur un feuillet ainsi qu'un rétrécissement de son calibre. Cette usure évolue sur une trentaine ou une quarantaine d'années, si bien qu'on n'en voit habituellement les effets qu'à l'âge mûr.

Valvule aortique normale et bicuspide

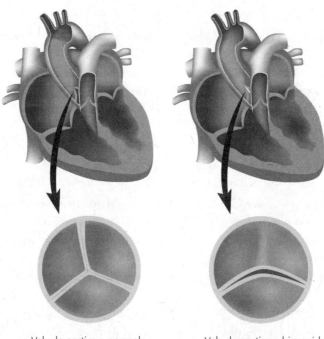

Valvule aortique normale   Valvule aortique bicuspide

Toutefois, même la valvule aortique tricuspide peut s'user, notamment chez les personnes âgées. Je rencontre souvent des septuagénaires et des octogénaires tout à fait fonctionnels qui présentent des symptômes d'usure et un rétrécissement grave du calibre de la valvule. Son remplacement, qui nécessite une opération à cœur ouvert, présente des risques appréciables. Pourtant, même chez les sujets âgés, ils sont compensés par les bénéfices. Si l'un des membres âgés de votre famille souffre de sténose aortique, peut-être pourriez-vous discuter avec lui de la pertinence d'une intervention chirurgicale avant que sa valvule ne présente un rétrécissement important : serait-il prêt à subir une opération à cœur ouvert à 86 ans ou préférerait-il l'éviter ? Quant à vous, discutez des risques et des bénéfices d'une telle intervention avec votre médecin avant d'être trop malade et qu'elle devienne nécessaire.

Bien que souvent dépistée à l'auscultation sous forme de souffle cardiaque, la sténose aortique peut également se manifester pour la première fois dans le cas d'une insuffisance cardiaque congestive. Si votre valvule est très rétrécie (ou votre sténose très prononcée) et si vous présentez des symptômes d'insuffisance ou d'angine, ou êtes sujet aux évanouissements, vous devez faire remplacer votre valvule, à défaut de quoi votre risque de mourir dans l'année qui vient sera de 50 %. Par contre, en l'absence de symptômes, le pronostic est meilleur. Nous ne pratiquons généralement pas d'intervention chirurgicale sur la valvule aortique à moins d'un rétrécissement prononcé et de la présence de symptômes. Je connais des patients qui n'en présentent aucun, des années après qu'ils aient reçu leur diagnostic. La meilleure conduite à adopter une fois le diagnostic posé consiste à suivre le patient de près sur le long terme.

On a récemment mis au point une nouvelle technique de remplacement de la valvule aortique qui ne nécessite pas d'opération à cœur ouvert, soit l'implantation percutanée de la valvule aortique (IPVA, voir chapitre 16). On envisage cette technique chez les patients pour lesquels il n'existe pas d'autre solution, généralement des sujets très âgés et frêles. Un de mes patients, un vétéran de 88 ans ayant joué un rôle de premier plan dans sa ville natale, avait subi une opération à cœur ouvert (pontages) 15 ans avant que je le rencontre. Entre-temps, sa valvule aortique s'est graduellement rétrécie au point de présenter une sténose, en conséquence de quoi, sa qualité de vie était considérablement compromise. De plus, il risquait d'en mourir dans l'année. À son âge, une autre intervention chirurgicale aurait été trop risquée. En revanche, l'IPVA constituait une bonne solution et l'intervention a réussi. Son état s'en est trouvé sensiblement amélioré. Avant l'intervention, il avait dû, à quelques reprises, passer un mois à l'hôpital, trop malade pour rentrer chez lui. Cependant, quelques semaines après l'intervention, il allait assez bien pour déposer une couronne au pied du monument du jour du Souvenir de sa municipalité, comme il l'avait fait durant des années. Il a maintenant 89 ans et est plus vigoureux que je n'aurais jamais pu l'imaginer.

Les médecins déterminent la gravité de la sténose, ou rétrécissement du calibre de la valvule aortique, de deux manières : ils en calculent la surface et en mesurent le gradient de pression. Autrement dit, si le flux sanguin est obstrué, la pression s'accumulera en amont. En général, on parle de valvule très rétrécie quand elle a moins de 1 cm² ou présente un gradient de plus de 40 mm Hg. Voyez plutôt la chose ainsi : une valvule rétrécie mesure moins de 1,2 cm², soit la taille d'une pièce de cinq cents. Elle continuera de rétrécir en moyenne de 0,1 cm par année. Si la vôtre est de 1,5 cm², vous pourriez ne nécessiter une opération que dans cinq ans. D'un sujet à l'autre, la maladie évolue à un rythme légèrement différent.

La régurgitation aortique

La régurgitation aortique consiste en une fuite de la valvule aortique, trouble moins fréquent que la sténose. Elle peut être due à une infection entraînant des lésions, ou à une anomalie de la valvule qui, à la longue, s'use et fuit. Si la régurgitation est chronique, c'est-à-dire qu'elle évolue au fil du temps, on la traite généralement avec des diurétiques (médicaments qui favorisent l'émission d'urine). Si la valvule fuit, une plus grande quantité de sang refluera dans le ventricule gauche du cœur. À la longue, cette charge excessive peut entraîner une hypertrophie du cœur, d'où l'importance, si la régurgitation est grave, d'une surveillance médicale. En cas d'hypertrophie, le médecin pourrait recommander de remplacer la valvule. Si la régurgitation est aiguë, c'est-à-dire que la valvule se met soudainement à fuir en conséquence de lésions résultant d'une infection, le cœur n'arrive pas à compenser et à gérer l'excédent de sang. Si le problème est grave, le patient nécessitera une intervention chirurgicale d'urgence.

La sténose mitrale

La sténose mitrale se caractérise par un rétrécissement du calibre de la valvule mitrale. Elle se produit habituellement chez ceux qui ont souffert de fièvre rhumatismale dans l'enfance. Elle peut entraîner une élévation progressive de la pression et le reflux du sang dans les poumons. Généralement, les symptômes évoluent graduellement et sont insidieux. Le stéréotype du patient qui en souffre est une femme qui n'arrive plus à monter les escaliers en portant une pile de linge propre et qui, sur une période d'un an, éprouve de plus en plus de fatigue. Bien qu'on puisse la détecter au moyen d'une échocardiographie (voir chapitre 7), le diagnostic ne va pas de soi, les symptômes étant plutôt vagues. Par exemple, le médecin parvient moins bien à entendre le souffle cardiaque à l'auscultation.

On peut vivre des années avec une valvule mitrale rétrécie sans éprouver le moindre symptôme. Cependant, si le rétrécissement est substantiel, on court le risque de voir la pression s'élever dans les poumons (hypertension pulmonaire), problème grave nécessitant un traitement : selon le cas, on administrera un diurétique ou réparera la valvule. Dans ce dernier cas, on opère par cathétérisme, l'intervention portant le nom de «valvuloplastie mitrale» ; elle s'effectue dans les unités de cathétérisme des centres cardiaques spécialisés de l'Amérique du Nord. Cependant, elle n'est pas indiquée pour tous les patients. Si la valvule présente de nombreux dépôts de calcium, est peu mobile ou s'est épaissie significativement, les chances de réussite sont plus faibles. Dans ce cas, il pourrait être nécessaire de pratiquer une opération à cœur ouvert dans le but de la remplacer.

Il n'est pas rare que, à la longue, la valvule mitrale présente des dépôts de calcium n'entraînant pas son rétrécissement. On parle alors de «calcification annulaire mitrale», ou MAC. En soi, le problème n'est pas grave, mais si vous devez subir une intervention pour d'autres troubles valvulaires, le calcium qui s'est déposé à sa base (sur l'anneau) compliquera les choses.

La régurgitation mitrale

Il s'agit ici d'une fuite de la valvule mitrale. Si elle est prononcée, la pression et le liquide peuvent s'accumuler dans les poumons, causant de l'hypertension pulmonaire. La prise en charge de ce problème grave dépend de l'importance de la fuite et de sa cause. À l'issue d'une crise cardiaque, il arrive que le cœur s'hypertrophie et distende la valvule qui, par la suite, se met à fuir. La régurgitation est alors dite secondaire, c'est-à-dire qu'elle résulte d'une autre cause, dans ce cas, l'hypertrophie. On la traite à l'aide de médicaments (diurétiques et IECA) dans le but de réduire la pression dans le cœur et les poumons, ou de dilater les artères (vasodilatation).

Cependant, si le cœur n'est ni hypertrophié ni lésé, le problème vient de la valvule elle-même ; on parle alors de régurgitation mitrale primaire. Si elle est grave, en plus de prendre des médicaments, vous pourriez devoir subir une intervention chirurgicale. Selon la nature du problème, on réparera ou remplacera la valvule. Son remplacement constitue une opération majeure que les cardiologues ne recommandent pas à la légère (voir chapitre 13).

Qu'il s'agisse d'un rétrécissement ou d'une fuite, les troubles touchant la valvule mitrale peuvent être associés à des affections graves de la fréquence cardiaque. En plus des poumons, la pression pourrait s'élever dans l'oreillette gauche du cœur, provoquant la fibrillation auriculaire et d'autres problèmes rythmiques (voir chapitre 11).

LA PÉRICARDITE

La péricardite n'est grave et terrifiante qu'en apparence. En fait, cette affection douloureuse ne met pas le sujet en péril et n'accroît pas son risque de faire une maladie coronarienne dans le futur.

Voici en quoi elle consiste : le péricarde, ou enveloppe du cœur est un vestige ancien ne jouant aucun rôle dans l'organisme humain développé. Cependant, il peut s'enflammer ou s'irriter en conséquence d'un rhume banal ou d'une autre maladie virale. C'est ce qu'on appelle la péricardite. Généralement, le problème disparaît de lui-même, mais il arrive que le liquide s'accumule entre le péricarde et le cœur lui-même, en conséquence de l'afflux de globules blancs dépêchés dans le but de combattre le virus et de favoriser la guérison du rhume. L'inflammation qui en résulte a pour conséquence que le péricarde entre en contact avec le cœur, causant une friction parfois douloureuse. (On pourrait comparer cet effet à celui qu'on ressent quand, une journée chaude d'été, on monte dans une voiture et se glisse vers l'extrémité du siège de cuir bouillant.) La douleur peut être lancinante et, en raison de l'accumulation de liquide, s'aggraver en position allongée. Elle est parfois assez intense pour pousser le sujet à se rendre à l'hôpital. En présence de péricardite, l'électrocardiogramme montre des changements caractéristiques (voir chapitre 6). On la traite généralement aux anti-inflammatoires.

Cette affection survient souvent chez des jeunes sujets par ailleurs en santé, chez qui elle peut réapparaître à l'occasion. Rarement, les patients doivent-ils prendre des médicaments puissants, comme la colchicine, dans le but de prévenir l'inflammation récurrente. Si vous en souffrez, faites-vous examiner par votre médecin afin de vous assurer que l'inflammation ne touche que l'enveloppe de votre cœur.

L'une de mes patientes, une jeune femme, souffrait d'inflammation récurrente du péricarde. Elle s'est rendue au service des urgences, où divers médecins l'ont examinée et lui ont prescrit des anti-inflammatoires à court terme. Mais ses symptômes ressurgissaient sans cesse. Elle a été reçue par l'un de mes collègues, un rhumatologue spécialisé dans les causes rares de l'inflammation. Heureusement, elle ne souffrait pas d'une maladie auto-immune telle que le lupus. Quand j'ai revu son dossier, j'ai découvert que chaque fois qu'elle se rendait au service des urgences, elle suivait son traitement deux ou trois jours, puis l'interrompait. C'était là le problème, étant donné que le traitement de la péricardite aux anti-inflammatoires dure environ six semaines. On ne doit pas l'interrompre même si les symptômes disparaissent au bout de quelques jours.

LA MYOCARDITE

La myocardite (*myo* signifie muscle, *card*, cœur et *itis*, inflammation) consiste en une inflammation du muscle cardiaque. C'est comme si le cœur attrapait un virus particulièrement virulent. Durant les grandes épidémies de grippe qui ont marqué les cent dernières années, c'était une cause fréquente de mortalité. Heureusement, cette inflammation potentiellement fatale est rare.

La maladie touche généralement les gens dans la quarantaine. La plupart du temps, elle est bénigne et ses symptômes, non spécifiques, s'apparentent à ceux de la grippe, à savoir douleurs musculaires, essoufflement et fatigue. Moins de 25 % de ceux qui en souffrent font de la fièvre. Quand le muscle est enflammé et que la maladie est plus grave, le patient peut éprouver des douleurs thoraciques lancinantes qui s'aggravent en position allongée et s'atténuent en position assise. Pour la diagnostiquer, nous prescrivons un électrocardiogramme (ECG), des analyses sanguines et un échocardiogramme destiné à évaluer la fonction cardiaque (voir chapitres 6 et 7).

Myocardite

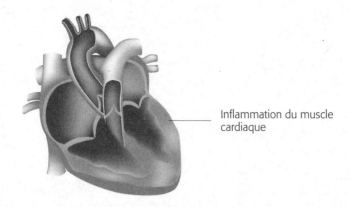

Inflammation du muscle cardiaque

La myocardite est généralement plus grave que la péricardite, étant donné que l'inflammation ou l'irritation du muscle cardiaque peut entraîner une arythmie ou, plus rarement, son dysfonctionnement. Elle peut également provoquer la mort cardiaque subite. On parle de myocardite fulminante pour désigner l'inflammation gravissime, mais rare. Les patients qui en souffrent risquent des conséquences graves et doivent donc être évalués par des spécialistes du cœur dans des centres spécialisés.

Comme cette maladie n'est pas héréditaire, on ne court pas plus de risque d'en souffrir si un membre de sa famille en a été atteint, pas plus que le risque de maladie coronarienne ne croît chez ceux qui en ont souffert plus jeunes. Heureusement, de nombreux patients y survivent et, chez certains, la fonction cardiaque redevient même normale.

C'est sur cette note positive que se termine ce chapitre sur les troubles non coronariens. Jusqu'à présent, nous avons défini et vu en détail plus d'une douzaine de maladies touchant le cœur. Je suis bien consciente qu'il vous faut assimiler une foule de nouveaux termes, mais cette information vous sera fort utile, particulièrement si vous, ou l'un des vôtres, avez dû faire appel au service des urgences pour un problème touchant le cœur ou avez récemment reçu un diagnostic à cet effet, et que le temps vous manque pour comprendre ce qui se passe. Voyez cette information comme un outil vous permettant d'entamer le dialogue avec votre médecin sur votre santé et votre pronostic. Elle vous permettra aussi d'aborder les autres chapitres, qui tenteront de répondre à la question que vous n'avez jamais cessé de vous poser : « Comment mon état s'améliorera-t-il ? »

QUATRIÈME PARTIE

PRISE EN CHARGE DE VOTRE CARDIOPATHIE

Chapitre 10

LES TRAITEMENTS DE LA MALADIE CORONARIENNE

«Ma femme a fait une crise cardiaque à 63 ans et mon frère, à 55 ans. Elle a subi une intervention chirurgicale, mais pas lui. Comment être certain que je reçois les soins appropriés?»

Pour répondre à cette question, il nous faut considérer la foule de faits entourant chaque situation. Il n'est généralement pas approprié de comparer sa femme et son frère. Les éléments qui déterminent le traitement diffèrent considérablement d'une personne à l'autre, qu'il s'agisse de la promptitude avec laquelle elle consultera en cas de crise cardiaque, de l'ampleur, le cas échéant, des lésions au muscle cardiaque, de son état de santé général, du degré d'athérosclérose qui touche son appareil cardiovasculaire, ainsi que de ses autres problèmes de santé et de ses facteurs de risque. Ajoutez à cela sa réaction aux interventions et sa détermination à adopter un mode de vie plus sain et à prendre ses médicaments jusqu'à la fin de ses jours.

Les médecins sont bien conscients que l'exercice de leur profession n'est pas simple. La prise en charge d'un patient relève autant de l'art que de la science. Cela dit, pour les aider à prendre des décisions informées, ils se fondent sur un ensemble de principes solides et sur une profusion d'études scientifiques et de pratiques médicales. Voyons en détail les fondements du traitement.

LE RAPPORT RISQUE/BÉNÉFICES

L'évaluation du risque et des bénéfices est l'un des principaux principes sur lesquels se fonde la médecine. Il est indéniable que, pour la majorité des traitements, médicaments, interventions, chirurgicales ou autres, les bienfaits s'accompagnent d'un certain risque. On connaît généralement le risque, qui ne varie pas d'un individu à l'autre. Cependant, il peut varier d'un groupe à l'autre, par exemple chez les personnes âgées ou les très jeunes. Toute intervention médicale, de quelque nature qu'elle soit, devrait présenter un ratio risque/bénéfices en faveur de ces derniers. En principe, c'est simple – il s'agit de faire plus de bien que de mal potentiel –, mais l'équation n'est pas toujours aussi limpide qu'elle le paraît.

Prenons, par exemple, l'acide acétylsalicylique (AAS, mieux connu sous le nom d'Aspirine). Vous êtes nombreux à savoir que son emploi régulier est utile au cœur. Plus spécifiquement, ce médicament est réputé combattre l'agrégation plaquettaire, c'est-à-dire l'aptitude des plaquettes sanguines à s'agglutiner pour former un caillot sanguin dans les artères. On sait aussi, d'après les résultats d'études, que l'AAS réduit le risque de crise cardiaque ou d'AVC chez les sujets souffrant de cardiopathie. Cependant, cette substance peut également causer des saignements. Chez la plupart des adultes, le risque est limité tandis que les bénéfices sont nombreux. En revanche, rien n'indique qu'il serait souhaitable qu'un enfant en prenne quotidiennement. Le risque qu'un enfant fasse une crise cardiaque dans un proche futur est faible. Par contre, bien que faible, son risque de saignements s'il est sous AAS est bien réel. Dans ce cas, les bénéfices pour un enfant d'en prendre dans le but de se protéger d'une crise cardiaque ne compensent pas le risque. Si l'exemple est un peu grossier, il permet de comprendre le concept du rapport risque/bénéfices.

Autre exemple : le septuagénaire ou l'octogénaire frêle qui subit une intervention chirurgicale pourrait être à risque de complications, y compris de faire un AVC. Cependant, cette intervention pourrait lui être plus utile qu'à une personne plus jeune, du fait que son risque de troubles cardiaques futurs est accru. Je reconnais que c'est complexe. Voilà pourquoi vous devriez consulter un spécialiste possédant des années de formation et d'expérience afin de vous aider à démêler la situation.

⸱⸱

❤ **Ce qu'il faut savoir :** Le rapport risque/bénéfices permet de déterminer si une intervention particulière est justifiée, en se fondant sur le principe que les bénéfices d'un traitement devraient l'emporter nettement sur le risque. C'est une science nuancée : seul un spécialiste d'expérience peut peser exactement les pour et les contre d'un traitement pour son patient.

Ce principe s'applique également aux tests. Ainsi, la coronarographie (qui permet de visualiser le débit sanguin) présente un certain risque inhérent (voir chapitre 6). En règle générale, je la recommande au patient qui vient de faire une crise cardiaque. Cependant, s'il se porte bien et ne présente pas de symptômes, elle ne lui sera probablement pas utile. Qui plus est, on ne devrait pas la prescrire quand on sait déjà à quoi s'en tenir. Souvent, des patients demandent à passer des tests, mais si ces derniers ne sont pas susceptibles de me fournir plus d'information ou de m'amener à modifier mon traitement, ils n'amélioreront pas leur prise en charge. Parfois, il est plus important d'écouter le patient, de répondre à la question précise qu'il pose et d'éclaircir les choses en prenant en compte ses antécédents médicaux et en lui faisant passer un examen physique et des tests simples.

LES MÉDICAMENTS : L'ABC DE LA PRISE EN CHARGE DE LA CARDIOPATHIE

Si vous avez fait une crise cardiaque ou avez reçu un diagnostic de maladie coronarienne, vous devrez prendre des médicaments dans le but de diminuer votre risque de problèmes futurs. En fait, la plupart de mes patients doivent prendre chaque jour plusieurs médicaments – et ce, tout au long de leur existence – même s'ils ont subi une angioplastie ou un pontage cardiaque. Les médicaments soignent la maladie et, par conséquent, sont essentiels au traitement. En revanche, les interventions chirurgicales constituent une solution rapide. Parmi tous les médicaments essentiels, les trois plus courants sont l'antiagrégant plaquettaire, l'hypocholestérolémiant (statine) et l'IECA. La plupart des patients qui souffrent de maladie coronarienne doivent prendre les trois.

Il importe de préciser que plusieurs des médicaments prescrits en cardiologie ne sont pas destinés à accroître le bien-être, mais plutôt à prolonger l'existence. Les statines et les antihypertenseurs en constituent de bons exemples : on ne sent pas nécessairement leurs effets, pas plus qu'on ne sent ni ne voit ce qu'ils préviennent. Ils n'en contribuent pas moins à prolonger l'existence.

❤ **Ce qu'il faut savoir :** Posez la question suivante à votre médecin : «Ce médicament prolongera-t-il mon existence ou améliorera-t-il mon état de santé?» Sa réponse vous permettra de savoir à quoi vous attendre et sur quoi vous devriez vous concentrer.

Bien que les traitements pour la maladie coronarienne soient tous aussi efficaces pour les femmes que pour les hommes, elles ne bénéficient malheureusement pas de toutes les interventions médicales dont disposent les médecins. Selon les résultats d'une étude récente[54], en Amérique du Nord, les femmes sont moins susceptibles que les hommes de se voir prescrire un hypocholestérolémiant à la suite d'une crise cardiaque. Les raisons de cet état de fait ne sont pas claires. Le facteur «patient» pourrait être en cause, à savoir que les femmes sont moins portées à prendre des médicaments. Ou encore, elles sont moins susceptibles de se voir prescrire un médicament ou elles présentent plus d'effets indésirables que les hommes et, par conséquent, cessent de prendre leurs médicaments.

Voici une histoire qui a de quoi glacer le sang. Il y a peu de temps, j'ai vu une patiente qui avait reçu un diagnostic de fibrillation auriculaire, une arythmie cardiaque grave. Âgée de 65 ans, cette femme active et sociale commençait tout juste à profiter des avantages de la retraite à l'issue d'une carrière enrichissante. Elle avait des antécédents médicaux d'hypertension et de fibrillation auriculaire (voir chapitre 9) qui, conjugués à son âge, augmentaient son risque d'AVC. Consciente de ce fait, je lui ai prescrit un anticoagulant. Cependant, à mon insu, elle a décidé de ne pas prendre son médicament. Environ six semaines plus tard, alors qu'elle était à son chalet, son mari l'a vu tomber de tout son long sur le quai. Elle venait de faire un AVC grave. Malheureusement, elle se trouvait dans un coin reculé, à 90 minutes de l'hôpital le plus proche. Si seulement elle avait pris ses médicaments, cet accident tragique aurait pu être prévenu! Miraculeusement, elle a survécu. Son cerveau s'est rétabli dans une certaine mesure, mais elle se déplace désormais à l'aide d'une canne et vit avec le traumatisme d'avoir pris la mauvaise décision.

Chaque histoire a sa morale et dans le cas présent, celle-ci est simple : si vous souffrez de cardiopathie, qu'il s'agisse d'une maladie coronarienne ou non, consultez votre médecin et assurez-vous de prendre les bons médicaments. Si ce n'est pas le cas, demandez-lui-en la raison. En posant les bonnes questions, vous gagnerez en assurance. Et, de grâce, prenez les médicaments qu'on vous prescrit!

Peut-être avez-vous entendu parler de l'effet Hawthorne, qu'on peut décrire ainsi : un sujet modifiera son comportement pour le mieux du simple fait qu'il est l'objet d'une évaluation ou d'une étude, et non parce qu'il cherche à le faire. Je pense que cet effet joue chez le patient qui pose à son médecin des questions pertinentes. Le médecin devient plus sensible à ses besoins. Vous avez plus de chances de recevoir les soins appropriés – ou que l'un des vôtres les reçoive – si vous posez les bonnes questions. Ce pourrait être aussi simple que de demander : «Étant donné sa crise cardiaque, mon père/ma mère reçoit-il/elle le bon médicament? Auriez-vous autre chose à suggérer?» Il n'est pas nécessaire d'être calé en médecine pour amener votre praticien à réfléchir aux enjeux importants.

Hormis les médicaments, les changements à apporter à son mode de vie comptent parmi les mesures les plus importantes dans la prise en charge de la cardiopathie. Si la prévention primaire (voir chapitre 4) consiste à prendre les moyens de réduire ses facteurs de risque de cardiopathie avant même l'apparition de la maladie, la prévention secondaire vise à prévenir la survenue de troubles cardiaques ultérieurs une fois qu'elle est diagnostiquée (voir chapitre 14). En matière de maladie coronarienne, les deux approches sont similaires, à cette différence près que les enjeux sont plus importants une fois le diagnostic posé. En outre, les effets de la prévention secondaire sont plus tangibles, les changements apportés au mode de vie ayant possiblement un impact important sur le risque de récurrence de la crise cardiaque ou de l'AVC.

Si vous avez fait une crise cardiaque ou connaissez quelqu'un qui souffre de cardiopathie, vous serez probablement plus motivé à apporter des changements à votre mode de vie, du moins vous le devriez. Gardez à l'esprit que le maintien d'un poids santé, l'activité physique, l'exercice régulier, l'alimentation saine et pauvre en gras peuvent contribuer à prolonger l'existence, que ce soit la vôtre ou celle d'un membre de votre famille (voir chapitre 4).

Pour éviter toute dispersion, voici, dans le désordre, la liste des principaux impératifs en matière de traitement, qu'il s'agisse des médicaments ou des approches préventives.

A

Alimentation: Quand on souffre de cardiopathie, il est essentiel d'adopter une alimentation réputée bonne pour le cœur, peu importe qu'on fasse ou non du diabète, ou qu'on prenne ou non un hypocholestérolémiant ou un antihypertenseur. Maintenez un poids santé, consommez des aliments à faible teneur en gras et lisez les tableaux nutritionnels sur les étiquettes afin d'éviter les aliments gras et le sodium. Pour en savoir plus, reportez-vous au chapitre 4.

Antiagrégants plaquettaires: En règle générale, les patients souffrant de maladie coronarienne doivent prendre des médicaments de type Aspirine dans le but de prévenir l'agrégation des plaquettes sanguines qui peut mener à la formation d'un caillot dans l'artère malade. La question est de savoir quelle dose prescrire. Dans l'année qui suit une crise cardiaque, de nombreux patients seront sous bithérapie (c'est-à-dire qu'ils prennent deux médicaments). Les plus courants sont le clopidogrel et l'AAS, mais on évalue actuellement de nouveaux médicaments. La durée du traitement reste sujette à débat. Habituellement, si le patient souffre de cardiopathie, il doit prendre de l'AAS toute sa vie, mais la bithérapie pourrait ne durer qu'un an, selon les problèmes qui peuvent survenir à l'issue d'une attaque cardiaque ou d'une angioplastie.

Antihypertenseurs: En cas de crise cardiaque ou de maladie coronarienne, il est primordial de veiller à la régulation de sa pression artérielle. Certains des médicaments qu'on prescrit pour le cœur peuvent également influer sur la pression artérielle, tandis que d'autres sont essentiellement des antihypertenseurs qui peuvent aussi agir sur la fréquence cardiaque et la fonction du muscle cardiaque. C'est votre médecin qui décidera de ceux qu'il convient de vous prescrire, compte tenu de votre situation. Gardez à l'esprit que vous ne devez pas cesser de les prendre même si vous avez le sentiment de bien aller. Croyez-le ou non, cela arrive très souvent. À moins d'apporter des changements considérables à son mode de vie (chapitre 4), on doit généralement prendre ces médicaments jusqu'à la fin de ses jours.

ARA-II: Les antagonistes des récepteurs de l'angiotensine II constituent une solution de rechange pour les patients ne tolérant pas les IECA, c'est-à-dire qui y réagissent par une toux sèche. Ils contribuent à réduire le risque de problèmes cardiaques futurs. Cela dit, les IECA restent les médicaments de premier choix lorsqu'il s'agit de protéger les vaisseaux sanguins.

Arrêt du tabagisme : Si vous souffrez de cardiopathie et fumez, votre meilleure stratégie pour diminuer votre risque consiste à écraser. Les fumeurs ont deux fois plus de chances que les non-fumeurs de faire une crise cardiaque à l'issue d'une angioplastie ou d'un pontage cardiaque[55]. Bien sûr, c'est plus facile à dire qu'à faire. Comme l'arrêt du tabac est un processus et non un événement en soi, la majorité des fumeurs devra s'y reprendre à quelques reprises avant de réussir. Demandez à votre médecin qu'il vous suggère des stratégies vous permettant d'y parvenir.

Les médecins croyaient autrefois que les substituts de nicotine – un stimulant – représentaient un danger même quand on les administrait en milieu hospitalier, mais les résultats d'études indiquent le contraire. Il faut savoir que chaque bouffée que l'on inhale libère rapidement de grandes quantités de nicotine dans la circulation sanguine. Par contre, avec le timbre, la libération est plus lente et plus graduelle, et se fait dans les veines plutôt que dans les artères, ce qui est moins dangereux. Croyez-le ou non, j'ai vu des patients quitter l'unité des soins coronariens pour aller fumer une cigarette. Voilà pourquoi nous administrons des substituts de nicotine à l'hôpital. C'est une meilleure solution de rechange.

Mais comment arrête-t-on de fumer au juste ? Vous pouvez lire les brochures publiées à cet effet, ou encore suivre une thérapie individuelle ou de groupe. Les médicaments peuvent également être utiles. Les résultats de la plupart des études indiquent que la meilleure approche consiste à associer counseling par encouragement et traitement médicamenteux[56].

Comme je l'ai mentionné auparavant, les nouveaux médicaments tels que la varénicline (vendue au Canada sous le nom de Champix) sont considérés comme sans danger pour les patients externes qui souffrent de maladie coronarienne. On mène actuellement des études pour évaluer l'innocuité de ces médicaments chez les patients qui ont fait une crise cardiaque récente ; pour l'heure, on n'en connaît pas les résultats.

....

❤ **Ce qu'il faut savoir :** Les résultats de la plupart des études indiquent que la meilleure approche consiste à associer counseling par encouragement et traitement médicamenteux.

....

B

Bêtabloquants : Ces médicaments permettent de prolonger l'existence du patient qui souffre de maladie coronarienne, du fait qu'ils bloquent l'afflux d'adrénaline vers le cœur et ralentissent le pouls. Cet effet a son importance pour les sujets qui présentent des lésions au muscle cardiaque et sont à risque d'insuffisance congestive, le ralentissement des pulsations contribuant à protéger leur cœur du stress physique. Chez ceux qui ont fait une crise cardiaque majeure, ils contribuent à en diminuer l'irritabilité, de même que le risque d'arythmie grave. On a également prouvé qu'ils diminuaient le taux de mortalité par insuffisance cardiaque congestive. Je les prescris souvent aux patients angineux, ce qui leur permet de poursuivre leurs activités sans craindre les débordements de leur cœur. Dans le passé, ils étaient associés à divers effets indésirables, dont la fatigue, le dysfonctionnement sexuel et l'asthme grave. Heureusement, les bêtabloquants de la nouvelle génération sont moins susceptibles de provoquer ces problèmes. La plupart de mes patients, y compris les asthmatiques, les tolèrent bien, quoique, chez les plus jeunes, ils entraînent parfois de la fatigue. Pour ce qui est du dysfonctionnement sexuel, il faut savoir que la perte d'intérêt pour les rapports sexuels que certains connaissent à la suite d'une crise cardiaque est plutôt de nature psychologique que médicamenteuse. En réalité, les bêtabloquants ne produisent généralement pas d'effets secondaires.

E

Exercice et éducation : Quiconque a fait une crise cardiaque ou a subi un pontage cardiaque ou une angioplastie devrait être inscrit à un programme de réadaptation et de prévention. Ce genre de programme diffère de ceux qui sont destinés aux sujets ayant fait un AVC grave et qui ont pour but de les aider à recouvrer leurs fonctions vitales et leur motricité. Il se déroule sous surveillance médicale et met l'accent sur l'exercice, les changements à apporter au mode de vie et la maîtrise des facteurs de risque. Il permet aux personnes souffrant de cardiopathie qui se relèvent d'une crise cardiaque ou d'une intervention coronarienne d'améliorer leur état de santé et leur bien-être. Parmi les diverses mesures de prévention présentées, des professionnels médicaux offrent des conseils sur le mode de vie et l'alimentation, de même que sur la maîtrise du taux de cholestérol. Surtout, on vous encouragera à entreprendre un programme d'exercices approprié à votre situation et vous fournira l'information nécessaire à cet effet. Vous pourrez le faire à votre rythme, par exemple en commençant par intégrer la marche dans votre routine quotidienne, tout en modifiant sensiblement votre alimentation. Comme le veut une de mes devises, c'est pénible à court terme, mais rentable à long terme.

....

❤ **Ce qu'il faut savoir :** Si vous souffrez de maladie coronarienne, vous devriez demander à votre médecin s'il vous a prescrit un antiagrégant plaquettaire, un IECA et un hypocholestérolémiant. Demandez-lui également si votre pression artérielle est normale – c'est à lui de déterminer ce qui constitue pour vous la normalité – et si un bêtabloquant serait approprié dans votre cas. Si, à la suite d'une crise, on ne vous a pas adressé à un centre de réadaptation des cardiaques, vous devriez lui demander qu'il le fasse.

....

H

Hormonothérapie substitutive : Tel que je l'ai mentionné auparavant, l'hormonothérapie substitutive ne peut renverser l'horloge biologique et rajeunir les femmes, pas plus qu'elle ne peut atténuer le risque de cardiopathie. En fait, l'estrogène et la progestérone pourraient contribuer à épaissir le sang, ce qui peut entraîner la formation de caillots. L'American Heart Association conseille aux femmes qui ont fait une crise cardiaque d'interrompre l'hormonothérapie durant un an[57]. Le problème, c'est que certaines femmes atteintes de maladie coronarienne sont également affligées de symptômes ménopausiques graves. Nombre de mes patientes présentent les deux affections et, dans le but de bien les conseiller, je dois évaluer le rapport risque/ bénéfices. En règle générale, je pense que si une femme a fait une crise cardiaque et présente des symptômes impossibles à maîtriser, elle pourrait décider de courir le faible risque que présente l'hormonothérapie, du moment qu'elle prend un hypocholestérolémiant (statine) à dose raisonnablement élevée. En revanche, le fait que les hormones confèrent meilleure apparence à la peau ou un sentiment de jeunesse ne constitue pas une raison suffisante d'en prendre. Leur emploi n'est pas justifié non plus chez les femmes qui ont fait une crise cardiaque et ne présentent que de légers symptômes ménopausiques.

Hypocholestérolémiants (médicaments qui font baisser le taux de cholestérol) : Toute personne souffrant de maladie coronarienne doit prendre un hypocholestérolémiant, et ce, en dépit d'un taux de cholestérol normal et d'un mode de vie sain. Les résultats de nombreux essais cliniques aléatoires indiquent que les statines diminuent le risque de crise cardiaque ou d'AVC futur, ainsi que la mortalité qui en résulte, même en présence d'un taux de cholestérol normal.

Je le répète, la plupart de mes patients souffrant de cardiopathie prendront ce genre de médicaments jusqu'à la fin de leurs jours. Je suis bien consciente que cette nouvelle peut les décourager, d'où le fait que je réévalue habituellement leur programme de traitement aux trois, quatre ou cinq ans. Mais en plus de vingt années de pratique médicale, je n'ai trouvé aucune donnée qui aurait pu me dissuader de leur prescrire des hypocholestérolémiants. Les bénéfices l'emportent sur le risque.

Cela dit, le traitement hypocholestérolémiant exige que les patients passent une analyse sanguine au moins une fois l'an afin de faire évaluer leur fonction hépatique, de même que leur taux de créatine kinase, une enzyme musculaire. Des millions de patients ne présentent aucune anomalie sanguine. De plus, celles qui pourraient survenir sont presque toujours réversibles. Certains se plaindront de douleurs musculaires, mais c'est l'exception à la règle. Si c'est votre cas, il se pourrait qu'un changement de médicament ou un ajustement du dosage règle le problème. Compte tenu des bénéfices qu'on en tire, ce sont des solutions à envisager. Récemment, certains se sont inquiétés du fait que des hypocholestérolémiants pourraient accroître légèrement le risque de diabète[58]. C'est peut-être le cas, mais les bénéfices qu'ils procurent l'emportent nettement sur le risque.

I

Inhibiteurs de l'enzyme de conversion de l'angiotensine (IECA): Ces médicaments antihypertenseurs ont également fait l'objet d'études auprès de patients souffrant de maladie coronarienne. Ils agissent sur le système rénine-angiotensine, système hormonal de l'organisme. En fait, ils contrent la production par l'organisme d'une substance qui élève la pression artérielle. Ils peuvent également être utiles à la santé des vaisseaux sanguins et, chez ceux qui souffrent de maladie coronarienne, ils contribuent à diminuer le risque de crise cardiaque et d'AVC. Quand j'en prescris à un patient qui a fait une crise cardiaque, ce n'est pas dans le but de réguler sa pression artérielle, mais plutôt parce qu'on a prouvé qu'ils réduisaient, chez les personnes souffrant de cardiopathie, le risque de récurrence d'une crise cardiaque, indépendamment de leur pression.

M

Maîtrise du diabète: La maîtrise du diabète est presque aussi importante que l'arrêt du tabagisme. Quand le taux de glucose sanguin est élevé, le risque d'athérosclérose croît. Si vous souffrez de cardiopathie et n'arrivez pas à maîtriser votre diabète, votre risque de faire une crise cardiaque ou un AVC et d'en mourir croît. Pour en savoir plus, informez-vous auprès de votre médecin ou visitez le site Web de la Fondation des maladies du cœur et de l'AVC du Canada (www.fmcoeur) ou de l'Association Canadienne du Diabète (www.diabetes.ca).

En plus des traitements habituels, vous pourriez constituer un bon sujet pour une intervention non effractive, voire une intervention chirurgicale majeure. Peut-être souhaiteriez-vous également en savoir plus sur les approches alternatives qui sont à votre disposition. Nous verrons ces questions dans la prochaine section.

LES MÉDICAMENTS ET LES TRAITEMENTS ALTERNATIFS

Je suis toujours étonnée de découvrir que les gens sont prêts à payer plus cher pour des médicaments en vente libre que pour les médicaments d'ordonnance. Les approches en médecine complémentaire et alternative telles que la chélathérapie, la phytothérapie et l'acupuncture génèrent de gros profits. On dépense chaque année des millions de dollars en traitements naturels ou alternatifs pour la cardiopathie, sans que ces derniers aient fait l'objet d'une évaluation rigoureuse. Pour une praticienne comme moi, qui a reçu une formation médicale classique, il importe d'avoir la preuve de l'efficacité d'un médicament ou d'un traitement. Or, la plupart des thérapies complémentaires et alternatives n'ont pas fait l'objet d'études dont la méthodologie est reconnue en science. Malheureusement, bien des entreprises font la promotion de traitements non prouvés dans le seul but d'en tirer des profits, tandis que, de leur côté, les patients sont à la recherche d'une panacée, d'un remède magique qui les guérira. En matière de réduction du risque, les changements à apporter à son mode de vie et les médicaments dont l'efficacité a été démontrée scientifiquement sont les seules approches sanctionnées par la science.

Cela dit, je peux comprendre que bien des gens ne partagent pas mon point de vue à ce sujet, particulièrement ceux dont la formation ne relève pas de la médecine classique. J'ai toujours encouragé les gens à m'indiquer les thérapies et traitements alternatifs ou complémentaires auxquels ils ont recours, car il m'importe de le savoir. Si mes patients souhaitent suivre un traitement semblable, alors je leur demande de le faire en complément, plutôt qu'à la place, des médicaments ou traitements que je leur prescris. En d'autres mots, considérez-les comme complémentaires aux méthodes éprouvées. Je suis particulièrement préoccupée quand des patients optent pour une approche alternative plutôt que de prendre leur hypocholestérolémiant ou leur antihypertenseur, ou pire encore, plutôt que de subir l'intervention recommandée, par exemple l'angioplastie ou le pontage cardiaque.

Si ces approches se substituent à la médecine classique, l'athérosclérose risque de progresser, ce qui pourrait être fatal. L'un de mes patients est décédé après avoir refusé le pontage cardiaque au profit de la thérapie par chélation. D'autres, qui avaient suivi ce traitement sont revenus me voir après qu'il eût échoué. Le problème est le suivant : si votre maladie progresse, vous pourriez ne plus satisfaire aux conditions requises pour subir un pontage. C'est ainsi que deux de mes patients auraient pu, à un certain point, subir cette intervention. Mais au moment où ils ont compris que la chélathérapie n'était pas efficace, leur maladie s'était aggravée au point que ce n'était plus possible.

....

❤ **Ce qu'il faut savoir :** Si vous optez pour des thérapies complémentaires, elles devraient s'ajouter aux médicaments classiques dont l'efficacité a été démontrée scientifiquement.

....

Au fil des ans, j'ai dû également faire face à la croyance voulant que si quelque chose est naturel, c'est forcément bon pour la santé. Permettez-moi de vous expliquer pourquoi ce n'est pas le cas. L'exemple classique est la digoxine, médicament cardiaque autrement connu sous le nom de « digitale ». Employée durant des centaines d'années pour le traitement de l'arythmie et de l'insuffisance cardiaque, il s'agit techniquement d'une substance naturelle puisqu'elle est extraite de la plante du même nom. Mais elle n'en est pas pour autant anodine. De fait, on doit s'appuyer sur les preuves scientifiques pour la prescrire, la doser et en surveiller l'administration. De nombreux Canadiens se rappelleront sans doute la série tragique de décès d'enfants souffrant de cardiopathie qui est survenue dans les années 1980 à l'Hospital for Sick Children de Toronto : ils sont morts d'une surdose de digoxine.

Je me rappelle nettement, à l'époque de mon internat, cet homme qui est arrivé inconscient à la salle des urgences. Bien qu'on ne lui ait pas prescrit de digitale, on a découvert que son sang en présentait une teneur élevée. On n'a jamais su le fin mot de l'histoire, mais il semble qu'on l'avait empoisonné. Comme les médecins ne cherchent pas systématiquement à détecter la présence de digitale, la chose aurait pu passer inaperçue. Heureusement, un jeune interne avait commandé le test par erreur. Le patient a survécu par le plus grand des hasards.

Des années plus tard, j'ai vu un patient qui m'a confié prendre des baies d'aubépine, un «remède» naturel. Quand je me suis informée sur ce produit, j'ai découvert qu'il s'agissait d'une formulation plus faible de l'inhibiteur de la phosphodiestérase, médicament qu'on a employé un certain temps en cardiologie. Il a été expérimenté sous forme de comprimé dans un essai clinique. Or, s'il exerçait effectivement une action sur le cœur et les vaisseaux sanguins, cette dernière n'était pas positive : au cours de l'essai, le nombre de sujets présentant des effets secondaires était plus élevé que celui des sujets sous placebo (ou fausse pilule). On l'a retiré du marché, ce qui n'est pas le cas des baies d'aubépine, encore offertes dans des magasins de produits naturels.

Sachez aussi que les traitements complémentaires et alternatifs peuvent interférer avec les médicaments d'ordonnance. Les patients n'informent pas toujours leur médecin des médicaments en vente libre qu'ils prennent, ce qui peut entraîner des problèmes graves. Si vous tenez à en prendre, au moins faites-le savoir à votre médecin.

....
❤ **Ce qu'il faut savoir :** Si vous prenez des traitements complémentaires ou alternatifs, il importe que vous en parliez à votre médecin. Certains peuvent s'avérer nocifs ou interférer avec les médicaments d'ordonnance.
....

LES INTERVENTIONS : L'ANGIOPLASTIE, OU ATP

En plus de prendre des médicaments pour soigner une maladie coronarienne, vous pourriez devoir subir une intervention chirurgicale destinée à dilater ou désobstruer une artère, en vue de rétablir le débit sanguin vers le cœur. C'est habituellement le cas à la suite d'une crise cardiaque ou si le patient connaît des épisodes fréquents d'angine (malaise thoracique). L'angioplastie, ou plus spécifiquement, l'angioplastie transluminale percutanée (ATP), est l'une des interventions les plus courantes en cardiologie. «Percutané» signifie à travers la peau. L'ATP s'apparente à la coronarographie (voir chapitre 6). Cependant, en plus d'injecter un colorant dans votre cœur pour prendre des images, on insérera dans votre artère coronaire un cathéter muni d'un fil et d'un ballonnet non gonflé qui traversera la partie rétrécie de l'artère visible à l'angiographie. Il sera ensuite gonflé afin de dilater l'artère et d'améliorer le débit sanguin.

Cette intervention est efficace. Cependant, comme le ballonnet perturbe l'artère et comprime la plaque contre sa paroi, une réaction à la blessure peut se produire à l'intérieur du vaisseau, l'organisme cherchant ainsi à le guérir. Des cellules peuvent s'y développer en trop grand nombre et entraîner son épaississement, ce qui causera à nouveau un rétrécissement. Ce phénomène porte le nom de «resténose».

Pose d'un tuteur artériel

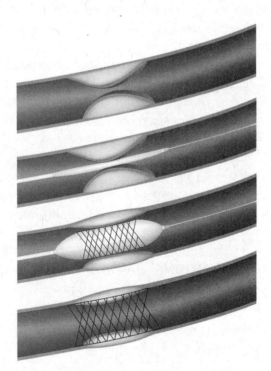

Artère avec plaque

Insertion d'un cathéter muni d'un ballonnet non gonflé

Ballonnet gonflé, plaque comprimée et tuteur inséré

Artère élargie avec tuteur

Voici d'autres termes relatifs à l'angioplastie qu'il est bon de connaître :

Tuteur cardiaque: Il s'agit d'un support métallique qu'on implante dans l'artère durant une ATP. Il a pour but de prévenir le rétrécissement ultérieur du vaisseau sanguin. Jadis, avant cette intervention, près de 40 % des angioplasties donnaient lieu à une resténose. Le tuteur a permis de réduire ce taux de moitié.

À la suite d'une angioplastie et de l'insertion d'un tuteur, l'artère guérira la plaie en élaborant de nouvelles cellules qui le recouvriront progressivement. À la longue, le tuteur fera partie intégrale de l'artère. Ce processus peut prendre deux mois ou, s'il s'agit d'un tuteur médicamenté, environ un an. Tant que les cellules ne le recouvrent pas entièrement, le support métallique reste « collant », ce qui peut favoriser la formation d'un caillot sanguin et, en conséquence, élever le risque de crise cardiaque. La bithérapie – association de médicaments tels que clopidogrel et AAS – est donc primordiale à la suite de l'angioplastie et de l'insertion du tuteur. Même si vous saignez ou présentez des ecchymoses, vous devrez continuer à les prendre, peu importe ce qu'un autre médecin pourrait vous conseiller. L'une de mes patientes a consulté un dermatologue pour une éruption qui est apparue en réaction au clopidogrel. Il lui a donc conseillé d'interrompre son traitement médicamenteux, décision qui me glace le sang. Les conséquences auraient pu être fatales. Heureusement, je l'ai su six jours plus tard et lui ai fait reprendre son antiagrégant plaquettaire. Je lui ai prescrit un médicament contre son éruption, chose que j'aurais pu faire plus tôt si seulement j'avais été informée de son problème.

....

❤ **Ce qu'il faut savoir :** À la suite de l'insertion d'un tuteur cardiaque, vous devrez prendre au moins deux médicaments de type Aspirine durant deux mois à un an, selon le modèle de tuteur. N'interrompez jamais votre traitement antiplaquettaire sans en avoir parlé avec votre cardiologue, même en cas d'effets indésirables.

....

Tuteurs à métal nu ou à élution médicamenteuse: Pour compliquer davantage les choses, il existe différents types de tuteurs. Le premier, qui était à métal nu, ne prévenait pas toujours la resténose. On a donc mis au point le tuteur à élution médicamenteuse (TUM) ; il est revêtu d'un médicament qui prévient l'épaississement de la paroi interne du vaisseau et la resténose. Malheureusement, il prévient également le développement des cellules endothéliales qui tapissent l'artère. En conséquence de quoi, cette dernière pourrait rester «collante» et retenir les plaquettes sanguines. Rappelons que ces cellules peuvent mettre un an à se développer et à recouvrir l'intérieur du tuteur, d'où la nécessité de prendre des antiagrégants plaquettaires. Il pourrait être fatal d'interrompre le traitement moins d'un an après l'insertion d'un tuteur à élution médicamenteuse (selon le modèle qu'on vous a inséré). Ce dispositif convient généralement aux patients, mais il est tout de même important de vous informer auprès de votre médecin de la durée du traitement antiplaquettaire. En plus de devoir le suivre tant qu'il le conseillera, vous devrez probablement continuer à prendre un hypocholestérolémiant et d'autres médicaments destinés à traiter votre cardiopathie.

Au cours des dernières années, l'innocuité des tuteurs à élution médicamenteuse a fait l'objet d'une certaine controverse, étant donné qu'on leur a associé le décès de certains patients. Mais en fait, les résultats d'études indiquent que les victimes d'une crise cardiaque qui sont décédées après l'insertion du tuteur avaient cessé de prendre leurs médicaments six mois, plutôt qu'un an, à la suite de l'intervention. D'où l'importance de poursuivre le traitement médicamenteux tant que le conseille le médecin.

La décision d'administrer un antiagrégant plaquettaire entraîne parfois des dilemmes. Par exemple, si un patient doit subir une intervention chirurgicale pour une autre raison et, en conséquence, doit cesser de le prendre. Une de mes patientes, la mère d'une amie proche, souffrait d'arthrite et devait subir une intervention à la hanche. Comme elle avait également fait une crise cardiaque, on avait implanté un tuteur à élution médicamenteuse dans la branche antérieure de son artère coronaire gauche. Si elle se faisait opérer pour sa hanche, elle devrait interrompre son traitement antiplaquettaire. La situation était complexe. Sa hanche lui causait des douleurs chroniques et l'invalidait, mais le problème ne menaçait pas son existence. Je lui ai dit que, s'il s'agissait de ma propre mère, j'attendrais, même si cela signifiait qu'elle doive continuer à souffrir. C'est ce qu'elle a fait. Au bout d'un an, on a interrompu temporairement le traitement à l'antiplaquettaire et elle a pu faire opérer sa hanche.

J'ai dû faire face à une autre situation difficile, cette fois avec une jeune femme qui souffrait de maladie coronarienne. D'une certaine manière, c'était un bon sujet pour l'angioplastie, la branche antérieure de son artère coronaire gauche présentant un sérieux rétrécissement. Cependant, cette intervention n'était pas vraiment nécessaire puisque tout indiquait que, dans son cas, le traitement médicamenteux contre l'angine suffisait. Elle pratiquait l'escalade de rocher, skiait et ne craignait certainement pas les exercices vigoureux. Elle présentait peu de symptômes, sauf quand elle se dépensait à l'extrême. Selon les résultats d'un essai clinique de grande envergure, les patients comme elle s'en tirent aussi bien en ne prenant qu'un hypocholestérolémiant et un ICEA qu'en subissant une angioplastie. En conséquence, j'ai décidé de lui éviter cette intervention et de plutôt la suivre de près afin de m'assurer que son état ne s'aggravait pas. Avec le recul, j'ai compris que c'était la bonne décision à prendre : quatre mois après avoir reçu son diagnostic de cardiopathie, on lui a découvert une tumeur à l'ovaire, ce qui nécessitait une ablation. Heureusement, la tumeur était bénigne, mais si nous avions décidé d'aller de l'avant avec l'angioplastie et si cette dernière avait nécessité la pose d'un tuteur à élution médicamenteuse, il aurait peut-être fallu retarder l'ablation.

L'INTERVENTION CHIRURGICALE MAJEURE :
LE PONTAGE AORTOCORONARIEN

Le pontage aortocoronarien constitue l'intervention chirurgicale la plus courante chez les patients souffrant de cardiopathie. Elle consiste à contourner une artère coronaire rétrécie en greffant un vaisseau prélevé sur autre partie du corps. Il s'agit d'une opération à cœur ouvert au cours de laquelle le patient est branché sur un cœur-poumon artificiel qui dérive le sang vers le cerveau. Aux mains d'un bon chirurgien, c'est une intervention sécuritaire. Le risque qu'elle présente a diminué au fil des ans. À mesure qu'on disposait de meilleures techniques chirurgicales et anesthésiques. Mais cela reste une intervention majeure. Je dis à mes patients que durant les quelques mois qui la suivent, ils auront l'impression qu'un poids lourd leur est passé sur le corps. En effet, pour avoir accès au cœur, le chirurgien doit sectionner le sternum et écarter les côtes.

Pontage aortocoronarien

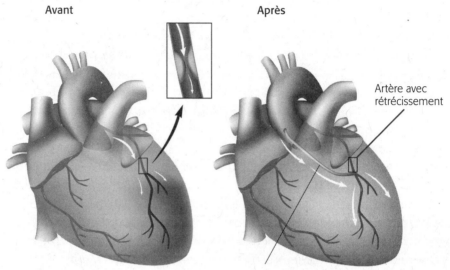

Avant

Après

Artère avec
rétrécissement

Vaisseau implanté contournant le rétrécissement

Voici comment on procède: une artère de la paroi thoracique (par exemple, l'artère thoracique interne gauche) est fixée sur l'aorte, vaisseau sanguin à partir duquel se ramifient les artères coronaires. En plus des artères, le chirurgien se servira souvent de veines prélevées sur la jambe pour effectuer les greffes. Pour former le pontage, il fixera le vaisseau sur l'aorte et sur une partie de l'artère coronaire située en aval du rétrécissement. Le nombre de pontages dépend de l'endroit où se trouve le rétrécissement. Par exemple, vous pourriez présenter un rétrécissement dans l'artère principale gauche qui irrigue l'essentiel du cœur. Dans ce cas, il pourrait être nécessaire d'effectuer plusieurs pontages, de sorte que le sang parvienne aux branches des artères. Ainsi, un rétrécissement unique – disons dans l'artère coronaire gauche – pourrait nécessiter un quadruple pontage, cette artère irriguant la branche antérieure (ou interventriculaire antérieure), l'artère diagonale, l'artère circonflexe et l'artère marginale. Le risque que présente l'intervention ne dépend généralement pas du nombre de pontages, mais de l'état de la fonction musculaire, de l'âge, de la fonction rénale, de l'état nutritionnel et de la présence ou non de diabète.

Le cœur est irrigué par deux artères principales, soit les coronaires droite et gauche. La gauche se ramifie pour donner l'artère circonflexe et l'artère interventriculaire antérieure (ou branche antérieure gauche). La première pénètre plus profondément dans le muscle cardiaque. En fait, c'est sur ses branches, les artères marginales, qu'on effectue des pontages. Souvent, on le fera aussi sur les artères diagonales, branches de l'artère interventriculaire antérieure.

À la suite du pontage, l'angine s'atténue généralement, l'apport de sang au cœur étant meilleur. Cependant, la principale raison qui pousse les cardiologues à le conseiller, c'est qu'il permet aux patients – particulièrement à ceux dont la maladie coronarienne touche plusieurs vaisseaux et dont le muscle cardiaque est affaibli – de vivre plus longtemps et de se sentir mieux. Pas si mal comme résultat !

Souvent, les patients craignent que leurs pontages ne durent pas. Effectivement, quand je fréquentais l'école médicale, avant que les hypocholestérolémiants ne soient systématiquement prescrits, on ne pratiquait que le pontage veineux. Au bout de dix ans, il ne tenait la route que dans 50 % des cas. Or, sur la même période, le pontage artériel peut tenir dans 90 % des cas. Aujourd'hui, les nouveaux médicaments, conjugués à des changements majeurs dans le mode de vie, augmentent davantage encore les chances qu'il reste fonctionnel.

Je ne saurais assez insister sur l'importance de prendre vos médicaments à la suite d'un pontage. C'est particulièrement vrai au bout de 5 à 10 ans, quand la crise médicale semble faire partie d'un passé distant et vague. Souvent, je vois des patients qui, au cours des dix années suivant leur pontage, n'ont jamais consulté leur cardiologue ou leur médecin et qui ne prennent plus le moindre médicament, pas même de l'AAS. Quiconque a subi un pontage ou une angioplastie, ou qui s'est vu prescrire un traitement médicamenteux pour soigner une maladie coronarienne doit prendre de l'AAS jusqu'à la fin de ses jours, en plus d'un hypocholestérolémiant.

♥ **Ce qu'il faut savoir :** Si vous, ou un membre de votre famille, avez subi un pontage, vous devrez prendre tous les jours un médicament tel que l'AAS ainsi qu'un hypocholestérolémiant afin de prévenir une recrudescence de la maladie.

Tous ne requièrent pas un pontage cardiaque ni ne satisfont nécessairement aux conditions requises pour cette intervention. Dans certains cas, les lésions ou la forme des artères coronaires ne le permettent pas. On peut comparer cela à des travaux de construction sur une autoroute passante. Si la voie de dérivation a été bien conçue, les voitures contourneront l'obstacle pour reprendre l'autoroute en aval. Cependant, si elle aboutit sur une piste cyclable, ça ne fonctionnera pas. De la même manière, le pontage cardiaque ne peut être pratiqué chez un sujet dont les vaisseaux distaux – c'est-à-dire ceux qui se trouvent en aval du rétrécissement principal – sont trop étroits pour permettre l'installation d'une dérivation.

QUI REÇOIT QUEL TRAITEMENT ?

Vous connaissez désormais tous les traitements cardiaques. Lequel convient à votre situation ? En fait, quiconque souffre de cardiopathie recevra l'un ou l'autre des trois traitements suivants : médicaments seuls, angioplastie (plus médicaments), intervention chirurgicale majeure (plus médicaments). La décision d'opter pour l'une ou l'autre de ces approches dépend de plusieurs facteurs.

En règle générale, si vous n'avez pas fait de crise cardiaque, mais avez reçu un diagnostic de maladie coronarienne, les médicaments seuls pourraient suffire, sauf si vous êtes sujet aux crises d'angine ou si les résultats de votre tomodensitométrie sont vraiment anormaux, ce qui laisserait supposer que votre risque s'est accru.

Si vous avez fait une crise cardiaque récemment, vous passerez probablement une coronographie et, si c'est indiqué, subirez une angioplastie ou un pontage cardiaque. Pour ce qui est de savoir laquelle de ces deux interventions on vous fera subir, il s'agit là une décision complexe. Si, à l'issue de la coronographie, la nature des rétrécissements ne permet pas de déterminer clairement celle qui serait appropriée, cardiologues et chirurgiens cardiaques se concerteront avant de proposer une solution. Quel que soit le traitement, vous devrez prendre des médicaments dans le but de prévenir une rechute.

Bien des gens croient que l'intervention chirurgicale et l'angioplastie sont supérieures aux médicaments pour le traitement de la cardiopathie chronique. Mais ce n'est pas toujours le cas. Nombre de mes patients ne nécessitent pas une telle intervention. En règle générale, plus on montre de tolérance au test du tapis roulant, moins les douleurs thoraciques sont débilitantes et plus la fonction du muscle cardiaque s'approche de la normale, plus il y a de chances que les médicaments seuls suffisent. Évidemment, cela doit être discuté entre le patient et son cardiologue. N'hésitez pas à questionner le vôtre à ce sujet.

Bien que ses résultats fassent l'objet d'un débat au sein du milieu médical, l'essai clinique COURAGE (*Clinical Outcomes Utilizing Revascularization and Aggressive Drug Evaluation*) a changé la manière dont bien des cardiologues pratiquent la médecine. Ainsi, pour traiter la sténose (rétrécissement) des artères coronaires, ils optent de préférence pour l'administration seule de médicaments plutôt que pour l'angioplastie. Les résultats de l'essai, qui a été mené auprès de plus de 2200 patients souffrant de maladie coronarienne stable (qui n'avaient pas fait de crise cardiaque récente), ont été présentés à l'occasion d'une conférence donnée en 2007 en Louisiane, et publiés simultanément dans le *New England Journal of Medicine*[59]. Tous avaient passé une coronarographie et étaient traités soit par une angioplastie avec médicaments, soit par les médicaments seuls. Or, les résultats indiquaient que les deux traitements étaient efficaces et que le taux de survie ainsi que le risque de faire une crise cardiaque ne différaient pas entre les deux. Soulignons que tous les patients prenaient des médicaments préventifs dans le but de faire baisser leur taux de cholestérol et leur pression artérielle, et que tous avaient apporté des changements significatifs dans leur mode de vie.

❤ **Ce qu'il faut savoir:** Les patients souffrant de cardiopathie recevront l'un ou l'autre des trois traitements suivants: médicaments, angioplastie (avec médicaments) et intervention chirurgicale (avec médicaments). Dans certains cas, les médicaments suffisent à traiter la maladie coronarienne. Cependant, si vous avez récemment fait une crise cardiaque, vous passerez probablement une coronarographie et, si nécessaire, subirez une angioplastie ou une intervention chirurgicale.

LE TRAITEMENT DE LA CRISE CARDIAQUE

Si je tiens à terminer ce chapitre par la crise cardiaque, c'est surtout parce que je veux mettre l'accent sur l'importance de réagir dans les plus brefs délais afin qu'elle soit traitée rapidement. En effet, le traitement dépend grandement de la promptitude avec laquelle le patient se rend à l'hôpital. Insistez auprès des membres de votre famille et de vos amis pour qu'ils disposent d'un plan d'urgence. La Fondation des maladies du cœur et de l'AVC conseille vivement aux Canadiens de composer sans délai le 9-1-1 ou le numéro local du service des urgences. Elle leur recommande également de suivre une formation en réanimation cardiorespiratoire (RCR) afin d'être en mesure de l'administrer à une personne qui s'effondrerait et ne semblerait plus avoir de réactions. Selon cet organisme, seulement 40 % des Canadiens qui ont reçu cette formation savent ce qu'il faut faire pour réanimer une personne ayant fait une crise cardiaque[60]. En réalité, la chose à faire, c'est d'appeler immédiatement les ambulanciers. Ne tenez pas compte du protocole habituel selon lequel vous devez «observer, écouter et sentir le pouls» ou des signes de respiration. Si vous connaissez la RCR, et plus de Canadiens devraient l'apprendre, concentrez-vous sur les mouvements de réanimation en «poussant fort et vite». Pour en savoir plus, consultez les directives publiées par la Fondation sur son site, à l'adresse http://www.fmcoeur.com/site/c.ntJXJ8MMIqE/b.3562123/k.835B/Maladies_du_coeur__Comment_r233animer_un_c339ur.htm

Si vous faites une crise cardiaque, le temps est crucial. N'attendez pas quelques jours ou quelques semaines pour vous en préoccuper. Les médecins doivent pouvoir intervenir d'urgence. Par conséquent, quiconque en fait une est, en quelque sorte, l'artisan de son destin; la clé pour obtenir de bons soins consiste à savoir reconnaître les symptômes.

La crise cardiaque se produit quand la «crasse» dans les artères (athérosclérose) devient instable et cherche à se développer. Elle attire les plaquettes sanguines qui s'y agglutinent pour former un caillot sanguin. Si le caillot n'est pas entièrement formé, la crise cardiaque qui en résulte est généralement considérée comme moins grave. Par contre, s'il est entièrement formé et perturbe le débit sanguin dans l'artère coronaire, la crise est plus grave; le traitement consiste alors à le dissoudre à l'aide de médicaments ou à désobstruer l'artère au moyen d'une angioplastie.

Cette intervention constitue une manière efficace de rétablir le débit sanguin à l'artère et on peut même y avoir recours durant une crise aiguë résultant de la présence d'un caillot dans l'artère, à la condition d'arriver à l'unité de cathétérisme à temps. Quand on la pratique durant une crise, l'angioplastie est dite primaire, dans la mesure où c'est effectivement le premier traitement dans une situation semblable.

Cependant, on ne connaît pas la nature de sa crise cardiaque avant d'arriver à l'hôpital. D'où l'importance de s'y rendre dans les plus brefs délais. Autrement dit, si vous éprouvez des symptômes qui donnent à penser que vous faites une crise cardiaque, composez le 9-1-1 aussitôt.

Les médicaments qui agissent en dissolvant le caillot sanguin (thrombolyse) peuvent être utiles si la crise est grave (on parle alors d'infarctus avec sus-décalage du segment ST), mais qu'on ne peut se rendre rapidement au service de cathétérisme. Si, par exemple, vous vivez dans un endroit reculé et si l'hôpital ne dispose pas d'un tel service, on vous en prescrira. L'activateur du plasminogène est l'un de ces médicaments. Parfois, les patients sont transférés d'un hôpital à un autre en vue de recevoir une angioplastie. Cependant, les résultats d'études indiquent que les médicaments thrombolytiques sont presque aussi utiles, sinon plus, qu'une angioplastie tardive.

En cas de crise moins grave (ou infarctus sans sus-décalage du segment ST), on pourrait vous administrer par intraveineuse ou injection un anticoagulant, par exemple de l'héparine (à noter toutefois que certaines formes d'héparine injectable ne sont pas appropriées pour les sujets souffrant de maladie rénale). Si, à l'issue d'un traitement de 48 heures, la douleur s'est calmée, mais que l'ECG et les analyses sanguines révèlent des anomalies, on pourrait vous faire passer une coronarographie et, possiblement, vous faire subir une angioplastie. On pourrait aussi vous faire passer un test sur tapis roulant afin d'évaluer votre fonction cardiaque à l'effort. Si, à la suite d'une crise cardiaque, ce test ou celui de la scintigraphie par perfusion (débit sanguin) indique des anomalies, le médecin pourrait prescrire une coronarographie, étant donné que le risque de problèmes futurs est alors élevé. Cependant, certains patients ne nécessitent pas de le passer si la prise en charge du risque peut se faire par les médicaments seuls.

Si, à la suite d'une crise cardiaque, on vous renvoie à la maison (ou un membre de votre famille) sans vous faire passer une coronarographie, demandez-en la raison au médecin. En principe, les spécialistes des maladies du cœur sont en mesure d'expliquer leurs décisions.

❤ **Ce qu'il faut savoir :** Si, à la suite d'une crise cardiaque, on vous renvoie à la maison (ou un membre de votre famille) sans vous faire passer une coronarographie, demandez-en la raison au médecin. En principe, les spécialistes des maladies du cœur sont en mesure d'expliquer leurs décisions.

Il serait négligent de ma part de ne pas dissiper les mythes concernant le traitement de la crise cardiaque. J'ai vu passer ou reçu des courriels au contenu discutable provenant d'amis bien intentionnés qui affirmaient connaître de bons trucs à propos des signes et symptômes de la crise cardiaque ou de l'AVC. Souvent, ils me sont transmis par ma mère ou ses amies, accompagnés de la question : « Est-ce bien vrai ? »

Certains sont carrément fous. Parmi les trucs proposés en cas de crise cardiaque, on conseille de s'asseoir dans des positions inhabituelles, de hoqueter ou de respirer profondément. Quand vous voyez passer un tel message, appuyez aussitôt sur le bouton « Effacer ». La crise cardiaque et l'AVC constituent des événements graves qui nécessitent une attention médicale immédiate. Si vous tenez à naviguer sur Internet afin d'obtenir une information utile sur les signes avant-coureurs et les symptômes, rendez-vous sur le site de la Fondation des maladies du cœur et de l'AVC à http://www.fmcoeur.qc.ca/site/c.kpIQKVOxFoG/b.3669861/k.4F95/Maladies_du_coeur__Les_signes_avant_coureurs_d8217une_crise_cardiaque.htm#mythes. En outre, consultez ma liste des choses à faire et à ne pas faire.

Liste des choses à faire

Si vous, ou l'un des vôtres, présentez les signes d'une crise cardiaque :

- Composez aussitôt le 9-1-1 ou votre numéro local du service des urgences ou demandez que quelqu'un le fasse pour vous.
- Gardez en tout temps près du téléphone une liste des numéros des membres de votre famille ou de vos amis ; les paramédicaux pourraient devoir communiquer avec eux en votre nom.
- Interrompez toute activité et asseyez-vous ou allongez-vous dans la position la plus confortable possible. Si vous conduisez, rangez-vous sur le bas-côté et coupez le contact de la voiture.
- Si l'on vous a prescrit de la nitroglycérine, prenez-en une dose normale. Si vous éprouvez des douleurs thoraciques et ne prenez normalement pas d'AAS, croquez ou avalez-en un comprimé pour adulte de 325 mg ou deux de 81 mg (faible dose). À noter que l'acétaminophène (connu sous le nom de Tylénol) et l'ibuprofène (Advil) n'exercent pas la même action que l'AAS. Seul ce dernier peut être utile en situation d'urgence.

Liste des choses à ne pas faire

- N'ignorez pas vos symptômes : ne conduisez pas votre fils à son entraînement de soccer plutôt que de vous rendre au service des urgences.
- Ne prétendez pas qu'il s'agit d'une indigestion, ce qui vous justifierait d'aller chercher votre mère à l'université du troisième âge plutôt que de vous rendre au service des urgences.
- Ne perdez pas de temps à débattre avec votre conjoint de la possibilité que votre malaise soit de nature cardiaque ; n'allez pas vous coucher après avoir pris un comprimé de Tums dans le but de soulager vos soi-disant brûlures d'estomac.
- N'envoyez pas un courriel à votre médecin pour lui dire que vous avez des douleurs thoraciques en attendant sa réponse.
- Ne décidez pas de revenir de la Floride en avion afin de vous faire examiner par votre médecin un ou deux jours plus tard, et ce, même si vous n'avez pas d'assurance-voyage.
- Ne remettez pas à la semaine suivante le rendez-vous avec votre médecin de famille sous prétexte que vous avez une présentation importante à faire au travail le lendemain.

Ces conseils peuvent sembler ridicules, mais ils sont tous tirés d'événements vécus. Même la personne la plus avisée pratiquera souvent le déni. Savoir quoi faire et le faire effectivement sont deux choses différentes.

Combien de fois ai-je rencontré des hommes et des femmes qui refusaient de faire face à leur cardiopathie ? Cela relève de la mentalité « loin des yeux, loin du cœur ». Moins ils pensent à leur santé cardiaque, plus ils sont enclins à croire que le problème disparaîtra. Évidemment, cette approche est toujours risquée.

Une de mes patientes, une infirmière de 57 ans et mère de deux grands enfants, s'est toujours dévouée pour les autres, tant au travail qu'à la maison. Toutefois, en dépit de sa formation, elle pratiquait le déni par rapport à sa santé. Elle souffrait du diabète de type 1 depuis des années et faisait de l'hypertension artérielle ainsi que des crises d'angine (douleurs thoraciques résultant d'une maladie coronarienne) à répétition. Bien que son état ait grandement limité ses activités, elle acceptait souvent de travailler de nuit, ne s'arrêtait jamais et ne tenait pas compte de ses facteurs de risque. Sa santé ne constituait tout simplement pas une priorité pour elle, celle de ses enfants ou de ses patients passant avant. De temps à autre, elle interrompait son traitement antidiabétique. Il lui arrivait parfois de prendre conscience de son problème et de veiller sur sa santé, mais elle finissait toujours par retomber dans ses mauvaises habitudes. Elle a même décidé un jour de cesser de prendre son hypocholestérolémiant. Or, quand on souffre de diabète, il importe de réguler son taux de cholestérol. C'est la goutte d'eau qui a fait déborder le vase. Ses douleurs thoraciques se sont d'abord intensifiées, après quoi elle a fait une crise cardiaque. C'est à ce moment-là que je l'ai rencontrée. Elle éprouvait beaucoup de remords, mais, malheureusement, ses lésions étaient irréversibles. Comme bien des gens, il lui a fallu traverser une crise de santé grave pour écouter les conseils qu'on lui avait prodigués des années auparavant.

J'espère que la lecture de ce livre vous convaincra de ne pas laisser une telle chose vous arriver. N'attendez pas la survenue d'un événement terrible avant d'agir. Armez-vous de l'information présentée dans ces pages, entamez le dialogue avec votre médecin, veillez sur votre santé, suivez votre traitement médicamenteux et, plutôt que d'ignorer vos symptômes, prenez-vous en mains.

Chapitre 11

LES TRAITEMENTS DE L'ARYTHMIE

«Ma fille de 21 ans s'est rendue à l'hôpital parce que son cœur battait trop vite. Les médecins disent qu'elle peut subir une ablation. En quoi cela consiste-t-il?»

Dans ce cas, il s'agissait de battements additionnels (extrasystoles), symptôme qui, selon son médecin, justifiait l'ablation. Cette intervention chirurgicale effractive consiste à corriger le court-circuit responsable de l'irrégularité rythmique. Il s'agit en fait de le brûler ou de le geler dans le but de le supprimer. Plus loin dans ce chapitre, nous aborderons les raisons qui font qu'un patient pourrait nécessiter l'ablation. Mais revoyons tout d'abord en quoi consiste l'arythmie. Cette affection, qui se manifeste par une perturbation de la fréquence cardiaque, est courante. Elle résulte d'une fréquence trop rapide ou trop lente, et peut être plus ou moins grave. Elle survient à toutes les époques de l'existence, mais l'arythmie bénigne est plus fréquente chez les jeunes adultes par ailleurs en santé. Les palpitations sont souvent bénignes. En fin de compte, certaines arythmies sont très graves.

LES PALPITATIONS BÉNIGNES

En règle générale, chez un sujet par ailleurs en santé qui ne présente pas de lésions au muscle cardiaque et ne s'évanouit pas en conséquence de battements additionnels (extrasystoles), les palpitations sont sans danger et ne nécessitent pas de traitement. Ce qui n'empêche pas qu'elles soient contrariantes. Quand je reçois des patients qui présentent une arythmie bénigne, je leur demande si cela les dérange ou les inquiète. Si c'est le cas, ils pourraient prendre un bêtabloquant ou un inhibiteur calcique afin d'atténuer le problème. Le premier bloque l'adrénaline et ralentit le pouls. Le second est un médicament cardiaque proprement dit, qui peut également ralentir le pouls. L'un et l'autre sont habituellement bien tolérés. On ne les considère pas comme des antiarythmisants, médicaments qui peuvent présenter des effets indésirables importants. Cela dit, je ne prescris généralement pas de médicament au patient qui vient de recevoir un diagnostic de palpitations bénignes. Je me contente d'abord de le rassurer et de lui conseiller d'attendre, et ensuite de voir si le problème le perturbe. Si, au bout de trois à six mois, les symptômes persistent et sont problématiques, alors je considérerai la possibilité de lui prescrire un médicament.

Par contre, si son arythmie est telle qu'elle provoque des évanouissements, il faudra la traiter. Le traitement dépendra de la nature de l'arythmie, c'est-à-dire si elle consiste en une fréquence trop lente (bradycardie) ou trop rapide (tachycardie). Discutons-en une à la fois.

LA FRÉQUENCE LENTE ET LE BLOC CARDIAQUE

Dans le cas d'une fréquence lente, les signaux électriques qui prennent leur origine dans la partie haute du cœur (oreillette) sont ralentis ou bloqués avant de parvenir dans la partie basse (ventricule). C'est ce qu'on appelle le bloc cardiaque. Le problème n'est pas toujours grave. Ainsi, en cas de bloc cardiaque de premier degré, la transmission des impulsions est simplement plus lente qu'à la normale, auquel cas il n'y a pas lieu de s'inquiéter.

Quant au bloc cardiaque de deuxième degré, il peut prendre deux formes. Le type 1 (ou périodes de Luciani-Wenckebach) consiste en une simple variation de la normale chez des sujets par ailleurs en santé. Le cœur ralentit temporairement, ce qui peut survenir même durant le sommeil. Par ailleurs, en cas de bloc de type 2, le système électrique du cœur présente un problème grave. Ce pourrait être le signe que les impulsions électriques ne se transmettent pas comme elles le devraient. S'il provoque des étourdissements ou des évanouissements, le stimulateur cardiaque pourrait être utile. On insère ce petit dispositif sous la peau dans la partie supérieure de la poitrine et on fixe ses fils sur le cœur, où ils déclenchent des impulsions électriques. Autrement dit, il provoque des battements cardiaques au profit du patient.

Le bloc de troisième degré, ou bloc total, consiste essentiellement en une interruption de la communication électrique entre les oreillettes et les ventricules. Généralement, il provoque des étourdissements ou l'évanouissement. Si c'est le cas, votre médecin vous conseillera de vous faire insérer un stimulateur cardiaque. Ce genre d'arythmie lente est plus fréquent chez les personnes âgées que chez les plus jeunes.

Insertion d'un stimulateur en cas de bloc cardiaque

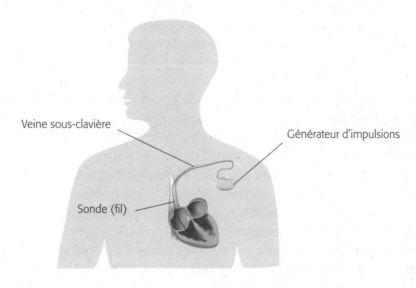

Veine sous-clavière

Générateur d'impulsions

Sonde (fil)

Monochambre

Double chambre

Sonde du ventricule droit

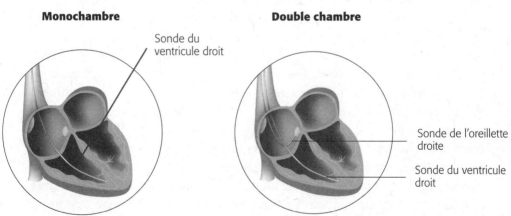

Sonde de l'oreillette droite

Sonde du ventricule droit

Le stimulateur est un appareil très sophistiqué qui perçoit ce qui se produit dans le cœur. Si le système électrique fonctionne bien, il se met en mode de veille, ne fonctionnant qu'au besoin. Son insertion représente une intervention plutôt mineure, en tout cas beaucoup moins importante qu'une opération à cœur ouvert.

LA FRÉQUENCE CARDIAQUE RAPIDE :
TACHYCARDIE SUPRAVENTRICULAIRE (TSV)

TSV est un terme générique désignant un groupe de troubles qui se caractérisent par une accélération de la fréquence cardiaque ou par des battements additionnels (extrasystoles) dans la partie haute du cœur (oreillettes). La plupart sont bénins, à l'exception de la fibrillation et du flutter auriculaires (voir les pages 209 et 212).

Le traitement de la TSV dépend de la nature du trouble et de la gravité des symptômes. Certains sont anodins, apparaissant et disparaissant rapidement. Le plus fréquent – une forme de court-circuit portant le nom de « tachycardie par réentrée intranodale » — provoque une accélération cardiaque qui peut entraîner un malaise léger ou des essoufflements. Si ces épisodes sont brefs et peu fréquents, nul traitement n'est nécessaire. Par contre, certains patients présentent des symptômes prononcés : ils s'évanouissent souvent, se sentent mal ou sont pris d'étourdissements. On traite cette forme de tachycardie par ablation, intervention qui consiste à supprimer le court-circuit à l'aide d'un cathéter, ou en administrant un médicament qui ralentira l'impulsion là où il se produit.

Un de mes patients, un retraité de 63 ans, est un homme actif et un cycliste passionné qui mène un mode de vie sain depuis qu'il a cessé de fumer il y a une dizaine d'années. Cependant, depuis quelques années, il fait de l'hypertension artérielle. Un jour qu'il se reposait à la maison en lisant et en écoutant de la musique classique, ses premiers symptômes d'arythmie sont apparus. Son cœur s'est soudainement mis à battre rapidement, phénomène qui s'est poursuivi quelques heures. Il n'a pas perdu connaissance, mais ses palpitations reprenaient en moyenne tous les dix jours. Je lui ai demandé de porter un enregistreur ambulatoire de longue durée (voir chapitre 7) afin d'évaluer son arythmie sur une période donnée. En fin de compte, il s'est affaibli en conséquence de son arythmie, bien sûr, mais également du fait que son hémodynamique était compromise; comme son cœur battait trop rapidement pour pomper efficacement le sang, son cerveau n'en recevait pas suffisamment. Comme le problème nuisait à sa qualité de vie, il a subi l'intervention et, depuis, se porte bien et ne présente plus de symptômes.

Contrairement à ce patient, vos symptômes de TSV pourraient être peu fréquents. Dans ce cas, on a généralement recours à la «pilule de secours». Autrement dit, pour prévenir les épisodes sporadiques de TSV, il n'est pas nécessaire de prendre un médicament à long terme. On prendra plutôt un bêtabloquant, un inhibiteur calcique, voire un antiarythmisant, dès que la fréquence cardiaque s'accélère, pour essayer de «casser» l'arythmie. Comme bien des TSV sont associées à un court-circuit se produisant au niveau du nœud AV du cœur, tout ce qui peut ralentir ou supprimer le court-circuit à cet endroit – qu'il s'agisse d'un médicament ou d'une autre intervention – sera utile. Parfois, il suffit de recourir à certaines manœuvres simples. Comme nous l'avons vu au chapitre 5, le nerf vague agit dans l'organisme comme le signal ARRÊT, c'est-à-dire qu'il ralentit le pouls. Il peut également affecter le nœud AV. Vous pouvez accroître son activité en poussant, comme si vous déféquiez, ou en vous hyperventilant dans un sachet de papier.

LA FIBRILLATION AURICULAIRE (OU ATRIALE)

Cette affection potentiellement grave se caractérise par des battements irréguliers et désordonnés. Elle est associée à divers troubles (voir chapitre 9), dont l'apnée du sommeil et une affection de la valvule mitrale, de même qu'à l'hypertension, qui crée une pression substantielle dans le ventricule gauche et, en retour, pourrait provoquer l'hypertrophie de l'oreillette gauche. Ce dernier problème accroît le risque d'irrégularité des battements. La fibrillation auriculaire peut entraîner des conséquences graves, notamment un AVC résultant de la formation d'un caillot dans la partie haute du cœur. Le caillot peut se détacher du cœur et migrer à travers l'aorte vers les vaisseaux sanguins du cerveau, y perturbant le débit sanguin et provoquant l'attaque cérébrale.

❤ **Ce qu'il faut savoir:** Si vous, ou l'un des membres de votre famille faites de la fibrillation auriculaire, l'AVC constitue votre risque le plus redoutable. Demandez à votre médecin si vous êtes à risque et si vous devriez prendre un anticoagulant.

Dans le but de prévenir la formation d'un caillot, de nombreux patients souffrant de fibrillation auriculaire doivent prendre un anticoagulant, le plus connu étant la warfarine (ou Coumadin). Croyez-le ou non, ce médicament a d'abord été utilisé comme poison à rat, mais, aujourd'hui, il est réputé sans danger et efficace. Cependant, si vous en prenez, vous devrez passer régulièrement une analyse sanguine afin d'évaluer son efficacité, la dose requise variant d'un sujet à l'autre. Son rayon d'action étant relativement étroit, l'analyse sanguine déterminera s'il éclaircit adéquatement le sang : trop peu, le risque de faire un caillot sanguin et un AVC restera le même ; trop, il risque de provoquer des saignements. En outre, comme la warfarine interagit avec divers aliments et médicaments, il importe que vous consultiez votre pharmacien et votre médecin à ce sujet.

❤ **Ce qu'il faut savoir :** si vous prenez de la warfarine pour combattre la fibrillation auriculaire, il est essentiel que vous passiez régulièrement une analyse sanguine afin d'en faire évaluer l'efficacité.

Un de mes patients, un homme de 46 ans, présente un problème de surpoids ainsi qu'une pression artérielle et un taux de cholestérol élevés. Ses symptômes se sont d'abord manifestés par des essoufflements, qui se sont révélés être causés par l'arythmie plutôt que par une maladie coronarienne. Un jour, il s'est précipité au service des urgences après avoir perdu soudainement la vue. Il venait de faire un accident ischémique transitoire (AIT). Cela se produit quand le débit sanguin vers le cerveau est perturbé brièvement. Pour les médecins, il s'agit là d'un coup de semonce annonçant l'AVC. On a diagnostiqué la fibrillation auriculaire et depuis, il prend un anticoagulant. Cependant, j'ai estimé que la warfarine n'était pas indiquée dans son cas. C'est un homme agréable, mais il n'aime pas consulter les médecins et aurait pu omettre de passer les analyses sanguines requises. Nous lui avons donc prescrit un nouveau médicament qui le protège contre l'AVC mais ne nécessite pas de surveillance. On a démontré l'efficacité de cette nouvelle famille d'anticoagulants au cours d'études menées auprès de grands groupes de sujets. Cependant, contrairement à la warfarine, on doit les prendre, du moins certains d'entre eux, plus fréquemment, c'est-à-dire deux fois par jour plutôt qu'une. Bref, depuis qu'il prend son médicament et fait des efforts pour perdre du poids et changer son mode de vie, mon patient court nettement moins de risques de faire un AVC.

Vous devriez toujours connaître le nom des médicaments que vous prenez, quels qu'ils soient, et vous assurer que les membres de votre famille les connaissent également. En outre, gardez en tout temps dans votre porte-monnaie un carton sur lequel figure cette information. En cas d'accident ou d'urgence, les médecins doivent savoir si vous prenez des médicaments qui pourraient présenter un risque en cas d'intervention chirurgicale. Les anti-coagulants, tout particulièrement, peuvent accroître le risque de saignements. Comme il n'existe aucune analyse sanguine permettant de détecter les nouveaux anticoagulants, les médecins doivent savoir si vous en prenez.

On évalue l'activité de la warfarine à l'aide d'une analyse sanguine portant le nom de « rapport international normalisé (RIN) », qui mesure le degré de coagulation du sang. Chez les sujets souffrant de fibrillation auriculaire et en l'absence de toute autre maladie du cœur ou de trouble des valvules, le rapport devrait être de 2 à 3. À moins de 2, le sang n'est pas suffisamment clair et le risque d'AVC est élevé. À plus de 3, le risque de saignements est légèrement plus élevé. Il faut tenir compte de certaines subtilités dans ce rapport : ainsi, je dis à mes patients qu'un RIN de 1,8 n'est pas acceptable tandis qu'un de 3,1 pourrait l'être. Quand un patient commence à prendre de la warfarine, je lui demande habituellement de passer un RIN toutes les semaines, puis, si le rapport est stable, toutes les deux semaines et, enfin, une fois par mois. Si, à l'usage, le rapport ne s'écarte pas de la fourchette de 2 à 3, une analyse tous les quelques mois pourrait suffire. Cependant, il n'est pas acceptable de prendre ce médicament sans passer une analyse sanguine périodique.

Les résultats d'études indiquent que, chez les sujets de plus de 65 ans, particulièrement chez les femmes, les anticoagulants contribuent plus que l'AAS à diminuer le risque d'AVC. Cependant, ils ne sont pas nécessairement indiqués aux personnes frêles qui chutent souvent et, en conséquence, présentent un risque élevé de saignements. En outre, les sujets de moins de 50 ans qui sont par ailleurs en santé n'ont pas non plus besoin de prendre de la warfarine. Dans leur cas, la fibrillation auriculaire est dite « isolée » et une dose quotidienne de 325 mg d'AAS suffira à réduire leur risque d'AVC.

Cependant, si vous avez fait un AVC, mineur ou majeur, vous devez absolument prendre un anticoagulant, qu'il s'agisse de warfarine ou d'un nouveau médicament ne nécessitant pas de surveillance. Vous devrez également en prendre si : en plus de la fibrillation auriculaire, vous souffrez de valvulopathie (en conséquence, par exemple, d'une fièvre rhumatismale) ;

vous êtes âgé et faites de l'hypertension; vous souffrez de diabète ou d'insuffisance cardiaque congestive. Comme toujours, discutez-en avec votre médecin.

Je dois ajouter que, en dépit de toutes les avancées médicales, le traitement de la fibrillation auriculaire constitue un énorme problème et présente de nombreuses failles. Les résultats d'études récentes indiquent que seulement 10 % des patients qui ont fait un AVC et sont sous warfarine prennent des doses thérapeutiques, c'est-à-dire efficaces. Autrement dit, chez 90 % de ceux qui en prennent, le sang est encore trop épais. Le tiers de tous les patients ayant fait un AVC ne se voient pas prescrire un anticoagulant alors que ce devrait être le cas[61].

En plus du risque d'AVC, la fibrillation peut affecter la qualité de vie. Si vous manquez de souffle, éprouvez de la fatigue ou avez le sentiment que votre cœur s'emballe, vous pourriez devoir prendre un médicament tel qu'un bêtabloquant ou un inhibiteur calcique, qui ralentira votre fréquence cardiaque et contribuera à votre bien-être. Si cette affection entraîne de sérieuses limitations, c'est-à-dire des symptômes plus graves, on pourrait vous prescrire un antiarythmisant (par exemple de l'amiodarone), médicament plus puissant qui régule la fréquence cardiaque. Que vous le preniez dans le but de ralentir votre fréquence ou d'en préserver la normalité, vous devrez tout de même poursuivre votre traitement anticoagulant afin de réduire votre risque d'AVC.

Si votre qualité de vie est sérieusement compromise et si les médicaments s'avèrent inefficaces, alors l'ablation pourrait être indiquée. Cette intervention consiste à supprimer le court-circuit qui provoque l'irrégularité des battements en brûlant ou gelant certaines parties de l'oreillette. Comme elle peut être complexe et longue, on la déconseille à la majorité des patients souffrant de fibrillation auriculaire. Par ailleurs, on la prescrit plus souvent à ceux qui présentent un flutter auriculaire, proche parent de la fibrillation. Dans ce cas, elle se révèle très utile, en plus d'être moins complexe.

LE FLUTTER AURICULAIRE (OU ATRIAL)

Tout comme la fibrillation auriculaire, le flutter consiste en une irrégularité grave de la fréquence cardiaque qui accroît le risque d'AVC chez certains patients. Dans ce cas, les battements irréguliers se produisant dans la partie haute du cœur sont moins désorganisés. Par conséquent, on peut le traiter plus facilement par l'ablation, intervention fréquemment effectuée dans les centres cardiaques spécialisés. Toutefois, cette dernière n'est pas toujours nécessaire, notamment si le patient ne présente aucun symptôme. Parfois, si vous souffrez d'un flutter auriculaire et d'hypertension, les antihypertenseurs pourraient suffire à réguler la fréquence cardiaque. Quoi qu'il en soit, tout comme pour la fibrillation auriculaire, les patients ayant reçu un diagnostic de flutter doivent prendre un anticoagulant.

LA CARDIOVERSION

En cas de fibrillation ou de flutter auriculaire, le médecin décidera soit de ralentir votre fréquence cardiaque ou de la maintenir dans la normalité. Le processus qui consiste à faire passer la fréquence d'un état anormal à l'état normal porte le nom de «cardioversion». On le déclenche par des médicaments (cardioversion chimique ou médicamenteuse) ou des décharges électriques (cardioversion électrique).

Ce sont les antiarythmisants que l'on prescrit généralement à cette fin. Bien que ces médicaments soient généralement sans danger et utiles, ils peuvent provoquer des effets secondaires de nature à accroître légèrement le risque de souffrir d'un autre trouble rythmique. Dans ce cas, on a recours aux décharges électriques. La cardioversion électrique constitue d'ailleurs le traitement d'urgence pour ceux qui présentent une arythmie grave ayant pour conséquence de faire chuter leur pression artérielle. Par contre, si l'arythmie est chronique, la cardioversion électrique différée est souvent indiquée.

Malgré son aspect terrifiant, la cardioversion électrique s'avère somme toute plus sécuritaire que la cardioversion chimique à médicaments multiples. Quant à savoir si elle est indiquée dans votre cas, cela dépend de divers facteurs relatifs à votre affection et dont vous devrez discuter avec vos médecins. En tout état de cause, si votre cardiologue vous la conseille, sachez qu'il s'agit là d'une intervention d'un jour que l'on pratique couramment et dont on a démontré l'efficacité. Vous devrez vous abstenir de manger ou de boire quoi que ce soit à compter de minuit. Quand vous vous présenterez à l'hôpital le lendemain, vous recevrez un sédatif léger (il ne s'agit pas d'un anesthésique puissant), puis on vous administrera des décharges électriques à travers la poitrine et le cœur dans le but de ramener votre fréquence cardiaque à la normale.

LA TACHYCARDIE VENTRICULAIRE

La tachycardie ventriculaire (TV) se caractérise par des battements rapides provenant de la partie basse du cœur, soit des ventricules. Si votre médecin découvre que vous en faites, vous devrez consulter un cardiologue.

Cette affection n'est pas toujours grave: si le cœur est par ailleurs normal, il pourrait s'accommoder de ces battements rapides additionnels (extrasystoles). J'ai des patients qui en souffrent, mais ne présentent aucun symptôme. Dans ce cas, nul traitement majeur n'est nécessaire; il leur suffit parfois de prendre un bêtabloquant.

Cependant, cette tachycardie est habituellement plus préoccupante. Quand le cœur bat très rapidement, il n'est pas toujours en mesure de pomper le sang vers le reste de l'organisme, ce qui peut provoquer un évanouissement, voire un arrêt cardiaque; autrement dit, il cesse de battre. Dans ce cas, une mesure d'urgence telle que le recours à un défibrillateur externe ou interne (voir page 215) peut sauver la vie du patient.

Si le muscle cardiaque est affaibli, la tachycardie ventriculaire peut constituer un signe avant-coureur d'un problème à venir, même si le sujet se sent plutôt bien. Dans ce cas, l'implantation d'un défibrillateur pourrait lui être utile, étant donné que son arythmie risque de causer sa mort subite.

LA FIBRILLATION VENTRICULAIRE

La fibrillation ventriculaire est l'une des arythmies les plus graves qui soient. Elle se caractérise par une fréquence cardiaque rapide et désordonnée en provenance de la partie basse du cœur. Comme elle est associée à un déficit d'apport en sang, c'est également une cause courante d'arrêt cardiaque. Le traitement consiste à administrer des décharges électriques en vue de ramener la fréquence à la normale. Voilà pourquoi les endroits animés tels que les aéroports disposent de défibrillateurs. Ces appareils peuvent sauver la vie de ceux qui souffrent de ce trouble rythmique.

LE DÉFIBRILLATEUR IMPLANTABLE

Ce dispositif ramène la fréquence cardiaque à la normale, qu'elle soit trop lente ou trop rapide. Implanté sous la peau, il est muni d'électrodes qui sont reliées aux veines du cœur. Bien qu'il ressemble au stimulateur cardiaque, il tient plus de l'ordinateur intelligent et de la pile. Il laisse passer le courant électrique dans les fils menant au cœur, ce qui aura pour effet de provoquer des décharges électriques qui mettront un terme à une perturbation grave de la fréquence. Il tient également lieu de stimulateur et, par conséquent, peut accélérer la fréquence d'un cœur trop lent.

> Parfois, le défibrillateur peut corriger une fréquence cardiaque trop rapide sans avoir recours à des décharges électriques. On parle alors d'«entraînement électro-systolique rapide», c'est-à-dire que l'appareil fonctionne très rapidement dans le but de ramener la fréquence à la normale. De fait, la plupart des défibrillateurs produiront d'abord cet effet avant d'administrer des décharges électriques, et ce dans le but de minimiser la douleur. Car il faut reconnaître que, bien qu'inoffensives, les décharges peuvent s'avérer douloureuses.

Habituellement, on implante un défibrillateur chez les sujets qui ont subi un arrêt cardiaque et sont à risque d'en faire un autre, ou chez ceux qui ont fait une crise grave ayant pour conséquence d'affaiblir leur muscle cardiaque. Comme je l'ai mentionné au début de ce livre, pour désigner la fonction du muscle cardiaque, on parle de «fraction d'éjection», soit le pourcentage de sang qui est éjecté du cœur à chaque battement. En règle générale, le défibrillateur implantable est utile chez ceux dont la fraction d'éjection est de moins de 30 % c'est-à-dire ceux qui, en cas de crise cardiaque antérieure, courent plus de risque d'en faire une autre. Chez ces sujets, le risque de faire une arythmie reste élevé, même des années après la crise.

Le défibrillateur implantable est déconseillé à ceux qui font une insuffisance cardiaque congestive grave (voir chapitre 12) ou dont la crise cardiaque est récente. On ne l'implante pas non plus aux patients souffrant d'une autre maladie. On doit laisser passer quelques mois à la suite de la crise, jusqu'à ce que l'état de santé du patient se stabilise et que les médicaments agissent. Si vous, ou un membre de votre famille avez déjà fait une crise grave ayant entraîné des lésions à votre muscle cardiaque, même si cela s'est produit il y a des années, demandez à votre cardiologue s'il serait opportun de vous faire implanter un défibrillateur.

Comme toujours, il est essentiel de discuter avec votre médecin des meilleurs moyens de traiter votre arythmie. Explorez les solutions à votre disposition et considérez sérieusement toutes les thérapies que vous propose votre cardiologue. Si vous présentez des troubles rythmiques, vous devrez, dans certains cas, prendre des médicaments ou subir des traitements qui pourraient vous sauver la vie et prévenir le pire. Dans d'autres cas, vous devrez prendre les moyens d'atténuer vos palpitations afin d'améliorer votre qualité de vie. D'une manière ou d'une autre, la médecine moderne peut vous aider. Les avancées dans ce domaine sont chose quotidienne.

Chapitre 12

TRAITEMENT DE L'INSUFFISANCE CARDIAQUE

«J'ai reçu un diagnostic d'insuffisance cardiaque congestive,
ce qui me paraît irrémédiable et sans espoir.
Ai-je vraiment le pouvoir d'agir?»

L'insuffisance cardiaque congestive (ICC) est une maladie grave qui touche des millions de personnes à travers le monde. Par conséquent, vous n'êtes pas le seul à en souffrir. Si elle n'est pas traitée, elle présente des risques élevés, mais, heureusement, on peut la contrer au moyen de médicaments et d'un changement dans son mode de vie. À la suite d'une crise cardiaque, les parties détruites du muscle ne retrouvent habituellement pas leur fonction, ce qui accroît le stress sur les parties saines et, par conséquent, contribue davantage à affaiblir le cœur. Cependant, certains médicaments peuvent atténuer le problème et prévenir ce qu'on appelle le «remodelage» du cœur ou, en d'autres mots, son hypertrophie progressive.

Dans les pages qui suivent, nous verrons l'éventail des traitements qui sont à la disposition des insuffisants cardiaques. Pour plus d'information, je vous encourage à télécharger *Le contrôle de l'insuffisance cardiaque*, un excellent petit guide de la Fondation des maladies du cœur et de l'AVC du Canada, à l'adresse www.fmcoeur.qc.ca.

Voyons d'abord les différentes formes d'ICC. Quand le muscle cardiaque est affaibli, on parle d'insuffisance cardiaque systolique. La plupart du temps, l'affaiblissement résulte d'une crise cardiaque. Plus rarement, l'ICC est attribuable à des problèmes tels que le diabète, l'hypertension artérielle, l'abus d'alcool ou de drogues, ou à des lésions ou un dysfonctionnement des valvules cardiaques. Quelle que soit la cause, la prise en charge de la maladie est généralement la même. Le traitement comprend les médicaments appropriés – diurétiques, IECA et bêtabloquants – ainsi qu'une restriction de sel et d'eau. Le médecin déterminera également si le patient peut subir des interventions complexes telles que la resynchronisation cardiaque (voir page 221), l'implantation d'un défibrillateur, voire la transplantation. Si, en plus de faire de l'insuffisance cardiaque, vous souffrez d'une maladie coronarienne, il pourrait également être nécessaire de traiter cette dernière par angioplastie ou pontage.

Quand le cœur est rigide plutôt qu'affaibli, on parle d'insuffisance cardiaque diastolique. Cette affection est souvent associée à l'hypertension artérielle. Les patients qui en souffrent risquent les hospitalisations multiples, voire la mort. Ils doivent surveiller leur poids, leur apport en sel et en eau, et leur pression artérielle[62]. Selon les résultats de diverses études, il est moins certain que des médicaments spécifiques tels que les IECA et les bêtabloquants peuvent améliorer le pronostic de l'insuffisance diastolique.

SURVEILLEZ VOTRE APPORT EN SODIUM

Commencez par surveiller votre apport en sel et votre poids. Les femmes savent généralement que si elles font de la rétention d'eau et de sel durant leurs règles, leur poids augmente. C'est vrai aussi de l'insuffisance cardiaque, dans la mesure où cette affection favorise la rétention d'eau et de sel. Le gain de poids est d'ailleurs l'un des premiers signes de cette affection. On peut le remarquer avant même de voir le moindre signe d'enflure ou de difficulté à respirer en conséquence d'une accumulation de liquide dans les poumons. Je dis habituellement à mes patients que si leur poids s'accroît de 1,4 kg en deux jours, il est peu probable que cela soit dû à une ingestion excessive de gras ou de calories. Ce serait plutôt attribuable à la rétention de sel et d'eau.

....

♥ **Ce qu'il faut savoir :** Le traitement de l'insuffisance cardiaque consiste à apporter des changements majeurs à son mode de vie et à prendre les médicaments prescrits pour cette affection. Si vous en souffrez, il est essentiel que vous surveilliez votre apport en sel et votre poids.

....

D'une certaine manière, le sel peut pousser le cœur à bout. Quand il est affaibli, il peut, en l'absence d'insuffisance cardiaque, compenser le problème.

Cependant, la consommation de sel peut entraîner une décompensation et, en conséquence, l'insuffisance.

En plus de jeter la salière (ou de la soustraire à votre vue) à la maison, vous devrez restreindre votre penchant pour les produits transformés et préparés qui sont riches en sel, notamment les charcuteries et les aliments marinés ou en saumure. Il y a quelques années, un patient a été admis à l'hôpital pour insuffisance cardiaque. Nous n'arrivions pas à déterminer la cause de son affection jusqu'au moment où nous avons fait une évaluation approfondie. Il se trouve que sa femme, qui préparait normalement ses repas, s'était absentée un mois dans le but de visiter sa sœur dans une autre ville. Au lieu de se faire à manger, mon patient avait décidé de commander des plats à emporter au moins deux fois par semaine, sa préférence allant à la pizza, aux mets chinois et au poulet barbecue, qui renferment tous de grandes quantités de sel, tellement qu'il a commencé à faire de l'insuffisance.

La plupart des gens ne s'arrêtent pas pour y réfléchir, mais les plats qu'on sert dans les restaurants-minute renferment une quantité phénoménale de sel. On pense, bien sûr, aux frites et aux burgers, mais c'est aussi le cas de bien d'autres plats ou boissons. Ainsi, une portion de soda, même de régime, en comprend 30 à 100 mg, ce qui est beaucoup. Le poulet et la sauce barbecue en renferment des quantités considérables. On recommande à quiconque souffre de cardiopathie de ne pas dépasser les 1500 mg par jour, mais, en cas d'insuffisance, ce devrait être encore moins. Or, la plupart des Canadiens en ingèrent 3400 mg par jour.

En plus de limiter votre apport en sel et de surveiller votre poids, vous devrez adopter une alimentation riche en fibres, les diurétiques que vous prenez causant de la constipation.

LES MÉDICAMENTS ESSENTIELS

Les patients souffrant d'insuffisance cardiaque prennent généralement un ou la totalité des médicaments suivants : diurétique, bêtabloquant et soit un inhibiteur de l'enzyme de conversion de l'angiotensine (IECA), soit un antagoniste des récepteurs de l'angiotensine II (ARA-II), en plus de la digoxine. Avant toute chose, demandez à votre médecin de famille lequel de ces médicaments vous devriez prendre et à quelles doses. Ce qu'il vous prescrira dépendra de facteurs qui peuvent changer au fil du temps ; par exemple si votre poids fluctue, il faudra peut-être ajuster la médication.

Les diurétiques – dont le furosémide, connu sous le nom de Lasix – combattent la rétention d'eau. Les bêtabloquants bloquent la décharge d'adrénaline au cœur et ralentissent le pouls, ce qui peut favoriser la guérison du muscle cardiaque. Les IECA s'opposent à la production par l'organisme d'une substance hypertensive et peuvent aider le cœur à se «remodeler». Les ARA-II exercent une action similaire; ils sont prescrits à ceux qui tolèrent mal les IECA (chez certains, ils provoquent une toux sèche). La digoxine, ou digitale, renforce légèrement le muscle cardiaque et permet à certains patients souffrant d'insuffisance d'éviter l'hospitalisation.

....

❤ **Ce qu'il faut savoir:** Les médicaments prescrits pour l'insuffisance cardiaque, qui comprennent des diurétiques et des IECA, peuvent prolonger votre existence et améliorer votre bien-être. Si vous souffrez de cette maladie, ne manquez pas de renouveler vos ordonnances à temps. Ne modifiez jamais ni n'interrompez votre traitement médicamenteux sans en parler à votre médecin.

....

Soulignons que certains médicaments – notamment les antiinflammatoires – peuvent causer la rétention de sel et d'eau et, par conséquent, ne sont habituellement pas prescrits aux patients faisant de l'insuffisance cardiaque. Si vous souffrez de cette affection, ne laissez personne vous prescrire un médicament contre l'arthrite sans en avoir d'abord parlé à votre cardiologue.

À noter que, en dépit du fait que l'insuffisance cardiaque soit répandue et puisse être prise en charge par un médecin de famille, c'est une maladie complexe qui devrait être évaluée par un cardiologue d'expérience. Il existe d'ailleurs en Amérique du Nord plusieurs cliniques se spécialisant dans cette affection et prodiguant leurs soins à de nombreux patients. Les statistiques indiquent que ceux qui les fréquentent régulièrement se sentent généralement mieux, vivent plus longtemps et risquent moins la réhospitalisation[63]. Par ailleurs, des données récentes indiquent que, dans certaines parties du Canada, on adresse moins les femmes que les hommes à des spécialistes de l'insuffisance cardiaque[64]. En vous montrant proactive, vous minimiserez les failles potentielles dans les soins que vous, ou l'une de vos proches recevrez.

❤ **Ce qu'il faut savoir :** Si, à la suite d'un diagnostic d'insuffisance cardiaque, votre prise en charge n'est assurée que par votre médecin de famille, demandez à ce qu'on vous adresse à un spécialiste, ne serait-ce que pour une évaluation.

Si vous faites de l'insuffisance cardiaque et de la fibrillation auriculaire, vous recevrez un traitement médicamenteux ou des décharges électriques dans le but d'améliorer vos contractions cardiaques. La fibrillation auriculaire, qui consiste en battements irréguliers et désorganisés, est une cause fréquente d'insuffisance chez ceux dont le muscle cardiaque est affaibli, rigide ou épaissi. Le débit cardiaque, c'est-à-dire le volume de sang éjecté par le cœur, dépend à 40 % de la contraction normale des oreillettes. Cependant, en cas de fibrillation auriculaire, ces dernières ne se contractent pas régulièrement. Par conséquent, la pompe cardiaque peut perdre jusqu'à 40 % de son efficacité.

LES THÉRAPIES DE HAUTE TECHNOLOGIE

La resynchronisation cardiaque est une nouvelle intervention destinée à traiter les patients souffrant d'insuffisance. On l'a associée à une amélioration de la qualité de vie, sans compter qu'elle pourrait prolonger l'existence des patients présentant des lésions graves au muscle cardiaque et ne répondant pas aux autres traitements. Il ne s'agit pas d'un traitement médicamenteux, mais d'un dispositif qui a essentiellement recours aux fils du stimulateur cardiaque pour améliorer l'action de la pompe. Quand le muscle est affaibli, il arrive que les impulsions électriques soient différées, causant des problèmes au niveau de la pompe mécanique. Pour la resynchronisation, on insère habituellement les fils du stimulateur cardiaque en trois points différents du cœur ; ils se mettront en activité chaque fois que les impulsions sont différées. Autrement dit, ils stimulent l'activité électrique du cœur.

Si votre muscle cardiaque est extrêmement affaibli, vous pourriez être un bon sujet pour l'implantation d'un défibrillateur, à la condition que votre état soit stable depuis au moins six mois à l'issue de votre dernier épisode d'insuffisance. Bien qu'il ne traite pas l'insuffisance comme telle, il peut aider ceux qui en souffrent à survivre à une arythmie grave. On l'insère dans la poitrine, sous la peau. Quand il détecte un ralentissement, une perturbation ou une accélération de la fréquence cardiaque, il envoie des décharges électriques au cœur afin de rétablir la fréquence normale.

Stimulateur biventriculaire pour resynchronisation cardiaque

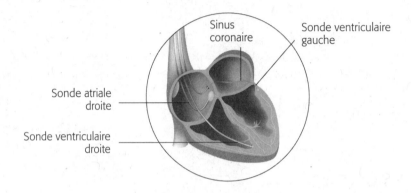

Certains patients souffrant d'insuffisance cardiaque ne nécessitent pas une telle intervention; ils pourront plutôt se contenter de prendre des médicaments et d'apporter les changements qui s'imposent à leur mode de vie. À la condition, bien sûr, qu'ils ne décident pas de prendre les choses en mains. Je me souviens de cette adorable patiente de 67 ans, qui vivait seule et ne s'était jamais mariée, mais bénéficiait du soutien solide de son groupe d'amis. Malheureusement, elle ne maîtrisait pas ses facteurs de risque de maladie cardiovasculaire. Elle était en surpoids et faisait de l'hypertension. Ce qui me préoccupait encore plus, c'est qu'elle avait cessé de prendre son antihypertenseur deux ans avant que je la rencontre. Elle disait en avoir assez des pilules. À mon avis, elle devait croire que le médicament ne changeait rien à son état. C'est souvent le cas des patients qui décident d'interrompre leur traitement médicamenteux: comme ils ne «voient» pas la maladie qu'il est censé prévenir, ils en concluent erronément qu'ils ne présentent aucun problème médical. Bref, son médecin de famille me l'a adressée, suspectant qu'elle faisait de l'insuffisance cardiaque congestive. Elle avait vu juste. La patiente présentait les symptômes habituels de la maladie, notamment des essoufflements, particulièrement quand elle était couchée, des ballonnements et une très grande fatigue. Son état m'inquiétait, sa fraction d'éjection – mesure de la capacité du cœur à pomper le sang – n'étant que de 20 % soit moins de la moitié de ce qu'elle aurait dû être. Quand je l'ai reçue, j'ai voulu l'hospitaliser, mais elle a refusé. Nous avons donc dû négocier ses soins. J'ai insisté pour qu'elle prenne son médicament, limite son apport en sodium et revienne me voir au bout d'une semaine. Six mois plus tard, elle continuait de respecter religieusement mes consignes, si bien que sa fonction cardiaque était désormais presque normale. Elle n'aime toujours pas prendre des pilules, mais, avec l'aide de son groupe de soutien – une bonne amie, son médecin de famille et moi-même – elle prend en charge son affection du mieux qu'elle le peut. Ce qui compte, c'est qu'elle prend son médicament et, ainsi, respecte le marché que nous avons conclu. En conséquence, elle contribue à prolonger son existence et mène une vie plus saine.

Chapitre 13

LES OPÉRATIONS VALVULAIRES

«Ma mère présente un rétrécissement de la valvule aortique
et les médecins disent qu'elle doit subir une opération.
S'agit-il d'un pontage?»

Pas exactement. Il y a certes des similitudes entre l'opération valvulaire
et le pontage, ces deux interventions ayant le potentiel de sauver la vie
du patient. Dans les deux cas, il s'agit également d'une opération à cœur
ouvert qui, comme telle, ne doit pas être prise à la légère. Quiconque subit
une intervention d'une telle magnitude doit se préparer à des semaines,
voire des mois de convalescence. Si on vous a déjà sectionné la cage thoracique dans le but de pratiquer une intervention, vous savez de quoi je parle:
c'est comme si un gros camion vous était passé sur le corps.

L'idée vous paraîtra peut-être terrifiante, mais on devra probablement
arrêter votre cœur de pomper le sang afin que le chirurgien puisse pratiquer l'opération. Mais il n'y a pas lieu de vous inquiéter: l'équipe chirurgicale a les choses bien en mains. Pour vous aider à en comprendre la raison,
imaginez que vous essayez de dessiner un trait droit sur un objet en perpétuel mouvement. C'est pratiquement impossible. L'objet doit être immobile.
La même chose vaut pour le cœur. Bien qu'on effectue certaines opérations
sur un cœur battant, la plupart du temps, il faut l'endormir. Pendant ce
temps, le sang de l'organisme est dérivé vers le cerveau au moyen d'une
pompe mécanique.

Il existe deux principales formes d'opération valvulaire: l'aortique et la
mitrale. L'une et l'autre sont relativement courantes. Si vous, ou l'un de vos
proches, devez subir ce genre d'opération (ou toute autre intervention), on

devra évaluer les autres problèmes potentiels. Par exemple, si vous êtes relativement âgé et possiblement à risque de maladie coronarienne, on pourrait vous faire d'abord passer une coronarographie. Ce test effractif, qui mesure le débit sanguin vers le cœur, permet de savoir si le patient présente des rétrécissements ou des obstructions dans les artères. Dans le cas de l'opération valvulaire, le chirurgien doit pouvoir déterminer s'il pratiquera un pontage coronaire en même temps, afin de corriger les rétrécissements artériels. Le but étant, naturellement, d'éviter de faire subir au patient une autre intervention chirurgicale plus tard.

L'opération valvulaire est généralement plus complexe que le pontage coronaire. Le cardiologue et le chirurgien cardiaque doivent considérer de nombreux facteurs : la nature du problème (voir chapitre 9), l'âge, les symptômes, la puissance du muscle cardiaque (fondée sur la fraction d'éjection). Les troubles valvulaires variant d'un patient à l'autre, vous devrez parler avec votre médecin de tous les petits et gros enjeux qu'implique cette intervention.

....

❤ **Ce qu'il faut savoir :** Parlez avec vos médecins des implications de l'opération valvulaire. Pour décider de sa pertinence, ils prendront en compte la nature du problème que vous présentez, le fonctionnement de votre pompe cardiaque et votre âge.

....

QUELLE VALVULE CHOISIR : EN MÉTAL OU EN TISSUS ANIMAUX ?

On peut remplacer la valvule aortique ou mitrale par une pièce mécanique en métal ou par une bioprothèse, c'est-à-dire une valvule artificielle non métallique faite de tissus animaux. On se sert souvent à cette fin de tissus porcins ou bovins.

Si vous devez faire remplacer une valvule, il importe que vous demandiez à votre médecin s'il compte utiliser une valvule en métal ou en tissus porcins, et qu'il vous explique les pour et les contre de chacune de ces solutions. Les valvules de métal ont généralement une plus longue durée de vie, soit de 20 ans ou plus, alors que les bioprothèses porcines peuvent s'user au fil des ans. Par contre, les patients qui reçoivent une valvule de métal doivent prendre un anticoagulant telle la warfarine afin de prévenir la formation de caillots dans la prothèse, le métal étant plus collant que les tissus animaux. Autrement dit, les plaquettes peuvent y adhérer, favorisant la formation de caillots.

De leur côté, ceux qui reçoivent une bioprothèse ne nécessitent pas de traitement anticoagulant. Il s'agit souvent de personnes un peu plus âgées ou qui sont sujettes aux saignements. D'ailleurs, de l'avis des chirurgiens cardiaques, la bioprothèse durera beaucoup plus longtemps chez une personne plus âgée que chez une plus jeune. Ainsi, si vous avez 40 ans, elle pourrait durer 10 ans avant de succomber à l'usure alors que si vous en avez 65, sa durée de vie pourrait être de 20 ans. Cette différence s'explique par le fait qu'un jeune cœur est plus actif et, par conséquent, plus sujet à l'usure.

Pour décider de la prothèse qui vous conviendra, votre cardiologue devra pondérer le temps que vous devrez la porter et les inconvénients que présente le traitement anticoagulant. En général, je recommande la valve de métal aux patients dans la cinquantaine chez qui le traitement anticoagulant ne présente pas de risque de saignements. De toute façon, un patient pourrait devoir prendre un anticoagulant, par exemple si sa fréquence cardiaque est irrégulière, notamment en cas de fibrillation auriculaire (voir chapitre 9). Dans ce cas, la valvule métallique pourrait s'avérer une meilleure solution. Toutefois, si vous êtes une jeune femme en âge de procréer, le cardiologue pourrait recommander la bioprothèse. Elle lui permettra de traverser ses grossesses éventuelles même si elle s'use plus rapidement que la valvule métallique et doit être remplacée plus tard. Parlez de votre situation particulière avec votre médecin.

❤ **Ce qu'il faut savoir :** Bien que la valvule métallique ait généralement une durée de vie plus longue que la valvule naturelle, elle oblige le patient à prendre un anticoagulant sur une base régulière afin de prévenir la formation de caillots sanguins.

Si vous avez subi une opération valvulaire, quelle qu'en soit la forme, vous devrez voir votre cardiologue au moins une fois l'an. On recommande également un suivi de dépistage par échocardiogramme (examen du cœur par ultrasons).

LE REMPLACEMENT DE LA VALVULE AORTIQUE

La valvule aortique doit généralement être remplacée si elle est très rétrécie (sténose aortique) ou, plus rarement, quand elle fuit (régurgitation aortique). Si vous manquez de souffle, éprouvez des douleurs thoraciques ou êtes sujet aux évanouissements en conséquence d'un rétrécissement marqué de votre valvule aortique, cette intervention chirurgicale pourrait être indiquée. Cependant, de nombreux patients présentant une valvule très rétrécie n'ont pas de symptômes. Bien qu'ils doivent faire l'objet d'une surveillance étroite de la part d'un cardiologue, ils ne nécessitent pas d'intervention chirurgicale à moins que leur affection évolue et que des symptômes apparaissent.

Pour évaluer le rétrécissement du diamètre de la valvule, les cardiologues ont recours à diverses mesures. Parmi elles la surface de la valvule à travers laquelle passe le sang et la différence de pression dans la partie rétrécie, ou gradient. La sténose aortique grave présente une surface de moins de 0,9 cm² ou un gradient de plus de 50 mm Hg.

❤ **Ce qu'il faut savoir :** En règle générale, il faut remplacer la valvule aortique si elle est très rétrécie et si le sujet présente des symptômes d'essoufflement, de douleurs thoraciques ou d'évanouissement.

La sténose aortique survient le plus souvent chez les sujets dans la trentaine et la quarantaine, voire la cinquantaine, qui sont nés avec une valvule aortique anormale (ou bicuspide, voir chapitre 1), de même que chez les patients de plus de 75 ans chez qui elle s'est rétrécie avec l'âge. Les premiers courent le risque qu'elle s'use et rétrécisse au fil du temps. En outre, le calcium peut s'accumuler dans une valvule usée.

Comme pour tout traitement ou intervention chirurgicale, vous devrez mettre en balance le risque et les bénéfices. Si la sténose s'accompagne de symptômes tels qu'essoufflements, présence de liquide dans les poumons, douleurs thoraciques ou épisodes d'évanouissement, le risque que présente le remplacement chirurgical de la valvule est généralement compensé par le bénéfice, étant donné qu'on est beaucoup plus susceptible d'en mourir à compter de l'apparition des symptômes. En l'absence de ces derniers, il est plus faible que celui que présente l'intervention.

Pour ce qui est de la régurgitation aortique, elle peut entraîner, à la longue, l'hypertrophie du cœur. Si c'est le cas ou si votre aorte – laquelle surmonte la valvule – est dilatée, vous devrez peut-être faire remplacer votre valvule.

En règle générale, on doit remplacer une valvule aortique qui présente des lésions telles qu'elles représentent une menace. Les médecins sont portés à la remplacer, plutôt qu'à la réparer, étant donné qu'une valvule aortique rétrécie est généralement chargée de calcium, ce qui accroît la difficulté du chirurgien à opérer. C'est comme si on essayait de coudre un morceau de plastique dur plutôt que du tissu : la tâche présenterait beaucoup plus de difficultés. Encore une fois, les enjeux sont complexes et doivent faire l'objet d'un échange entre le cardiologue et son patient.

LE REMPLACEMENT ET LA RÉPARATION DE LA VALVULE MITRALE

Le remplacement de la valvule mitrale est une grosse opération. Comparée à d'autres chirurgies cardiaques, par exemple le remplacement de la valvule aortique ou le pontage coronarien, elle est généralement un peu plus complexe et est associée à un risque légèrement plus élevé de complications chirurgicales, par exemple l'AVC, voire le décès. Si votre médecin recommande cette intervention, sachez qu'il n'a pas pris sa décision à la légère. On la pratique en cas de rétrécissement substantiel de la valvule (sténose) ou de fuite (régurgitation). Dans les deux cas, les patients présentent généralement des symptômes, tels qu'une difficulté à respirer ou une arythmie, que les médicaments ne parviennent pas à soulager. Malgré sa complexité, le remplacement de la valvule mitrale est une intervention courante qui doit toutefois être pratiquée par un chirurgien qualifié et expérimenté. Si on vous la conseille, demandez à ce que votre cardiologue vous recommande un chirurgien qui la pratique couramment.

....

❤ **Ce qu'il faut savoir :** Le remplacement chirurgical de la valvule mitrale est une intervention complexe qui doit être pratiquée par un chirurgien expérimenté. Demandez à ce que votre cardiologue vous recommande un chirurgien qui possède une longue expérience dans ce domaine.

....

Il est également possible et, en fait, souhaitable, de réparer la valvule mitrale, bien qu'il s'agisse tout de même d'une opération à cœur ouvert. La décision de la pratiquer ou pas dépend de la complexité du problème et, dans une certaine mesure, des talents du chirurgien. Le cardiologue évaluera vos symptômes, c'est-à-dire difficulté à respirer, augmentation de la pression pulmonaire et irrégularité de la fréquence cardiaque (plus spécifiquement fibrillation auriculaire). Si votre valvule est réparable, il pourrait recommander de devancer l'intervention, même en l'absence de symptômes. Cependant, si elle l'est plus difficilement, il pourrait décider d'attendre et de vous suivre de près jusqu'à ce que vous présentiez des symptômes. En règle générale, ceux qui doivent subir une réparation de la valvule mitrale n'ont pas à prendre d'anticoagulant à long terme, à moins de souffrir de fibrillation auriculaire.

❤ **Ce qu'il faut savoir :** Avant de décider de faire subir au patient une intervention chirurgicale dans le but de remplacer une valvule anormale, on évaluera s'il est plus simple de la réparer.

Actuellement, il est impossible de réparer une valvule mitrale qui fuit sans pratiquer une opération à cœur ouvert, contrairement à la valvule rétrécie (voir prochaine section), qui peut être réparée à une unité de cathétérisme cardiaque. Cependant, la technologie évolue sans cesse et pourrait le permettre un jour (voir chapitre 16).

LA VALVULOPLASTIE MITRALE

La valvuloplastie consiste en une dilatation de la valvule. On peut parfois réparer une valvule mitrale rétrécie dans l'unité de cathétérisme d'un centre cardiaque spécialisé où l'on pratique des interventions telles que l'angioplastie. Il ne s'agit pas d'une intervention majeure. Les sujets qui s'y prêtent le mieux présentent une valvule rétrécie qui n'est pas trop épaisse ou encombrée de calcium. Durant l'intervention, on insère dans le cœur un cathéter (tube) muni d'un ballonnet à son extrémité. Le ballonnet est placé dans l'orifice de la valvule mitrale, puis gonflé en vue de la dilater. Bien que, entre les mains d'un cardiologue qualifié, cette intervention ne présente pas de difficulté, elle peut entraîner des conséquences adverses, y compris une dilatation trop importante de la valvule ou la régurgitation mitrale (valvule qui fuit).

Ceux qui souffrent de sténose mitrale ne sont pas nécessairement tous de bons sujets pour la valvuloplastie. Les cardiologues déterminent les chances de réussite en se fondant sur les résultats de l'échocardiographie, examen du cœur par ultrasons (voir chapitre 7). Nous tentons d'évaluer la quantité de calcium qui s'est déposé dans la valvule, son épaisseur et son degré de mobilité. Si la valvule est épaisse, encombrée de calcium et peu mobile, les chances de réussite de l'intervention sont minces. Dans ce cas, son remplacement par une opération à cœur ouvert pourrait s'avérer nécessaire.

Dans le passé, les médecins pratiquaient la valvuloplastie mitrale en salle d'opération. L'intervention portait alors le nom de «commissurotomie». Le chirurgien dilatait la partie rétrécie de la valvule à l'aide d'un instrument, voire de ses doigts. Dans les pays en développement, où les chirurgiens ne peuvent s'offrir le luxe de posséder un cœur-poumon artificiel et ne disposent pas de nos technologies avancées, la commissurotomie reste une pratique utile.

Si vous avez subi une intervention visant à remplacer ou réparer votre valvule aortique ou mitrale, vous devrez être vu par un cardiologue au moins une fois l'an. Si j'insiste sur ce point, c'est que, au fil des ans, de nombreux patients ne consultent pas pour leur suivi. Or, vous avez tout intérêt à passer une échocardiographie annuelle, au cours de laquelle on évaluera l'état de votre valvule. Il y a quelques années, une patiente a été transférée en ambulance à mon unité de soins. Elle faisait de l'insuffisance cardiaque congestive et présentait un muscle cardiaque gravement affaibli en conséquence d'une sténose aortique. Un chirurgien particulièrement compétent lui a fait subir une intervention chirurgicale. Six mois plus tard, elle est revenue me voir pour son suivi. Son muscle cardiaque était à nouveau normal. Désormais, à chacune de ses visites annuelles, elle me salue en me serrant dans ses bras. Elle est, de même que son cœur, florissante de santé.

Chapitre 14

LA PRÉVENTION SECONDAIRE

«À la suite de sa crise cardiaque, on a adressé l'ami de ma sœur
à un centre de réadaptation cardiaque. Je ne suis pas certaine
de savoir de quoi il s'agit. Qu'entend-on par réadaptation
et est-ce vraiment nécessaire?»

Je reviens constamment sur la prévention, que ce soit auprès de mes
patients, dans le cadre de conférences médicales ou dans mes écrits. Pour
les cardiologues, la médecine préventive est une clé essentielle du traitement de toute cardiopathie. Vous savez désormais en quoi consiste la prévention primaire (chapitre 4) c'est-à-dire les moyens à prendre pour
diminuer le risque de souffrir de cardiopathie en premier lieu. La prévention secondaire est tout aussi importante et présente des similitudes dans
son approche et ses objectifs. Elle consiste à prendre les mesures nécessaires pour diminuer son risque de complications ou de progression de la
maladie après avoir reçu un diagnostic de cardiopathie; tous les conseils
donnés pour la prévention primaire s'appliquent. Quiconque souffre de
cardiopathie doit faire face à un ensemble de circonstances uniques, chacune d'elles jouant un rôle dans ses perspectives d'avenir. Plus spécifiquement, votre âge, vos facteurs de risque et la gravité de votre affection jouent
un rôle dans la manière dont cette dernière influera sur votre existence, de
même que les moyens que vous prendrez pour vivre sainement.

Vos circonstances peuvent différer de celles de vos amis. Ainsi, peut-
être avez-vous subi une angioplastie dans le but de corriger un rétrécissement d'une artère coronaire? Ou encore, peut-être avez-vous fait une crise
cardiaque ou vous administre-t-on des médicaments en vue de traiter une

angine stable? Les résultats de chaque intervention ou traitement peuvent varier d'un sujet à l'autre. Quoi qu'il en soit, votre longévité et votre qualité de vie dépendent de votre détermination à suivre les conseils de votre médecin. Quelles que soient vos circonstances particulières, vous devez appliquer les règles de la prévention secondaire, en apportant les changements requis à votre mode de vie et en prenant vos médicaments, ce qui vous évitera de vous retrouver de nouveau à l'hôpital. Votre objectif consiste à prévenir ce que les médecins qualifient d'«événement récurrent», à savoir la prochaine crise cardiaque ou le prochain AVC. Le risque de récurrence est plus élevé en cas de maladie coronarienne que d'affection non coronarienne. Les mesures de prévention secondaire peuvent jouer un rôle important dans votre qualité et votre espérance de vie.

LA RÉADAPTATION CARDIAQUE

Contrairement à la réadaptation visant les victimes d'un AVC et dont le but consiste à les aider à recouvrer leurs fonctions, et à l'inverse de la réhabilitation destinée aux toxicomanes, les programmes de réadaptation cardiaque sont de nature préventive et ont pour objectif d'apprendre à ces derniers à vivre plus sainement.

S'ils peuvent varier dans la forme, ces programmes ont en commun plusieurs points importants : conseils en matière d'alimentation, d'activité physique, d'exercice, de poids, de régulation du taux de cholestérol et de prise en charge de l'hypertension ; arrêt du tabagisme ; soutien psychologique permettant au patient de mieux faire face aux problèmes soulevés par le diagnostic. Ce dernier se verra présenter un programme complet qui met l'accent sur un mode de vie sain. Voyez la chose ainsi : en réadaptation, les médecins donnent des conseils que, somme toute, chacun devrait suivre, mais qui sont d'autant plus importants pour ceux qui ont récemment fait une crise cardiaque ou reçu un diagnostic de maladie coronarienne.

Dans le programme de réadaptation classique, on demande au patient de se présenter quelques fois par semaine en vue de faire de l'exercice sur terrain plat ou sur tapis roulant, parfois à un centre communautaire. En plus de vérifier la tolérance de son cœur à l'effort, des experts, souvent des infirmières, lui fourniront de l'information et des conseils appropriés.

Je dirige un programme de prévention et de réadaptation qui se fonde sur un autre modèle ayant été créé à l'université Stanford. Il loge à l'hôpital

St. Michael's du centre-ville de Toronto, où nous recevons des patients de tous les coins de l'Ontario. Des experts les informent, leur montrent comment faire de l'exercice et leur présentent un programme d'entraînement à suivre à domicile. Un médecin évalue d'abord l'état de santé du patient en lui faisant passer un test de stress à l'effort (voir chapitre 6) alors qu'il est sous médication ; le programme d'exercices qu'il lui propose ensuite est établi en tenant compte des résultats du test. Un diététiste, un pharmacien et une infirmière le verront également et lui fourniront les conseils pertinents sur la prise en charge quotidienne de sa cardiopathie. On conseillera aussi les fumeurs sur les moyens à prendre pour se débarrasser de leur habitude. Chose importante et qu'on ne voit pas dans les programmes classiques, le médecin évalue les médicaments du patient et, au besoin, en ajuste le dosage ou modifie l'ordonnance.

Quel que soit le programme, les bienfaits que vous en tirerez seront les mêmes. L'important, c'est d'en suivre un.

Cela dit, je tiens à souligner un point central en matière de réadaptation cardiaque. En dépit des résultats positifs démontrés, ceux qui devraient avoir accès à un programme ne sont pas tous en mesure de le suivre. De fait, les résultats d'études indiquent que moins de 20 % des cardiopathes y ayant droit y participent. Dans certains cas, cet état de fait est attribuable au médecin : sachant que son patient reçoit les médicaments appropriés et a modifié son mode de vie de manière satisfaisante, il ne voit pas l'utilité d'un programme de réadaptation. Cette attitude est dangereuse. On ne peut, en fait, réussir seul ; personne n'y arrive.

La réadaptation a fait l'objet d'études de grande envergure, au cours desquelles 10 000 patients étaient suivis sur une période de six mois. Elles ont permis de démontrer que ceux qui participaient à ces programmes couraient moins de risques de mourir de maladie coronarienne ou d'un autre problème cardiaque que ceux qui ne le faisaient pas. De plus, leur taux de cholestérol et leur pression artérielle étaient plus bas, sans compter qu'ils étaient moins nombreux à fumer[65]. Par conséquent, aussi qualifié que soit votre cardiologue, le programme de prévention s'avère inestimable.

En outre, pour diverses raisons, les femmes sont moins susceptibles que les hommes de participer à un tel programme. Ainsi, les patientes âgées et frêles pourraient avoir du mal à trouver un mode de transport leur permettant de s'y rendre. Déjà que, sans aide, les déplacements pour consulter le médecin peuvent constituer un défi de taille ! Dans ce cas, il est essentiel de prendre des arrangements afin de bénéficier d'un service de transport accessible ou communautaire.

....

❤ **Ce qu'il faut savoir :** Le nombre de patients qu'on adresse aux centres de réadaptation est nettement inférieur à ce qu'il devrait être. Si vous, ou un membre de votre famille avez reçu récemment un diagnostic de maladie coronarienne, demandez à votre médecin qu'il vous adresse à un tel centre. Ceux qui participent à un programme de réadaptation courent moins de risques de mourir de cardiopathie que ceux qui ne le font pas. Aussi qualifié que soit votre cardiologue, il ne devrait pas vous traiter seul. La réadaptation est bonne pour la santé !

....

LE TRAITEMENT DE LA DÉPRESSION AU CENTRE DE RÉADAPTATION

Le soutien psychologique est l'un des éléments essentiels de la réadaptation et de la prévention cardiaque. À la suite d'une crise, il n'est pas rare qu'on traverse des périodes de dépression, de peur ou de colère. Il y a quelques années, un étudiant qui travaillait à mes côtés a mené une enquête psychologique auprès des patients admis en cardiologie. Les résultats avaient de quoi le bouleverser : près de 40 % des patients souffraient d'une forme ou d'une autre de dépression.

Si, en conséquence de votre maladie coronarienne, vous êtes pessimiste ou déprimé, une thérapie de soutien pourrait vous être utile de même que, au besoin, un antidépresseur. Votre médecin peut vous aider à cerner vos peurs et vos frustrations de sorte que, dans les semaines qui suivent votre crise cardiaque ou votre diagnostic de cardiopathie, votre humeur s'améliore. Cependant, certains patients ont plus de mal que d'autres à faire face au problème. De fait, la chose est tellement courante que notre programme de prévention et de réadaptation comprend un volet dépistage de la dépression pendant toute la durée du traitement.

Notre équipe compte un psychiatre qui possède la formation nécessaire pour aider les patients à faire face à la dépression que suscite leur maladie. Nombreux sont ceux qui en tirent profit. On conseille aussi au patient de ne pas hésiter à s'ouvrir de ses craintes à ses amis, les membres de sa famille ou d'autres professionnels de la santé. À la suite d'une crise cardiaque, vous pourriez vous montrer plus colérique ou agressif, ce qui est généralement un signe de dépression. Il importe alors que vous en parliez à votre médecin. En cas de maladie coronarienne qui s'accompagne d'un diagnostic de dépression, vous aurez accès à des psychostimulants efficaces qui n'interféreront pas avec vos médicaments ou avec votre risque de cardiopathie futur. Gardez à l'esprit que votre santé mentale est aussi importante que votre santé physique.

❤ **Ce qu'il faut savoir :** La dépression n'est pas rare chez ceux qui ont fait une crise cardiaque. Si votre moral est bas ou si vous éprouvez de la colère, ce pourrait être là un signe de dépression. Il importe que vous en parliez à votre médecin. Au besoin, on vous prescrira des antidépresseurs qui ne présentent pas de risques pour les personnes souffrant de cardiopathie.

LA REPRISE DU TRAVAIL

La capacité de reprendre son travail à la suite d'une crise dépend de l'importance des lésions au muscle cardiaque et du métier qu'on exerce.

Dans bien des cas, la chose est possible plus tôt qu'on le pense. Il y a des années, alors que nous ne disposions pas des traitements avancés qui sont désormais la norme en cardiologie, les lésions au muscle cardiaque à l'issue d'une crise étaient généralement plus graves. Souvent, les patients restaient des semaines à l'hôpital. Heureusement, nous sommes beaucoup plus efficaces aujourd'hui. De fait, vous pouvez vous présenter au service des urgences affligé de douleurs thoraciques, passer une analyse sanguine ou un ECG qui détectera une anomalie, passer immédiatement un autre test, par exemple une angiographie, et subir sans délai une intervention telle que l'angioplastie. De nos jours, le patient peut quitter l'hôpital quelques jours après avoir subi cette intervention, même à la suite d'une crise cardiaque. Si c'est votre cas et que votre cœur présente très peu de lésions, la reprise du travail ne devrait pas poser de problème.

À la suite d'une crise cardiaque mineure

Si vous avez un emploi de bureau, il n'y a pas de risque physique à reprendre votre travail à la suite d'une crise cardiaque mineure. Vous devrez discuter avec votre médecin du moment opportun pour le faire – c'est-à-dire une ou deux semaines, voire plus, après votre congé de l'hôpital. Les capacités et les circonstances de chacun varient.

Cependant, si votre muscle cardiaque a subi des lésions modérées et que vous exercez, par exemple, un métier de la construction qui vous oblige à lever des objets lourds, la reprise du travail sera plus problématique. Dans ce cas ou pour tout autre travail physiquement exigeant, consultez votre médecin, qui évaluera avec vous son impact sur votre santé. Étant donné que les efforts physiques peuvent présenter des risques, il se peut que vous ne puissiez plus faire le même travail ou déployer la même énergie qu'auparavant.

Souvent, mes patients, ou les membres de leur famille craignent de reprendre le travail. Cependant, sur le plan psychologique, ils se sentent généralement mieux quand ils retrouvent leurs habitudes. Il n'est toutefois pas sain de recommencer à travailler à la suite d'une angioplastie si l'on ne reconnaît pas qu'on s'est confronté à un problème de santé grave. Vous devez pendre une pause pour réfléchir. La clé, c'est l'équilibre.

À la suite d'une crise cardiaque ou d'une intervention chirurgicale majeure

Comme le suggère la Fondation des maladies du cœur et de l'AVC dans son guide *Le chemin d'un prompt rétablissement,* on peut généralement reprendre le travail 8 à 16 semaines à la suite d'une crise cardiaque ou d'une intervention chirurgicale majeure. Le moment où vous pourrez le faire dépend de divers facteurs, dont vos symptômes, votre état de santé et les exigences physiques de votre emploi ou le stress qu'il engendre. Peut-être serait-il souhaitable que vous ne le repreniez qu'à temps partiel, pour en arriver graduellement au temps plein. Si vous approchez de la retraite, peut-être préférerez-vous ne pas le reprendre du tout et consacrer plus de temps à votre vie familiale et sociale, vous adonner à des passe-temps ou des activités qui vous intéressent ou faire du bénévolat. Vous pourriez avoir droit à une pension de retraite ou d'invalidité ou à une assurance emploi. Parlez-en à un travailleur social, un gestionnaire des ressources humaines ou votre patron.

Avant de décider de reprendre le travail, vous devez réfléchir sur le mode de vie que vous meniez avant votre crise. Travailliez-vous 16 heures par jour? Aviez-vous laissé tomber votre programme d'exercices? Vous rabattiez-vous sur les plats minute quand vous n'aviez pas le temps de cuisiner? Bref, meniez-vous une vie de fou ou preniez-vous le temps de voir à votre santé et à votre bien-être? Ce n'est pas le stress qui risque de vous tuer, mais la manière dont vous y faites face; les habitudes que vous adoptez en période de stress influent sur votre santé, par exemple si, dans le but de passer une heure de plus à votre ordinateur, vous avalez un burger gras ou renoncez à votre marche matinale.

La crise cardiaque n'exige pas nécessairement qu'on quitte son travail et se joigne à une colonie de yogis en Inde. Cependant, il importe de trouver un certain équilibre. Certains pourraient être tentés d'en profiter pour entreprendre une nouvelle carrière. Mais il ne faudrait pas sous-estimer le stress qui accompagne un changement de travail, aussi excitante que soit une telle perspective. Parlez-en avec vos amis et les membres de votre famille afin qu'ils vous soutiennent dans votre décision, le cas échéant.

❤ **Ce qu'il faut savoir:** Vous devriez parler avec votre médecin de votre aptitude à reprendre le travail. Sur le plan physique, il est habituellement possible de le faire quelques jours à la suite d'une crise cardiaque mineure, mais vous devriez prendre au moins une semaine de congé afin de réfléchir à ce qui vous est arrivé. Toutefois, si vous avez fait une crise majeure, le délai pourrait être plus long et, dans certains cas, vous pourriez même ne pas être en mesure de reprendre votre travail.

De nombreux patients m'ont confié que, à la suite d'une crise cardiaque, ils se sentaient trop fatigués pour reprendre leur travail. Sachez toutefois que la fatigue extrême ne touche que ceux dont le muscle cardiaque présente des lésions substantielles. Parfois, certains médicaments, notamment les bêtabloquants, provoquent chez certains de la fatigue, bien que les nouveaux médicaments soient beaucoup mieux tolérés. En fait, la principale cause de fatigue dans une situation semblable est de nature psychologique. Je ne prétends pas que ce soit imaginaire, je dis simplement qu'il ne s'agit pas d'une conséquence habituelle de la crise cardiaque. Par contre, l'anxiété et le stress le sont. Il importe donc que vous parliez avec votre médecin et les membres de votre famille de vos craintes et préoccupations.

❤ **Ce qu'il faut savoir:** La principale cause de fatigue à la suite d'une crise cardiaque est de nature psychologique ; votre médecin peut vous aider à faire face au problème.

LA VIE AU QUOTIDIEN APRÈS UNE CRISE CARDIAQUE OU UNE INTERVENTION MAJEURE

Les patients me demandent toujours quand ils pourront reprendre leurs activités habituelles à la maison. Selon les lignes directrices présentées dans *Le chemin d'un prompt rétablissement* de la Fondation des maladies du cœur et de l'AVC, à la suite d'une crise cardiaque majeure ou d'une opération à cœur ouvert, on doit procéder par étapes.

Les trois premières semaines, vous pourrez mener quelques activités à l'extérieur et effectuer des tâches domestiques peu exigeantes à l'intérieur. Cela dit, j'encourage quiconque a reçu un diagnostic récent de cardiopathie à passer aussitôt le flambeau. Faites-vous aider dans vos tâches ménagères. Optez pour des activités et des loisirs que vous pouvez effectuer en position assise, par exemple la lecture ou les travaux manuels. Ne montez qu'une volée de marches à la fois et faites-le lentement. Déplacez-vous dans la maison ou sur votre terrain en suivant les consignes de votre équipe de réadaptation ou de votre médecin. Vous pouvez faire des promenades en voiture (en tant que passager) d'environ une demi-heure et visiter des amis. En outre, vous pouvez lever des poids de 2,25 kg ou moins.

Durant les trois semaines suivantes, vous pourrez poursuivre vos marches en suivant les recommandations de votre médecin ou de votre équipe de réadaptation. De plus, vous pourrez reprendre vos activités sexuelles quand vous arriverez à monter deux volées de marches. Toutefois, évitez-les à la suite d'un repas copieux, si vous avez consommé de l'alcool ou si vous éprouvez de la fatigue : tout cela peut détourner le débit sanguin de votre cœur. Vous pourrez accroître le nombre de visites à vos relations, effectuer quelques petits travaux de jardinage ainsi que des tâches ménagères légères, et faire vos courses. Cependant, de nouveau, je vous encourage à confier à d'autres les corvées dont vous ne souhaitez pas vous charger. En outre, vous pourrez lever des poids de 4 kg, prolonger d'une demi-heure vos promenades en voiture et, si votre médecin y consent, conduire, danser lentement, pêcher, faire de la voile (petit bateau), du vélo (à vitesse moyenne), et jouer au ping-pong ou au jeu de cinq quilles.

Au bout de six semaines, vous pourrez reprendre toutes vos activités normales, y compris la marche rapide, la natation, le vélo, le ski de fond, le patin, de même que lever et porter des poids de 9 kg. Si votre médecin y consent, vous pourrez reprendre le travail. Vous pourrez également jouer au golf, en commençant par le neuf trous, à la condition de le faire aux heures les moins chaudes de la journée et de vous servir d'une voiturette pour transporter vos bâtons. Quelle que soit l'activité, menez-la à votre rythme et reposez-vous aussi souvent que nécessaire[66].

La Fondation des maladies du cœur et de l'AVC du Canada insiste sur l'importance, pour les cardiopathes, de se ménager des temps de répit.

Demandez aux membres de votre famille, à vos amis et à vos voisins de vous aider pour les courses, le soin des enfants, les travaux extérieurs, la cuisine et le ménage. Gardez à l'esprit que ces demandes ne dureront vraisemblablement qu'un temps. Le fait de compter sur les autres dans une situation semblable ne fait pas de vous un(e) raté(e). Certains ont du mal à accepter cet état de fait, particulièrement ceux qui ont l'habitude de tout faire par eux-mêmes.

Il importe que vous personnalisiez en quelque sorte votre convalescence : reprenez vos activités au moment opportun. Nous sommes tous différents, tant dans nos intérêts que dans nos capacités. En fait, je n'ai jamais conseillé à mes patients de mener une activité spécifique, qu'il s'agisse du jeu de cinq quilles, du ping-pong, du golf ou de toute autre chose. La plupart du temps, je les encourage à sortir avec un ami et à recommencer à bouger. Bref, si vous avez reçu un diagnostic de cardiopathie, je vous conseille de simplement commencer à pratiquer des activités physiques de manière régulière. C'est d'autant plus important que de nombreux patients n'étaient pas actifs avant leur intervention chirurgicale ou une crise cardiaque majeure. Une fois rétablis, ils doivent le devenir.

PLUS JAMAIS

Il y a des choses que les cardiopathes ne pourront plus jamais faire, par exemple, enlever la neige à la pelle. Cette activité est plutôt dangereuse du fait qu'elle exige un effort soudain et ne permet pas d'accroître la fréquence cardiaque de manière progressive. En outre, elle nécessite de pousser et de lever des charges lourdes, qui plus est, au froid. Or, le froid resserre les vaisseaux sanguins, effet exactement contraire à celui qu'exerce la nitroglycérine (médicament vasodilatateur qu'on prescrit en cas de maladie coronarienne). Au besoin, vous devrez donc retenir les services d'une personne plus jeune pour enlever la neige. C'est là une de mes règles qui ne tolère aucune exception !

Par contre, vous pourriez arriver à refaire vos forces en pratiquant d'autres activités quand les températures sont plus chaudes, par exemple celles qui impliquent des mouvements répétitifs des bras (ratisser les feuilles, tondre le gazon ou passer l'aspirateur). Il va de soi que vous devrez discuter avec votre médecin de ce que vous pouvez faire pour accroître votre niveau d'activité physique.

LA CONDUITE AUTOMOBILE

Il n'est pas simple de décider du moment opportun où un patient ayant fait une crise cardiaque peut recommencer à conduire. Dans certaines provinces du Canada et certaines parties des États-Unis, il est illégal de conduire durant le mois qui suit la crise. Les patients qui se voient retirer leur permis pour cette raison ont parfois beaucoup de mal à l'obtenir de nouveau. Ils doivent souvent, ainsi que leur médecin, mener une longue bataille et faire face à des tracasseries administratives interminables.

D'un autre côté, certains patients ne devraient tout simplement pas conduire, leur risque de crise cardiaque récurrente étant élevé. Sans compter qu'ils pourraient être sujets à une arythmie soudaine (accélération de la fréquence cardiaque) et s'effondrer. Il va de soi que personne ne souhaite perdre connaissance au volant et mettre ainsi en péril son existence et celle des autres.

Selon la Société canadienne de cardiologie[67], l'aptitude à conduire à la suite d'une crise cardiaque dépend du risque de troubles futurs et de la manière dont le patient conduit. On ne peut donc énoncer que des règles générales. Si vous avez fait une crise cardiaque majeure, c'est-à-dire qu'un caillot a complètement obstrué une artère coronaire et causé des lésions importantes au muscle cardiaque, vous pourrez recommencer à conduire une voiture personnelle un mois après avoir reçu votre congé de l'hôpital, à la condition que vous preniez des médicaments antiagrégants ou ayez subi une angioplastie. Pour un véhicule commercial, ce délai est de trois mois. En cas de pontage, il faut compter un mois.

En cas de crise cardiaque mineure n'ayant pas causé de lésions substantielles au muscle cardiaque, on peut recommencer à conduire deux jours après une angioplastie et, en l'absence de cette intervention, sept jours après avoir signé sa décharge.

Si votre maladie coronarienne et votre angine sont stables (voir chapitre 8), ou si vous ne présentez aucun symptôme malgré un diagnostic de maladie coronarienne, aucune restriction ne s'applique. En cas de maladie coronarienne chronique, vous devriez attendre deux jours à la suite de votre angioplastie avant de reprendre le volant.

Toutefois, la conduite est plus problématique pour ceux qui ont reçu un diagnostic d'arythmie grave. En règle générale, si cette dernière (par exemple, la tachycardie ventriculaire – voir chapitre 9) a entraîné une perte de conscience, on devrait vous retirer votre permis et vous devrez attendre au moins six mois avant de reprendre le volant d'une voiture personnelle. Si vous exercez le métier de chauffeur – par exemple, de camion ou d'autobus scolaire – on pourrait vous le retirer pour de bon.

Si on vous a implanté un stimulateur cardiaque, on ne vous autorisera généralement à conduire qu'au bout d'une semaine. S'il s'agit d'un défibrillateur implantable (voir chapitre 11), alors, le délai est de un à six mois, voire plus, selon que le défibrillateur est activé ou pas. (Le défibrillateur s'active quand il perçoit une perturbation rythmique dangereuse au niveau du cœur.)

....

❤ **Ce qu'il faut savoir :** L'autorisation de conduire une voiture varie selon que le problème consiste en une arythmie grave, une crise cardiaque ou une intervention chirurgicale. Si vous avez perdu connaissance en conséquence d'une arythmie grave, on devrait vous retirer votre permis.

....

Les médecins et les patients sont souvent confrontés au fait que les recommandations médicales ne se reflètent pas toujours dans la loi, sans compter que cette dernière varie selon les juridictions. Les médecins doivent parfois retirer leur permis de conduire à un patient pour des raisons médicales et légales tout à fait légitimes. Cependant, il peut s'avérer difficile de le rétablir une fois la période de retrait révolue. À mon avis, c'est un problème sur lequel le public, les médecins et les gouvernements devront se pencher un jour. Certains s'impatientent quand ils découvrent qu'il faut plus de temps pour remettre en vigueur le permis que pour le retirer.

QUAND CONSULTER LE MÉDECIN

Dans l'idéal, vous devriez avoir accès à votre cardiologue et aux autres spécialistes à toute heure du jour et de la nuit afin de poser les questions qui vous préoccupent et apaiser vos craintes. Cependant, dans notre système moderne, ce n'est pas possible. N'empêche que vous pouvez vous montrer proactif : assurez-vous que vous avez affaire à un médecin capable de répondre à vos questions de manière satisfaisante. Même si mon travail me prend énormément de temps, mon assistante me transmet tous les messages et je rappelle dans un délai raisonnable tous ceux qui m'en ont laissé.

À la suite d'un diagnostic de cardiopathie, il importe que vous notiez les questions que vous comptez poser au cardiologue, particulièrement après avoir reçu votre congé de l'hôpital ; demandez le concours des membres de votre famille. Le fait de prendre des notes permet de se concentrer sur le problème et de tirer le meilleur parti possible des moments passés auprès du médecin. Dans certains cas, la diététiste ou le pharmacien du programme de réadaptation sera en meilleure position que le médecin pour répondre aux questions portant sur le mode de vie. Quoi qu'il en soit, faites-vous une règle de poser toutes celles qui vous préoccupent.

Si vous envisagez d'arrêter de prendre vos médicaments, parlez-en d'abord à votre médecin. C'est l'évidence même et, pourtant, je dois souvent rappeler à mes patients – y compris aux plus informés d'entre eux – combien il est risqué d'interrompre son traitement médicamenteux. C'est ainsi que j'ai prescrit un jour à l'un d'eux, un avocat, divers médicaments dans le but de traiter son arythmie. Il devait les prendre durant deux mois, puis me consulter afin que nous décidions de la pertinence de lui faire subir une cardioversion électrique (intervention qui fait passer la fréquence cardiaque d'un état anormal à l'état normal; voir chapitre 11). J'avais programmé son rendez-vous de sorte que le médicament ait eu le temps de faire effet. Malheureusement, à mon insu, il a interrompu son traitement au bout de deux semaines, convaincu qu'il était inefficace. Lors du rendez-vous de suivi, j'ai dû tout reprendre depuis le début. S'il m'avait fait part de ses doutes, je l'aurais rencontré plus tôt et lui aurais conseillé de poursuivre son traitement.

Si votre humeur change à la suite d'une crise cardiaque ou d'un diagnostic de cardiopathie, ou si vous éprouvez des malaises récurrents après avoir quitté l'hôpital, consultez votre médecin. Souvent, on éprouve des douleurs qui étaient absentes avant la crise. Dans les situations difficiles, par exemple en cas d'hospitalisation pour crise cardiaque, l'esprit joue parfois des tours. De fait, il y a une différence entre ces douleurs et le malaise à la poitrine, au bras, à la gorge ou à la mâchoire qui résulte d'un déficit d'apport de sang au cœur et qui pourrait signaler l'imminence d'une nouvelle crise. Par contre, si vous deviez éprouver de nouveau ces symptômes, même s'ils ne sont pas intenses, consultez votre médecin sans délai.

❤ **Ce qu'il faut savoir :** À moins de passer un examen médical, il n'est pas toujours facile de savoir si la douleur est de nature cardiaque ou résulte d'une autre cause. En règle générale, les douleurs aiguës et lancinantes qui s'apparentent à une piqûre et ne durent que quelques secondes ne sont pas de nature cardiaque et, par conséquent, n'ont pas lieu de vous préoccuper.

Si vous, ou un membre de votre famille éprouvez des douleurs thoraciques qui semblent apparentées à celles de la crise cardiaque, rendez-vous immédiatement au service des urgences. Si, d'un autre côté, votre malaise apparaît à l'effort et disparaît au repos, alors vous pouvez vous contenter de laisser un message téléphonique à votre médecin et d'attendre sa réponse avant de passer à l'action. Malgré l'omniprésence des iPhone et des BlackBerry, il est déconseillé d'envoyer un courriel à son médecin en cas de douleurs thoraciques.

Je me souviens d'un événement tragique qui s'est produit au début de ma pratique. Un de mes patients souffrait de maladie coronarienne. Il prenait ses médicaments et semblait aller relativement bien, jusqu'au jour où il a été pris de douleurs thoraciques intenses. Au lieu de composer le 9-1-1 afin d'obtenir un secours médical, sa fille m'a envoyé un courriel. Malheureusement, les médecins sont très sollicités et ont un horaire particulièrement chargé ; ils ne peuvent donc prendre leurs messages à tout moment. Quand ils sont de garde ou auprès d'un patient, ils n'ont pas accès à leur ordinateur et n'ont pas toujours le temps de consulter leur BlackBerry. Le courriel est arrivé à 10 heures, mais je ne l'ai eu qu'à 13 heures. Je les ai rappelés aussitôt et leur ai dit de composer le 9-1-1. Malheureusement, le patient avait fait une crise cardiaque majeure et avait perdu trois précieuses heures entre l'apparition de ses douleurs et mon téléphone. Il n'a pas survécu à sa crise. J'insiste donc pour rappeler que si vous avez un problème urgent, vous devriez appeler les ambulanciers sans délai.

....

❤ **Ce qu'il faut savoir :** Dans mon métier, chaque minute compte. Si vous pensez être en pleine crise cardiaque, demandez aussitôt du secours médical, à défaut de quoi votre muscle cardiaque pourrait subir des lésions irréversibles. Surtout, n'envoyez pas de courriel à votre cardiologue en lui demandant conseil. Rendez-vous plutôt au service des urgences !

....

Si vous présentez des symptômes à la suite de votre congé de l'hôpital, consultez votre médecin. Surveillez les signes avant-coureurs suivants :

- vous faites de l'angine (malaise thoracique) à un faible degré d'activité ou au repos ;
- votre angine vous réveille la nuit ;

- vos crises d'angine sont plus fréquentes ou plus graves ;
- pour soulager vos malaises thoraciques, vous devez prendre de la nitro-glycérine plus fréquemment ou à plus haute dose, le médicament agis-sant moins rapidement qu'auparavant ;
- vous êtes essoufflé ;
- vos chevilles ou vos jambes sont enflées ;
- vous avez des étourdissements, avez perdu conscience ou vos batte-ments cardiaques sont plus rapides ou plus prononcés.

LE RISQUE DE RECHUTE

À la suite d'une crise cardiaque, le risque d'en faire une autre est plus élevé que chez ceux qui ne souffrent pas de cardiopathie.

Le risque de rechute atteint un sommet quelques jours à la suite de la crise ; il décroît ensuite au bout d'un mois, puis de plus en plus au fil du temps. Pour l'atténuer, il importe de surveiller vos facteurs de risque et de prendre les médicaments appropriés. Toutefois, il restera très élevé si vous continuez à fumer ou si votre diabète n'est pas pris en charge. L'hypertension artérielle et l'hypercholestérolémie l'accroissent également, de même que l'âge. Ainsi, votre risque de mourir des suites d'une crise cardiaque peut s'élever de 20 % si vous avez plus de 80 ans (comparativement aux moins de 50 ans, où il se situe sous les 5 %.

Un an après la crise, votre risque de subir un accident cardiaque majeur sera généralement de moins de 2 %[68], à la condition que votre muscle car-diaque ne présente pas de lésions graves, que votre état soit stable et que vous preniez les médicaments qu'on vous a prescrits.

> Il ne fait aucun doute que la cardiopathie puisse être fatale, mais, heureusement, les soins cardiaques dont disposent aujourd'hui les patients ont beaucoup évolué. Il y a 20 ans, alors que j'étais interne, on donnait aux premières études portant sur l'emploi des anticoagulants pour le traitement de l'angine instable le nom de «the Montreal Death Trials» (littéralement, «études de Montréal sur la mort», le cardio-logue à la tête des études vivant à Montréal). À cette époque, le risque de mourir au cours des six mois suivant une crise cardiaque était de 30%, alors qu'il est beaucoup plus faible aujourd'hui.

C'est un fait que la cardiopathie peut être fatale, mais si vous, ou un membre de votre famille, avez survécu à une crise cardiaque, recevez les soins adéquats et prenez les médicaments appropriés, il y a de bonnes chances que vous n'en subissiez pas une autre ou ne souffriez pas de troubles cardiaques futurs. Pour chaque tranche de 100 patients qui, à la suite du diagnostic, reçoivent des soins spécialisés au moment opportun et qui participent à un programme de réadaptation, 98 ne connaîtront aucun problème de nature cardiaque dans le futur. Toutefois, vos jours sont en péril si vous faites de l'hypertension, du diabète ou de l'hypercholestérolémie et si ces affections ne sont pas prises en charge. Vous êtes certainement à risque si vous fumez, habitude nuisible à bien des égards. En outre, si vous souffrez de maladie rénale, votre risque de faire une crise cardiaque ou un AVC dans le futur est plus élevé que celui de ceux qui n'en sont pas atteints.

En dernier ressort, je crois qu'il est important de considérer les choses avec optimisme. Au Canada, nous disposons d'excellents cardiologues et de programmes de réadaptation cardiaque de premier plan. Si vous devez faire face à un diagnostic de cardiopathie, vous ne devriez pas hésiter à tirer profit de ce réseau de soutien exceptionnel.

Chapitre 15

LES RELATIONS ET LA CARDIOPATHIE

« J'ai bien récupéré à la suite de ma crise cardiaque, mais le temps passe et je ne me sens toujours pas moi-même ; je me montre souvent colérique envers les membres de ma famille. Que puis-je faire pour changer cette situation ? »

L a médecine moderne ne cesse d'évoluer. Cependant, plus elle innove, plus les attentes des patients envers les soins qu'ils reçoivent sont élevées. On entretient la croyance que les médecins et les services hospitaliers peuvent régler presque tous les problèmes, y compris ceux qui touchent le cœur. Bien des patients ne considèrent cet organe que sous son aspect mécanique, c'est-à-dire un ensemble de cellules, muscles, valvules et artères qu'on peut toujours réparer en cas de lésions. Quand la guérison n'est pas aussi rapide et complète qu'on le souhaite, on peut se sentir accablé. Il va de soi que la récupération à l'issue d'une crise cardiaque ou les contraintes qu'impose la cardiopathie au quotidien ne relèvent pas de la solution miracle. En dépit du haut niveau des soins cardiaques et de l'expertise des médecins dans ce domaine, la récupération à la suite d'une crise cardiaque ou d'une intervention chirurgicale majeure demande du temps.

C'est particulièrement vrai du stress émotionnel associé à la cardiopathie. Vos proches pourraient être particulièrement affectés par votre maladie. Souvent, c'est pour le mieux : le diagnostic peut constituer une sorte de révélation qui vous incitera, ainsi que les vôtres, à mener une vie plus saine et plus active. Cependant, même dans le meilleur des cas, le stress physique s'accompagne invariablement d'un stress psychologique. Ainsi, à la suite de votre crise, votre conjoint pourrait craindre de vous causer du tort, ou encore, le diagnostic de cardiopathie pourrait vous déprimer. Voyons comment vos anxiétés et vos craintes risquent d'affecter certains aspects de votre existence, et ce que vous pouvez faire, avec l'aide des vôtres, pour atténuer le problème.

LES RELATIONS ET LA SEXUALITÉ

À la suite d'une crise cardiaque, d'une intervention chirurgicale ou d'un diagnostic de cardiopathie, il importe que vous discutiez avec votre conjoint et votre médecin de vos craintes et anxiétés à propos de vos relations sexuelles.

Dans ce domaine, votre aptitude dépendra de la gravité des lésions de votre muscle cardiaque ainsi que de votre forme physique. Cela varie selon les gens, mais, en règle générale, les patients dont le muscle cardiaque n'est pas gravement lésé peuvent reprendre une vie sexuelle normale assez rapidement.

Vous pourriez ressentir de l'incertitude quant aux effets potentiellement néfastes des rapports sexuels sur votre santé, mais je peux vous assurer que ces derniers entraînent rarement une crise cardiaque. Ils ne sont pas aussi exigeants pour le cœur qu'on pourrait le croire. De fait, si vous pouvez facilement monter deux volées de marches ou marcher rapidement, votre cœur peut habituellement satisfaire à la demande.

N'hésitez pas à discuter, en compagnie de votre partenaire, de questions personnelles comme celle-là avec les professionnels médicaux du programme de prévention et de réadaptation cardiaque. On pourra déterminer votre aptitude à l'activité physique, y compris sexuelle, en vous faisant passer l'épreuve du protocole de Bruce. Ce test diagnostique à multiples étapes permet d'évaluer la fonction cardiaque. Si vous arrivez à effectuer la seconde étape, c'est-à-dire à marcher plus de trois minutes sur le tapis roulant sans éprouver de douleurs thoraciques et si, durant l'exercice, votre électrocardiogramme se situe dans les valeurs normales, c'est le signe que votre cœur peut tolérer le stress de l'exercice et, par conséquent, de l'activité sexuelle.

Gardez à l'esprit qu'il est toujours préférable de commencer lentement. Par exemple, il serait déraisonnable de vous engager dans des rapports sexuels le jour de votre décharge de l'hôpital. À mes yeux, cela constituerait d'ailleurs une attitude de déni envers votre état. Augmentez graduellement votre degré d'intimité sexuelle et d'activité physique. Ne perdez pas de vue que l'intimité revêt plusieurs formes – se tenir la main, marcher ensemble et dialoguer en sont tous des manifestations – et qu'elle ne se limite pas à l'activité sexuelle.

....

❤ **Ce qu'il faut savoir :** Si vous avez fait une crise cardiaque mineure et arrivez à marcher de trois à six minutes sur le tapis roulant, vous devriez être en mesure de reprendre vos rapports sexuels.

....

La plupart des gens peuvent reprendre leurs rapports intimes deux ou trois semaines après avoir quitté l'hôpital. Comme certains médicaments pour le cœur inhibent l'élan sexuel (voir chapitre 10), les hommes ont parfois du mal à avoir ou maintenir une érection. Si c'est votre cas, parlez-en à votre médecin.

Selon *Le chemin d'un prompt rétablissement* de la Fondation des maladies du cœur et de l'AVC (http://www.fmcoeur.qc.ca), il est préférable de planifier les rapports intimes. Choisissez des moments où vous êtes tous deux reposés et détendus, et ne vous précipitez surtout pas : laissez vos réponses sexuelles évoluer lentement. Les femmes qui font de la sécheresse vaginale en conséquence du traitement médicamenteux et de leurs changements hormonaux peuvent se servir d'un lubrifiant hydrosoluble tel que le gel K-Y. Il vaut mieux éviter les plantes médicinales visant à rétablir la fonction ou l'intérêt sexuel. Nombre d'entre elles interagissent avec les médicaments que l'on prescrit couramment pour le cœur (voir chapitre 10).

Les médicaments contre le dysfonctionnement érectile

Les médicaments destinés à rehausser la performance sexuelle chez les hommes ont pour effet de dilater les vaisseaux sanguins, c'est-à-dire qu'ils exercent une action vasodilatatrice. C'est grâce à cet effet que l'homme peut maintenir une érection. Cependant, ils agissent pareillement sur les autres vaisseaux sanguins de l'organisme, ce qui peut avoir pour conséquence de faire chuter la pression artérielle. De plus, le Viagra et les molécules semblables interagissent avec la nitroglycérine, médicament qui a aussi pour effet de dilater les vaisseaux sanguins et qu'on emploie pour soulager les douleurs thoraciques. Leur action conjuguée peu entraîner une chute de la pression artérielle telle qu'elle pourrait être fatale. Voilà pourquoi je ne prescris pas de Viagra à mes patients qui souffrent d'angine intermittente nécessitant le recours à la nitroglycérine, dont la pression artérielle est particulièrement basse ou qui sont incapables de faire de l'exercice modéré sur le tapis roulant. Toutefois, si leur état est stable, s'ils n'ont pas à prendre de la nitroglycérine et s'ils démontrent une bonne tolérance à l'exercice sur le tapis roulant, les médicaments de cette nature ne risquent pas de mettre leur santé en péril.

Au-delà de la sexualité

Les enjeux relationnels vont bien au-delà de l'intimité sexuelle. Ainsi, les cardiopathes doivent parfois faire face à des réactions de frustration à l'endroit de leur affection. Leurs proches s'inquiètent généralement à leur sujet, ce qui, en soi, n'est pas une mauvaise chose, à la condition que cela ne devienne pas étouffant. Une de mes patientes de longue date, une célibataire dans la soixantaine, vivait avec sa sœur, une femme pleine de bonne volonté qui se trouvait aussi être sa proche amie et sa compagne. Un jour, ma patiente m'a confié que sa sœur la rendait folle : elle lui interdisait de monter les escaliers et d'effectuer la moindre tâche. À l'occasion d'un rendez-vous, j'ai dû jouer le rôle de conseillère et expliquer que ma patiente pouvait reprendre ses activités sans problème, y compris les tâches ménagères.

Souvent, les membres de la famille surprotègent la personne malade, craignant qu'elle ne se blesse en conséquence de sa fragilité. Cependant, la plupart du temps, la surprotection donne des résultats contraires à ceux escomptés, c'est-à-dire qu'elle peut ralentir la récupération du patient. Ainsi, dans certains cas, les membres de la famille craignent de laisser le malade monter et descendre les escaliers ; ils le voudraient entièrement sédentaire. Or, la guérison nécessite au contraire qu'il puisse reprendre sa routine normale, laquelle doit comprendre des activités physiques adaptées à sa situation.

Au fil des ans, j'ai découvert que les troubles cardiaques portent parfois un coup plus dur aux membres de la famille qu'au patient lui-même. Voilà pourquoi j'insiste pour qu'ils soient présents lors d'une visite de ce dernier au centre de réadaptation et se rendent compte par eux-mêmes de ses progrès en l'observant évoluer sur le tapis roulant. Le fait de le voir faire de l'exercice sans qu'il éprouve de douleurs thoraciques ou soit essoufflé, et sans que ses résultats à l'ECG soient anormaux peut avoir pour effet de les rassurer.

N'en faites pas trop. Démarrez lentement. C'est la meilleure manière d'aborder l'intimité sexuelle et l'activité physique. C'est particulièrement vrai pour les personnes âgées ou qui sont en mauvaise forme. Dans les premiers temps de ma carrière médicale, un jour que j'étais de garde à l'hôpital, un homme de 83 ans est arrivé en pleine crise cardiaque. Je n'oublierai jamais ce qui s'est passé ensuite. Nous étions en train de lui administrer un antiagrégant quand sa femme affolée a demandé à me parler en privé. Elle était hystérique, convaincue qu'elle avait failli tuer son mari. Sa crise cardiaque s'était déclenchée alors qu'ils tentaient une première relation sexuelle depuis des années. De plus, il avait pris du Viagra. Je l'ai rassurée en lui disant qu'elle n'était pas responsable de cet accident qui aurait pu survenir de toute façon, mais ce n'était que partiellement vrai. Ils n'auraient pas dû avoir recours au Viagra pour faciliter leur relation sexuelle, d'autant plus qu'il prenait un antihypertenseur et de la nitroglycérine. Qui plus est, il n'avait pas vu son médecin depuis un bon moment. Les patients âgés, frêles ou en mauvaise forme devraient aborder la sexualité de manière progressive plutôt que de se lancer d'emblée dans des ébats sexuels énergiques.

QUAND ON EST À LA FOIS AIDANT ET PATIENT

Nous avons tous des conflits d'horaire, que ce soit à la maison ou au travail. La plupart des gens ont l'habitude de mener plusieurs tâches de front et certains s'imaginent qu'ils arrivent parfaitement à jongler avec leurs obligations quotidiennes. Comme on dit souvent, si vous voulez qu'une chose soit faite, confiez-la à quelqu'un d'occupé. À la maison, on me taquine souvent en disant que je peux faire trois choses à la fois, mais que si on m'en confie une quatrième, je perds les pédales.

Cependant, j'ai appris au fil des ans que d'en faire trop m'épuise. C'est ce qui se passe aussi pour l'aidante qui voit au bien-être de tous alors qu'elle devrait se concentrer sur son état de patiente. Il y a peu de temps, je suivais une femme qui devait subir un pontage cardiaque. À ma grande consternation, elle voulait reporter à plus tard l'intervention, m'expliquant que son mari devait subir lui aussi une intervention chirurgicale. Cependant, dans son cas, il s'agissait d'une opération non urgente tandis qu'elle souffrait d'une cardiopathie grave. Malgré mes protestations, elle insistait pour reporter le pontage. Je ne sais pas si sa décision résultait d'un déni ou si elle présentait le type de personnalité qui fait tout pour les autres et rien pour elle-même, mais d'une manière ou d'une autre, sa propre santé ne faisait pas partie de ses priorités. J'ai finalement réussi à la convaincre, mais elle n'a accepté de subir le pontage qu'après avoir préparé et congelé l'équivalent de deux semaines de repas pour son mari. De fait, il ne s'était jamais préparé le moindre repas. À mon avis, il se serait débrouillé, mais elle devait absolument y voir elle-même.

Une autre de mes patientes, une professionnelle ambitieuse de 56 ans dont le métier exigeant ne lui permettait guère de se détendre, luttait contre un problème de poids et devait prendre un médicament contre l'hypertension. Elle s'est engagée à entreprendre des changements positifs, joignant un programme d'alimentation saine, retenant les services d'un entraîneur privé et suivant des cours de yoga. Cependant, elle a tout abandonné à l'approche de deux projets qui la préoccupaient grandement. Elle s'est montrée on ne peut plus claire : « L'expression "prendre soin de soi" ne fait pas partie de mon vocabulaire », m'a-t-elle dit. Nous sommes tous passés par là à l'occasion, mais derrière ces mots se profile une structure mentale particulièrement inquiétante. En dernier ressort, j'ai dû accroître sa posologie médicamenteuse dans le but de réduire son risque de crise cardiaque et d'AVC, chose qui aurait pu être évitée si seulement elle avait accepté de changer son vocabulaire et les règles qui gouvernent son existence.

À ceux qui viennent de recevoir un diagnostic de maladie coronarienne, mon conseil est simple : adoptez de nouvelles habitudes qui seront bonnes pour votre cœur. Ménagez-vous des temps de répit. Laissez les autres s'occuper de vous. Déchargez-vous de certaines de vos obligations. Déléguez. Réévaluez votre penchant à répondre « oui » à toutes les demandes. Demandez à un ami ou un membre de la famille de vous aider dans certaines tâches telles que la cuisine, les courses ou l'entretien du terrain. Ralentissez, prenez des congés de travail, même si, d'un point de vue médical, rien ne vous y oblige. Peut-être êtes-vous physiquement apte au travail, mais encore fragile émotionnellement. Assurez-vous d'avoir récupéré sur le plan psychique avant de vous exposer à des situations potentiellement stressantes.

Si vous avez survécu à une crise cardiaque, vous aurez peut-être la motivation nécessaire pour réévaluer les choix que vous avez faits dans le passé afin d'accorder la priorité à votre santé dans le futur. Tous n'ont pas besoin de repenser entièrement leur existence, mais une certaine réflexion à court terme s'impose. Demandez-vous quel souvenir vous aimeriez laisser de vous à vos amis et aux membres de votre famille. Nul ne souhaiterait voir inscrit sur sa pierre tombale : « N'a jamais manqué une journée de travail, a fait preuve de loyauté envers son entreprise, a publié 400 articles. »

LES CRAINTES DES MEMBRES DE LA FAMILLE

La cardiopathie suscitera probablement chez vous des anxiétés et des préoccupations que, je l'espère, vos dispensateurs de soins médicaux aborderont explicitement. Toutefois, les membres de votre famille pourraient aussi entretenir leurs propres craintes et préoccupations au sujet de votre maladie, chose que l'on néglige trop souvent. Demandez à votre conjoint, vos enfants ou vos frères et sœurs de s'en ouvrir à votre médecin à l'occasion d'un rendez-vous ultérieur. Souvent, la communication et l'information permettent de résoudre les problèmes qui préoccupent les proches et pourraient, dans certains cas, ralentir le processus de guérison du patient.

À la suite d'une crise cardiaque d'un être cher, les membres de la famille ont souvent le sentiment de perdre le contrôle de la situation. Cependant, il y a des choses qu'on ne peut contrôler. Parfois, les inquiétudes sont de nature personnelle, par exemple la crainte de perdre non seulement un être cher, mais également le principal soutien de la famille, ce qui peut constituer une menace pour la sécurité financière de la famille. Je crois beaucoup en l'importance d'ouvrir son cœur à un professionnel de même qu'aux membres de sa famille. N'hésitez pas à parler franchement des émotions que vous ressentez. En même temps, encouragez les membres de votre famille à se concentrer sur les choses sur lesquelles ils ont le contrôle, par exemple ce qu'ils peuvent faire pour être en meilleure santé et plus actifs, tout comme vous le faites vous-même.

Bien que certains patients soient génétiquement prédisposés à la cardiopathie, dans la plupart des cas, cette dernière est associée au mode de vie. Souvent, les conjoints partagent le même. Selon les résultats d'études, les proches d'un cardiopathe sont susceptibles de présenter les mêmes facteurs de risque que lui. Par ailleurs, on peut habituellement compter sur le soutien et la motivation des membres de sa famille et de ses amis. Il y a quelque chose d'inspirant à voir ses proches faire les mêmes efforts que soi pour réduire leur risque de cardiopathie. Si, comme vous, ils adoptent un mode de vie sain, il vous sera plus facile de le maintenir à long terme. Quand tous font équipe, la maison devient un milieu où il fait bon vivre en santé, qu'on souffre de cardiopathie ou non.

CINQUIÈME PARTIE

LE FUTUR

Chapitre 16

LES INNOVATIONS

« D'après ce que mon fils a lu sur Internet, au lieu de subir un pontage cardiaque, ma mère pourrait s'en tenir aux médicaments. Est-ce vrai ? »

Il y a à peine une génération, une telle chose aurait été inimaginable. Cependant, les résultats d'études récentes indiquent qu'on peut traiter à l'aide de médicaments seuls certaines affections cardiaques qui nécessitaient autrefois une intervention chirurgicale. C'est cela, la médecine moderne.

On estime que le volume des connaissances médicales double tous les cinq ans. Selon mes calculs, depuis que j'ai obtenu mon diplôme de l'école de médecine, le volume de mes connaissances s'est multiplié par 16. Ce qui ne veut pas dire que tout ce que j'ai appris autrefois est dépassé. C'est plutôt que, entre-temps, on a découvert une foule de technologies, techniques, pratiques, études, médicaments, ce qui, conjugué, à une plus grande sagesse, nous permet de prévenir, soigner et, en fin de compte, guérir la maladie et l'invalidité.

Que nous réserve le futur ? Voyons les derniers concepts en matière de prévention et de traitement de la cardiopathie, de même que les obstacles qu'il faudra surmonter sur la voie du progrès scientifique.

COMMENT EXPÉRIMENTE-T-ON LES NOUVEAUX MÉDICAMENTS ?

En matière de cardiologie, il importe plus de savoir reconnaître en quoi une nouvelle recommandation médicale est valide que de connaître le nouveau traitement à la mode. La compréhension des méthodes auxquelles ont recours les scientifiques pour mener leurs recherches vous aidera à intégrer l'information portant sur la manière de prendre soin de votre cœur.

Laissez-moi vous en donner un aperçu. En médecine, il existe divers niveaux de preuve. Les chercheurs émettent d'abord une hypothèse sur l'efficacité d'un médicament ou d'une intervention chirurgicale. Il arrive qu'elle semble valable, mais que les espoirs s'évanouissent quand on la met à l'épreuve dans une étude appropriée. Pour illustrer cette situation, on donne généralement l'exemple de l'hormonothérapie substitutive : les résultats des premières études basées sur l'observation de milliers de femmes semblaient indiquer (de manière erronée, s'est-il avéré) qu'elle pouvait protéger les femmes de la cardiopathie. Cependant, lors d'une étude plus tardive et mieux conçue portant sur l'évaluation de ses effets, ces bienfaits n'étaient plus observables. Les raisons pour lesquelles les femmes ne souffraient pas de cardiopathie n'avaient rien à voir avec l'hormonothérapie.

La plupart des conseils que j'ai donnés dans ces pages reposent sur les principes de la médecine fondée sur les preuves. Autrement dit, le recours à un médicament ou un traitement en particulier repose sur des données factuelles sûres. La seule manière pour les chercheurs de déterminer si un traitement sera efficace auprès de la majorité des patients consiste à l'étudier dans le cadre d'un essai clinique aléatoire (ECA). Lors d'un ECA, on administre au hasard aux patients le médicament faisant l'objet de l'étude. Généralement, la moitié des sujets le recevront tandis que l'autre moitié recevra un placebo, c'est-à-dire une fausse pilule. Dans un essai clinique aléatoire à double insu, ni les sujets ni la personne qui leur administre le médicament et le placebo ne savent qui reçoit l'un ou l'autre. Cela peut paraître contraire à l'éthique, mais ce n'est pas le cas. En fait, si le médecin ou l'infirmière sait qui reçoit quoi, son interprétation des symptômes d'un patient pourrait être biaisée. Les essais bien conçus sont menés sous la surveillance d'un groupe indépendant d'experts, connu sous le nom de « comité de surveillance et de suivi ».

Qu'est-ce que la recherche a permis de découvrir en cardiologie ? Les résultats d'essais cliniques aléatoires récents indiquent que certains des médicaments qui élèvent le taux de HDL (le « bon » cholestérol) ne diminuent pas pour autant le risque de faire une crise cardiaque dans le futur. D'autre part, on a démontré dans d'autres études que les statines, qui font baisser le taux de LDL (le « mauvais » cholestérol), diminuaient ce risque.

C'est vrai aussi de l'implantation percutanée d'une valvule aortique, nouvelle intervention consistant à la remplacer (voir section suivante).

Si les femmes sont généralement sous-représentées dans les essais cliniques, c'est souvent parce qu'elles sont moins enclines à se porter volontaires comme sujets d'étude. J'ai souvent encouragé des patientes, particulièrement les plus âgées, qui pourraient être exclues des données scientifiques, à participer à des essais cliniques aléatoires. Si vous, ou un membre de votre famille avez été approché dans le but de participer à un tel essai, réfléchissez-y. Bien sûr, personne ne vous forcera la main, mais sachez que, de nos jours, toutes les études que l'on mène ont d'abord fait l'objet d'une évaluation rigoureuse en matière d'innocuité et d'éthique.

LES NOUVELLES INTERVENTIONS VALVULAIRES

Au cours des dernières années, on a assisté à une explosion d'avancées technologiques au profit de ceux qui souffrent de troubles valvulaires. La valvule aortique rétrécie, ou sténose aortique, est un problème très courant chez les personnes âgées. J'ai vu de nombreux octogénaires subir une opération valvulaire à cœur ouvert, mais les médecins évaluent actuellement une technique nouvelle et moins effractive, soit l'implantation percutanée d'une valvule aortique, ou IPVA, qui se pratique dans des centres spécialisés sous la surveillance d'un cardiologue interventionnel et d'un chirurgien. Durant l'intervention, le patient reçoit une anesthésie générale, puis le chirurgien insère un cathéter en direction du cœur, souvent à travers un vaisseau sanguin. La technique s'apparente à la coronarographie. Essentiellement, il s'agit d'ouvrir la valvule aortique et d'insérer à sa place un tuteur valvulaire – c'est-à-dire une valvule montée sur un tuteur métallique.

Au cours des dix prochaines années, cette intervention sera largement pratiquée, ce qui nous permettra d'en savoir plus sur ses résultats et ses bénéfices à long terme. Personnellement, je pense qu'elle est là pour de bon. Des données récentes donnent à penser que les sujets qui ne réunissent pas les conditions pour une intervention chirurgicale classique en bénéficieront, notamment parce qu'elle améliorera leur qualité de vie et diminuera leur risque futur d'hospitalisation pour cardiopathie[69]. Cependant, cette technique ne convient pas à tous. Malheureusement, elle pourrait être déconseillée aux personnes âgées et frêles, de même qu'aux sujets de petite taille, étant donné que les valvules qu'on implante sont destinées à des patients de taille moyenne ou grande. Si vous, ou l'un des vôtres, souffrez de sténose aortique et êtes âgé de plus de 80 ans, ou si vous présentez d'autres problèmes qui interdisent le remplacement classique de la valvule aortique, parlez à votre cardiologue de l'IPVA. Il n'y a pas de mal à se faire évaluer.

....

❤ **Ce qu'il faut savoir :** Si vous devez subir une intervention valvulaire, demandez à votre médecin qu'il vous adresse à un centre qui effectue des IPVA, une intervention cardiaque de pointe. Qui sait, peut-être découvrirez-vous qu'elle est tout à fait indiquée pour votre situation ?

....

LA THÉRAPIE GÉNIQUE : RÉGÉNÉRER LE CŒUR ET LES VAISSEAUX SANGUINS

Au cours des dernières années, la communauté scientifique s'est concertée pour étudier les méthodes permettant de régénérer le muscle cardiaque à la suite de lésions et les artères coronaires (angiogenèse) malades. Il s'agit de la thérapie génique cardiaque (ou thérapie cellulaire cardiaque). Les essais se multiplient et, à ce jour, cette approche reste expérimentale. Cette thérapie repose sur le principe qu'il est possible de manipuler les gènes, qui régulent la croissance cellulaire, à l'extérieur du corps. Ainsi, on peut les insérer dans une cellule, souvent dans une éprouvette, et les réimplanter dans le corps. Pour ce faire, les chercheurs doivent généralement avoir recours à des virus, mais ces derniers ne doivent présenter aucun danger. Cependant, il n'est pas simple d'implanter des gènes dans le corps, d'autant plus qu'ils doivent cibler des cellules spécifiques. Par conséquent, les chercheurs ont de nombreux obstacles à contourner avant que cette pratique ne soit répandue. En fait, plusieurs programmes de recherche en thérapie génique ont été interrompus pour des raisons de sécurité. Actuellement, il n'existe pas de méthode sûre et éprouvée permettant de régénérer les vaisseaux sanguins et les cellules du muscle cardiaque. Peut-être verrons-nous cette thérapie à l'œuvre de notre vivant, mais pour l'instant, nous disposons d'autres méthodes, notamment préventives, pour vous protéger, ainsi que les membres de votre famille, de la crise cardiaque et de l'AVC[70].

LA GÉNOMIQUE

Comme la constitution génétique influe sensiblement sur l'état de santé, le fait de connaître son ADN pourrait contribuer à déterminer si un sujet est à risque de cardiopathie ou de troubles qui y contribuent, nommément le diabète et l'hypertension artérielle. Quand j'étais à l'école médicale, cette idée semblait relever de la science-fiction, mais, dans ce domaine, les choses évoluent rapidement. En 2001, le Projet génome humain a établi le séquençage brut des gènes du corps humain[71], et en 2007, les scientifiques avaient établi leur séquençage détaillé. Ces données permettront aux chercheurs d'étudier les liens entre les séquences et les maladies. Je crois que, de mon vivant, on arrivera à « passer les gènes au crible » afin de dépister la cardiopathie et que, dans le futur l'information fournie par les gènes permettra de la traiter, plutôt que de simplement la dépister. La génomique permettra aux médecins de déterminer le médicament qui convient le mieux à chacun de leurs patients. De fait, nous étudions actuellement comment les gènes permettent de prédire l'efficacité de certains médicaments de type Aspirine chez les patients ayant fait une crise cardiaque. Nous n'y sommes pas encore arrivés, mais la science-fiction pourrait devenir réalité plus rapidement qu'on l'imagine.

L'AVENIR VOUS APPARTIENT : ENGAGEZ-VOUS À MENER UNE VIE SAINE

En définitive, il faut considérer l'avenir avec optimisme. Étant donné les avancées de la médecine, l'expertise des professionnels médicaux et les connaissances des patients en matière de santé, le futur est encourageant pour nombre de ceux qui souffrent de maladie cardiovasculaire.

Le meilleur partenaire d'un cardiologue est le patient engagé. Votre réussite dépend de la relation essentielle que vous entretenez avec lui, ce qui exige une honnêteté mutuelle, un dialogue ininterrompu et, en dernier ressort, une confiance dans le processus médical. Vous devez reconnaître qu'il existe des méthodes démontrées qui vous permettront soit d'être en meilleure santé soit de prendre en charge votre cardiopathie de la meilleure manière possible. Profitez de chaque consultation, que ce soit pour un bilan de routine, un rendez-vous au centre de réadaptation cardiaque ou une visite à l'hôpital, pour poser des questions spécifiques à votre situation. Vous savez désormais en quoi consiste la cardiopathie et connaissez les divers diagnostics, les traitements et les méthodes permettant de la prendre en charge.

Bien sûr, votre santé ne repose pas uniquement entre les mains de votre médecin. En fait, elle vous appartient en propre. Je ne peux m'empêcher de reprendre ici les principes fondamentaux de la prévention. La clé pour vivre longtemps et en santé, de même que pour servir de modèle à vos enfants et petits-enfants, consiste à prendre les mesures nécessaires pour réduire votre risque. Mangez bien, adoptez un programme d'activités physiques, cessez de fumer, le cas échéant, et prenez en charge votre diabète et votre hypertension en adoptant de saines habitudes de vie et en prenant vos médicaments. Si votre médecin vous en a prescrit, c'est qu'ils sont nécessaires à votre santé, voire à votre survie. Observez les progrès que vous accomplissez grâce aux médicaments et à votre programme de prévention. Parlez de votre état de santé non seulement avec votre cardiologue et votre médecin de famille, mais aussi avec vos proches. Si vous trouvez constamment des prétextes pour remettre à plus tard les changements nécessaires à votre santé cardiaque, « demain » ne viendra jamais. Il s'agit d'accorder la priorité à votre santé dès aujourd'hui et de continuer à le faire quels que soient les hauts et les bas de l'existence. Pensez à l'avenir, qui s'annonce brillant.

NOTES

1. Statistique Canada. *Principales causes de décès au Canada*, Ottawa, Statistique Canada, 2009.
2. Conference Board of Canada. *La Stratégie canadienne de santé cardiovasculaire : facteurs de risque et répercussions sur les coûts futurs*, février 2010, http://www.conferenceboard.ca/e-library/abstract.aspx?DID=3448.
3. Paula A. Johnson et JoAnn E. Manson. «How to Make Sure the Beat Goes On: Protecting a Woman's Heart», *Circulation* 111 (2005): e28–e33, doi: 10.1161/01. CIR.0000155364.54434.E6; Organisation mondiale de la santé, «Cardiovascular Diseases: Facts and Figures» (n.d.), www.euro.who.int/en/what-we-do/health-topics/noncommunicable-diseases/cardiovascular-diseases/facts-and-figures; et Organisation mondiale de la santé, «Rapport sur la situation mondiale des maladies non transmissibles 2010», 2011, http://www.who.int/nmh/publications/ncd_report2010/fr/index.html.
4. Institut canadien d'information sur la santé. Base de données sur la morbidité hospitalière, Données de 2010 sur les hospitalisations : diagnostic principal.
5. Statistique Canada. *Mortalité : liste sommaire des causes*, 2009, n° au catalogue : 84F0209X, http://www.statcan.gc.ca/pub/84f0209x/84f0209x2009000-fra.pdf.
6. Conference Board of Canada. *La stratégie canadienne de santé cardiovasculaire : facteurs de risque et répercussions sur les coûts futurs*, http://www.conferenceboard.ca/e-library/abstract.aspx?DID=3448.
7. Salim Yusuf *et al.* «Global Burden of Cardiovascular Diseases — Part I: General Considerations, the Epidemiologic Transition, Risk Factors, and Impact of Urbanization,» *Circulation* 104, 2001, p. 2746–2753.
8. Fondation des maladies du cœur et de l'AVC. «Est-on septuagénaire dix ans avant l'heure?», *Bulletin de santé annuel des Canadiens*, 2006, http://www.fmcoeur.com/site/apps/nlnet/content2.aspx?c=ntJXJ8MMIqE&b=4277231&ct=4683121.
9. Statistique Canada. *Principales causes de décès, population totale, selon le groupe d'âge et le sexe, Canada*, CANSIM (base de données annuelle), tableau 102-0561, http://www5.statcan.gc.ca/cansim/pick-choisir;jsessionid=9FBE4E7F241E83D903EEFBB820412A50?id=1020561&searchTypeByValue=1&retrLang=fra&lang=fra
10. Donald Lloyd-Jones *et al.* «Heart Disease and Stroke Statistics — 2010 Update: A Report from the American Heart Association», *Circulation* 121, 2010, p. e46–e215.

11. Centre canadien de lutte contre l'alcoolisme et les toxicomanies. *Les coûts de l'abus de substances au Canada,* Ottawa, 2002.

12. Donald Lloyd-Jones *et al.* «Heart Disease and Stroke Statistics — 2010 Update : A Report from the American Heart Association», *Circulation* 121, 2010, p. e46–e215.

13. Organisation mondiale de la santé. *Tabagisme, aide-mémoire,* nº 339, mai 2012, http://www.who.int/mediacentre/factsheets/fs339/fr/index.html.

14. J. MacKay, Michael Eriksen et Omar Shafey. *The Tobacco Atlas,* American Cancer Society, 2006.

15. Santé Canada. *Enquête de surveillance de l'usage du tabac au Canada : sommaire des résultats annuels pour 2010,* http://www.hc-sc.gc.ca/hc-ps/tobac-tabac/research-recherche/stat/ctums-esutc_2010_graph-fra.php.

16. G.A. Colditz, R. Bonita, M.J. Stampfer, W.C. Willett, B. Rosner, F.E. Speizer et C.H. Hennekens. «Cigarette Smoking and Risk of Stroke in Middle-Aged Women», *New England Journal of Medicine* 318, nº 15, 1988, p. 937–941.

17. Donald Lloyd-Jones *et al.* «Heart Disease and Stroke Statistics — 2010 Update : A Report from the American Heart Association», *Circulation* 121, 2010, p. e46–e215.

18. American Heart Association. «What Your Cholesterol Levels Mean», www.heart.org/HEARTORG/Conditions/Cholesterol/AboutCholesterol/What-Your-Cholesterol-Levels-Mean_UCM_305562_Article.jsp.

19. Organisation mondiale de la santé. *Rapport sur la Santé dans le Monde 2002 - Réduire les risques et promouvoir une vie saine,* http://www.who.int/whr/2002/fr/index.html.

20. D.R. MacLean, A. Petrasovits et M. Nargundkhar. «Canadian Heart Health Surveys : A Profile of Cardiovascular Risk», *Canadian Medical Association Journal* 146, 1992, p. 1969–1974.

21. R.S. Vasan, M.G. Larson, E.P. Leip, J.-C. Evans, C.J. O'Donnell, W.B. Kannel et D. Levy. «Impact of High-Normal Blood Pressure on the Risk of Cardiovascular Disease», *New England Journal of Medicine* 345, nº 18, 1er novembre 2001, p. 1291–1297.

22. American Heart Association. «Cardiovascular Disease & Diabetes», février 2012, www.heart.org/HEARTORG/Conditions/Diabetes/WhyDiabetesMatters/Cardiovascular-Disease-Diabetes_UCM_313865_Article.jsp.

23. P. Gaede, P. Vedel, N. Larsen, G.V. Jensen, H.H. Parving et O. Pedersen. «Multifactorial Intervention and Cardiovascular Disease in Patients with Type 2 Diabetes», *New England Journal of Medicine* 348, nº 5, 30 janvier 2003, p. 383–393.

24. University of Oxford. «Moderate Obesity Takes Years Off Life Expectancy», Oxford, 18 mars 2009, http://www.ox.ac.uk/media/news_stories/2009/090317.html.

25. S.D. Mittelman, P. Gilsanz, A.O. Mo, J. Wood, F. Dorey et V. Gilsanz. «Adiposity Predicts Carotid Intima-Media Thickness in Healthy Children and Adolescents», *Journal of Pediatrics* 156, nº 4, avril 2010, p. 592–597.

26. M. Shields et M. S. Tremblay. «Sedentary Behavior and Obesity», *Health Reports* 19, nº 2, 2008, p. 19-30, cité dans «Activité physique, maladies du cœur et AVC», Point de vue de la Fondation des maladies du cœur, août 2011, http://www.fmcoeur.qc.ca/site/c.kpIQKVOxFoG/b.5265055/k.B9D0/Point_de_vue__Activit233_physique_maladies_du_c339ur_et_AVC.htm.

27. P. M. Ridker *et al.* «Rosuvastatin to Prevent Vascular Events in Men and Women with Elevated C-Reactive Protein», *New England Journal of Medicine* 359, nº 21, 2008, p. 2195–2207.

28. W. B. Kannel et D. L. McGee. «Diabetes and Cardiovascular Disease : The Framingham Study», *Journal of the American Medical Association* 241, 1979, p. 2035–2038.

29. National Heart, Lung and Blood Institute et université de Boston. « Framington Heart Study : Risk Score Profiles », www.framinghamheartstudy.org/risk/index.html.

30. Fondation des maladies du cœur et de l'AVC. « Il est temps de combler le fossé entre les sexes », *Bulletin de santé annuel des Canadiens,* 2007, http://www.fmcoeur.com/site/apps/nlnet/content2.aspx?c=ntJXJ8MMIqE&b=4277231&ct=4683119.

31. A. S. Bierman *et al.* « Maladies cardiovasculaires », *Projet d'élaboration du Rapport basé sur des données probantes de l'Ontario sur la santé des femmes,* Toronto, A. S. Bierman ed., 2009, powerstudy.ca./l-tude-power.

32. J.E. Manson, J. Hsia, K.C. Johnson, J.E. Rossouw, A.R. Assaf, N.L. Lasser, M. Trevisan, H.R. Black, S.R. Heckbert, R. Detrano, O.L. Strickland, N.D. Wong, J.-R. Crouse, E. Stein et M. Cushman pour les chercheurs de la Women's Health Initiative. « Estrogen Plus Progestin and the Risk of Coronary Heart Disease », *New England Journal of Medicine* 349, no 6, 7 août 2003, p. 523–534.

33. Deborah Grady *et al.* HERS Research Group. « Cardiovascular diseases outcomes During 6,8 Years of Hormone Therapy : Heart and Estrogen/Progestin Replacement Study Follow-up (HERS II) », *Journal of the American Medical Association* 288, no 1, juillet 2002, p. 49-57.

34. N. K. Wenger et J. Stamler. « The Coronary Drug Project : Implications for Clinical Care », *Primary Care* 4, no 2, juin 1977, p. 247–253.

35. S. Yusuf *et al.* « Effect of Potentially Modifiable Risk Factors Associated with Myocardial Infarction in 52 Countries (the INTERHEART study) : Case-Control Study », *Lancet* 364, 2004, p. 937–952.

36. Majid Ezzati, S. Jane Henley, Michael J. Thun et Alan D. Lopez. « Role of Smoking in Global and Regional Cardiovascular Mortality », *Circulation* 112, 2005, p. 489–497.

37. Nancy A. Rigotti *et al.* « Bupropion for Smokers Hospitalized with Acute Cardiovascular Disease », *American Journal of Medicine* 119, no 12, 2006, p. 1080–1087.

38. Nancy A. Rigotti *et al.* « Efficacy and Safety of Varenicline for Smoking Cessation in Patients with Cardiovascular Disease : A Randomized Trial », *Circulation* 121, no 2, 2010, p. 221–229.

39. S. J. Nielsen et B.M. Popkin. « Changes in Beverage Intake Between 1977 and 2001 », American Journal of Preventive Medicine 27, no 3, 2004, p. 205–210.

40. Elena V. Kuklina, Paula W. Yoon et Nora L. Keenan. « Prevalence of Coronary Heart Disease Risk Factors and Screening for High Cholesterol Levels Among Young Adults, United States, 1999-2006 », *Annals of Family Medicine* 8, 2010, p. 327–333.

41. Société canadienne de physiologie de l'exercice. *Directives canadiennes en matière d'activité physique,* http://www.csep.ca/Francais/view.asp?x=804.

42. F.M. Sacks, G.A. Bray, V.J. Carey, S.R. Smith, D.H. Ryan, S.D. Anton, K. McManus, C.M. Champagne, L.M. Bishop, N. Laranjo *et al.* « Comparison of Weight-Loss Diets with Different Compositions of Fat, Protein, and Carbohydrates », *New England Journal of Medicine* 360, no 9, 26 février 2009, p. 859–873.

43. National Heart, Lung, and Blood Institute : Health Information Network. « 5 Steps to a Healthy Weight », *Health-e Actions,* 15 octobre 2010, http://hp2010.nhlbihin.net/joinhin/news/consumer/ConsumerWtLossReality.htm.

44. B.H. Goodpaster, J.P. Delany, A.D. Otto, L. Kuller, J. Vockley, J.E. South-Paul, S.B. Thomas, J. Brown, K. McTigue, K.C. Hames, W. Lang, J.M. Jakicic. « Effects of diet and physical activity interventions on weight loss and cardiometabolic risk factors in severely obese adults : a randomized trial », *JAMA* 304, no 16, 27 octobre 2010, p. 1795-1802.

45. National Heart, Lung and Blood Institute. « What is the DASH eating plan? », juillet 2002, http://www.nhlbi.nih.gov/health/health-topics/topics/dash/.

46. N. R. Campbell *et al.* « Canadian Hypertension Education Program: The Science Supporting New 2011 CHEP Recommendations with an Emphasis on Health Advocacy and Knowledge Translation », *Canadian Journal of Cardiology* 27, n° 4, 2011, p. 407-414.

47. N.S. Beckett, R. Peters, A.E. Fletcher, J.A. Staessen, L. Liu, D. Dumitrascu, V. Stoyanovsky, R.L. Antikainen, Y. Nikitin, C. Anderson *et al.*; HYVET Study Group. « Treatment of Hypertension in Patients 80 years of Age or Older », *New England Journal of Medicine* 358, n° 18, 1er mai 2008, p. 1887–1898.

48. J.G. Canto, W.J. Rogers, R.J. Goldberg, E.D. Peterson, N.K. Wenger, V. Vaccarino, C.I. Kiefe, P.D. Frederick, G. Sopko, Z.J. Zheng; NRMI Investigators, « Association of Age and Sex with Myocardial Infarction Symptom Presentation and In-Hospital Mortality », *Journal of the American Medical Association* 30, n° 8, 22 février 2012, p. 813–822.

49. Tanya Meyer *et al.* « Radiation Exposure and Dose Reduction Measures in Cardiac CT », *Current Cardiovascular Imaging Reports,* vol. 1, n° 2, avril 2008, p. 133–140, 10.1007/s12410-008-0020-3.

50. C. M. Ballantyne *et al.* « Effect of Rosuvastatin Therapy on Coronary Artery Stenoses Assessed by Quantitative Coronary Angiography: A Study to Evaluate the Effect of Rosuvastatin on Intravascular Ultra-sound-Derived Coronary Atheroma Burden », *Circulation* 117, n° 19, 2008, p. 2458–2466.

51. P. M. Ridker *et al.* « Cardiovascular Benefits and Diabetes Risks of Statin Therapy in Primary Prevention: An Analysis from the JUPITER Trial », *Lancet* 380, n° 9841, 2012, p. 565–571.

52. A.S. Go, E.M. Hylek, K.A. Phillips, Y. Chang, L.E. Henault, J.V. Selby et D.E. Singer. « Prevalence of diagnosed atrial fibrillation in adults: national implications for rhythm management and stroke prevention: the Anticoagulation and Risk Factors in Atrial Fibrillation (ATRIA) Study », *JAMA* 285, n° 18, 9 mai 2001, p. 2370-2375, http://www.ncbi.nlm.nih.gov/pubmed/11343485.

53. R.A. Fowler, N. Sabur, P. Li, D.N. Juurlink, R. Pinto, M.A. Hladunewich, N.K. Adhikari, W.J. Sibbald, C.M. Martin. « Sex-and age-based differences in the delivery and outcomes of critical care », *CMAJ* 177, n° 12, 4 décembre 2007, p. 1513-1519.

54. A. S. Bierman *et al.* « Cardiovascular diseases », *Project for an Ontario Women's Health Evidence-Based Report,* Toronto, A.S. Bierman ed., 2009, www.powerstudy.ca.

55. D. Hasdai, K.N. Garratt, D.E. Grill, A. Lerman et D.R. Holmes Jr. « Effect of smoking status on the long-term outcome after successful percutaneous coronary revascularization », *New England Journal of Medicine* 336, n° 11, mars 1997, p. 755-761.

56. Beth L. Abramson et Nancy Reballato. « Smoking Cessation », *Cardiology Rounds* 10, n° 9, 2005, www.cardiologyrounds.ca.

57. J.L. Anderson, C.D. Adams, E.M. Antman, C.R. Bridges, R.M. Califf, D.E. Casey Jr *et al.* « ACC/AHA 2007 guidelines for the management of patients with unstable angina/non ST-elevation myocardial infarction: a report of the American College of Cardiology/American Heart Association Task Force on Practice Guidelines », *Circulation* 116, 2007, p. 148-304.

58. P.M. Ridker *et al.* « Cardiovascular Benefits and Diabetes Risks of Statin Therapy in Primary Prevention: An analysis from the JUPITER Trial », *Lancet* 380, n° 9841, 2012, p. 565-571.

59. W. E. Boden *et al.*; COURAGE Trial Research Group. « Optimal Medical Therapy with or without PCI for Stable Coronary Disease », *New England Journal of Medicine* 356, n° 15, 2007, p. 1503–1516.

60. Fondation des maladies du cœur et de l'AVC. « Lignes directrices 2010 en matière de RCRetdeSUC »,http://www.fmcoeur.com/site/c.ntJXJ8MMIqE/b.6302307/k.2786/ Les_lignes_directrices_2010_en_mati232re_de_RCR_et_de_SUC.htm.

61. D.J. Gladstone, E. Bui, J. Fang, A. Laupacis, M.P. Lindsay, J.V. Tu, F.L. Silver et M.K. Kapral. « Potentially preventable strokes in high-risk patients with atrial fibrillation who are not adequately anticoagulated », *Stroke* 40, n° 1, janvier 2009, p. 235-240.

62. R.S. Bhatia *et al.* « Outcome of Heart Failure with preserved Ejection Fraction in a Population-Based Study », *New England Journal of Medicine* 355, n° 3, 2006, p. 260-269.

63. D.S. Lee, T.A. Stukel, P.C. Austin, D.A. Alter, M.J. Schull, J.J. You, A. Chong, D. Henry et J.V. Tu. « Improved outcomes with early collaborative care of ambulatory heart failure patients discharged from the emergency department », *Circulation* 122, n° 18, 2010, p. 1806-1814.

64. A.S. Biermans *et al.* « Cardiovascular Diseases », *Project for an Ontario Women's Health Evidence-Based Report* 1, Toronto, A.S. Bierman ed., www.powerstudy.ca.

65. R.S. Taylor, A. Brown, S. Ebrahim *et al.* « Exercise-based rehabilitation for patients with coronary heart disease: systematic review and meta-analysis of randomized controlled trials », *American Journal of Medicine* 116, 2004, p. 682-692.

66. Fondation des maladies du cœur et de l'AVC du Canada. *Le chemin d'un prompt rétablissement*, http://www.fmcoeur.qc.ca/site/c.kpIQKVOxFoG/b.3995501/k.5065/ Maladies_ducoeur__Le_Chemin_d8217un_prompt_r233tablissement.htm.

67. Chris Simpson, David Ross, Paul Dorian, Vidal Essebag, Anil Gupta *et al.* « Consensus Conference 2003: Assessment of the cardiac patient for fitness to drive and fly – Executive summary », *Canadian Journal of Cardiology* 20, n° 13, 2004, p. 1313 –1323.

68. The Heart Outcomes Prevention Evaluation Study Investigators. « Effects of an angiotensin-converting –enzyme inhibitor, ramipril, on cardiovascular events in high-risk patients », *New England Journal of Medicine,* 2000, 145-153.

69. M.B. Leon, C.R. Smith, M. Mack, D.C. Miller, J.W. Moses, L.G. Svensson, E.M. Tuzcu, J.G. Webb, G.P. Fontana, R.R. Makkar *et al*; PARTNER Trial. « Transcatheter aortic-valve implantation for aortic stenosis in patients who cannot undergo surgery », *New England Journal of Medicine* 363, n° 17, 21 octobre 2010, p. 1597-1607.

70. Elizabeth G. Nabel. « Gene Therapy for Cardiovascular Disease », *Circulation* 91, 1995, p. 541–548.

71. Human Genome Project Information. *Pharmacogenomics,* http://www.ornl.gov/sci/ techresources/human_genome/home.shtml.

INDEX

défibrillateur implantable
  (interne), 215-216, 221-223
  après l'insuffisance
    cardiaque, 165
  et conduite automobile, 243
  pour l'arythmie, 119, 153,
    162, 214
  pour la cardiomyopathie,
    139
démence, 44
dépression, 75, 91, 236-237
détermination des objectifs, 14,
  74, 89
diabète
  chez la femme, 60
  comme facteur de risque,
    33, 48-49, 111, 196
  et activité physique, 91, 96
  et AOMI, 156
  et cholestérol, 43, 99, 188
  et crise cardiaque, 48, 49,
    246, 247
  et douleur thoracique, 109
  et fibrillation, auriculaire,
    212
  et insuffisance cardiaque
    congestive, 217
  et mode de vie, 52
  et poids, 51
  et pression artérielle, 47
  et triglycérides, 42, 99
  insuffisance cardiaque en
    cas de, 217
  lésions au muscle cardiaque
    résultant du, 25
  médicaments contre le, 48,
    103
  prédiabète, 51
  prise en charge du, 48, 49,
    103-104, 189
  types de, 48
diabète de type 1, 48
diabète de type 2, 48-49. *Voir
  aussi* diabète
diététiste, 88, 103, 235, 244
différences entre les sexes
  et antécédents familiaux, 35
  et AVC, 46

et cardiopathie, 36-38, 59-61
et crise cardiaque, 64,
  121-122
et socialisation, 63-64
et traitements médicaux,
  62-64
Voir aussi hommes ; femmes
difficulté à respirer, dans
  troubles valvulaires, 229.
  Voir aussi essoufflement
digitale, 190-191, 220
digoxine, 190, 219-220
diurétiques, 219
  contre l'insuffisance
    cardiaque congestive, 219
  contre la régurgitation
    aortique, 172
  contre la régurgitation
    mitrale, 174
  contre la sténose mitrale,
    173
dobutamine, 128
dopamine, 73, 75
douleur
  chez la femme, 62, 64
  en tant qu'urgence, 111
  et diabète, 109
  et stress, 148
  *Voir aussi les parties
    spécifiques du corps
    atteintes de douleur*
douleur à l'effort, 35, 110
douleur à l'épaule, 111
douleur au cou, 110, 111
douleur dorsale, 110, 111,
  148
douleur pleurétique, 113
douleur thoracique
  à l'effort, 35, 110
  causes de la, 109-110
  en tant qu'effet indésirable
    des médicaments, 132
  en tant qu'urgence, 108,
    109, 111, 243
  et artères coronaires
    normales, 153-154
  et cause indéterminée,
    153-154

et inflammation cardiaque,
  174, 175
et prise de décision du
  traitement, 199
et sténose aortique, 170
et tests médicaux, 123-135
et troubles valvulaires,
  227
lancinante, 174, 175, 244
Voir aussi angine
douleurs musculaires, 96, 175,
  188
dysfonctionnement
  diastolique, 163
dysfonctionnement érectile,
  251, 252
dysfonctionnement sexuel, 44,
  186, 251
dysfonctionnement systolique,
  163
dyspnée, 114. *Voir aussi*
  essoufflement

E
ECG. *Voir*
  électrocardiogramme
échocardiographie, 137-138
  de stress, 131
  interprétation de l', 28, 29,
    168-169
  intravasculaire, 56, 146
  pour l'essoufflement, 115
  pour l'insuffisance
    cardiaque congestive,
    145, 163
  pour la fibrillation
    auriculaire, 161
  pour la maladie
    coronarienne, 145
  pour la myocardite, 175
  pour troubles valvulaires,
    138, 145, 173, 231
  transoesophagienne (ETO),
    138
éducation/information,
  186-187, 234
effet Hawthorne,
  183

et myocardite, 175
et souffle, 169
femme
en tant que patientes, 64
et abnégation, 62, 64-66
et alimentation, 78
et AVC, 37, 39-40
et cardiopathie, 37, 57,
59-68
et connaissances sur le
cœur, 62, 63, 64,
et crise cardiaque, 15, 59,
60-61, 121-122, 187
et diabète, 49, 60
et diagnostics erronés, 35
et douleurs thoraciques, 35
et essais cliniques, 261
et évaluation du risque, 55
et examen physique, 55
et forme du corps, 50-51, 94
et hypercholestérolémie, 60
et hypertension, 46, 60
et réadaptation cardiaque,
235
et rigidité du cœur, 167-168
et socialisation, 63
et soins médicaux, 62-63,
134, 165, 182, 220
et souffle, 169
et spécialistes, 220
et syndrome cardiaque X, 154
et tabagisme, 39, 40, 73
et taux de cholestérol, 43
et taux de protéine réactive
C, 54
taux de mortalité chez la,
61, 62
Voir aussi ménopause;
grossesse
fibrillation auriculaire, 160-161
et troubles valvulaires,
173-174, 225, 229
isolée, 212
tests médicaux pour la, 142
traitement de la, 209-212,
213-214, 221
fibrillation auriculaire isolée,
211

fibrillation ventriculaire, 214
fibrose, 153
fièvre, 175
fièvre rhumatismale, 173, 211
fluoroscopie, 141, 144
flutter auriculaire, 162, 212-214
fonction hépatique, 97, 188
Fondation des maladies du
cœur et de l'AVC
et campagne Le cœur tel
qu'elles, 62,
et recommandations sur le
mode de vie, 50, 82, 85,
86, 89, 90, 97-98
et recommandations sur les
soins et traitements, 47,
111, 200
et ressources, 15, 88, 164,
189, 200, 217, 238, 239, 251
et statistiques, 16, 36, 38, 53,
61, 62
forme corporelle, en tant
que facteur de risque de
cardiopathie, 50-51.
Voir aussi surpoids; tour de
taille
forme physique et fréquence
cardiaque, 31
Food and Drug
Administration, 76
fraction d'éjection (FE), 24
et défibrillateurs
implantables, 215-216
et tests médicaux, 139
normale, 139
fracture de la hanche, 67
fréquence cardiaque
au repos, 30, 117
et évanouissement,
118
lente, 158. *Voir aussi*
bradycardie
normale, 30
rapide, 30, 246. *Voir aussi*
tachycardie
Voir aussi arythmies
frères et sœurs, 34
fritures, 84, 85, 98

fumée secondaire, 38, 39, 40
furosémide, 220

G
gain de poids, 218, 219
gammaencéphalographie,
139
génomique, 263
glucides, 80
glucose, 103
glucose sanguin, 91, 103, 189
grains, 79, 80, 85, 88, 98
graisse
alimentaire, 82-85, 97,
100
corporelle, 50-51, 60, 140
triglycérides, 42, 51, 84, 99
graisse corporelle, 50-51, 60
dans le cœur, 140
Voir aussi triglycérides
grands-parents, 33, 34-35
gras alimentaires, 82, 83-85,
97-98, 100-101
gras insaturés, 83
gras mono-insaturés, 83, 97
gras oméga-3, 84, 86
gras oméga-6, 84
gras polyinsaturés, 83, 97
gras saturés, 83, 84
gras trans, 83, 84, 85, 98
grille de Framingham, 55-56,
129
grippe, 113, 175
grossesse
après le remplacement
d'une valvule, 227
et cardiomyopathie, 167
et diabète, 48
et tabagisme, 73
Groupe d'étude sur les
graisses trans du Canada,
98
Guide alimentaire canadien,
78-79, 85-86, 88, 98

H
héparine, 201
Herceptine, 167

médicaments contre
l', 174-175
inhibiteurs calciques, 206, 209,
212
inhibiteurs de l'enzyme
de conversion de
l'angiotensine (IECA), 174,
181, 188, 218
insuffisance cardiaque.
Voir insuffisance cardiaque
congestive (ICC)
insuffisance cardiaque
congestive (ICC),
163-164, 217
après la crise cardiaque,
165-166
défibrillateur pour l', 215,
221-222
et alimentation, 218-219
et changements dans le
mode de vie, 218-219
et fibrillation auriculaire,
212
et fraction d'éjection, 24
et fraction d'éjection
préservée, 167-168
et pression artérielle, 44
et sténose aortique, 171
et symptômes, 115, 218-219
et tests médicaux, 145,
163-164
et thérapies de haute
technologie, 221-223
médicaments contre l', 186,
218, 219-220,
temporaire, 165
traitement de l', 217-223
insuffisance diastolique,
167-168, 218
insuffisance systolique, 217
insuline, 48, 103
insulinorésistance, 51
interactions médicamenteuses,
Internet en tant que source
d'information, 15
intimité, 251, 252, 253
IPS vasculaire par Doppler,
142-143, 145, 156

IRM, 139-140
ischémie, 124

J
jambes
crampes, douleur et fatigue
dans les, 121, 154
et AOMI, 54, 121, 143, 145,
154-156
et enflure, 163, 246
et mouvements durant
l'évanouissement, 119
et veines pour pontage, 196
troubles de la circulation
dans les, 121, 142-143,
154-156
jeunes adultes
et AVC, 39-40
et cardiopathie, 37
et évanouissement, 117-118
et poids, 52
et tabagisme, 39-40
journal alimentaire, 95

L
Lasix, 220
légumes, 78, 79, 85, 86, 98,
100-101
légumineuses, 101
lésions « produisant des
veufs », 26
lupus, 175

M
mâchoire, douleur ou malaise
à la, 108, 110, 111, 113, 128,
148, 149, 151, 152
magnésium, 79
maladie cardiovasculaire, 21,
147
décès par, 16-17
et diabète, 103
prévention de la, 63
maladie coronarienne
chez la femme, 35
décès par, 16
définition de la, 34-36,
147-148

et antécédents familiaux,
34-35
et conduite automobile, 240
et évaluation du risque,
55-57
et facteurs de risque, 33-54
et hormonothérapie
substitutive, 260
et symptômes, 107-113
et tabagisme, 38, 73
médicaments contre la, 188
précoce, 34-35, 43
tests médicaux pour la,
124-135, 145
traitement de l', 28, 179-204
types d', 147-156
Voir aussi athérosclérose
maladie coronarienne
multivaisseaux, 197
maladie d'Alzheimer, 44
maladie des artères coronaires.
Voir maladie coronarienne
maladie non coronarienne,
157
diverses formes de la,
158-176
maladie vasculaire, 54
des membres inférieurs, 155
malaise au niveau de la gorge,
149, 152
malaise thoracique
après une crise cardiaque,
246
durant la crise cardiaque,
113, 151
en tant qu'urgence, 109,
111, 152, 245
et analyses sanguines,
126-127
et cardiopathie, 107
et tests médicaux, 123-135
manger au restaurant, 80, 81,
82, 84, 86, 87, 88, 219
marcher
après une angine, 148
après une crise cardiaque
ou une opération, 240
difficulté à, 121

en tant que traitement, 186
et AOMI, 156
et prévention, 89, 90, 91-92, 96
jusqu'à éprouver de la douleur, 156
malgré la douleur thoracique, 110
maux de tête, 132, 139
mécanorécepteurs, 154
médecine fondée sur les preuves, 260
médecine non traditionnelle, 189-191
médecins
prise de décisions par les, 263
réaction des patients aux, 63
Voir aussi cardiologue ; parler avec son cardiologue et son médecin
médecins de famille. *Voir* médecins
médicaments. *Voir* médication
médicaments contre l'arthrite, 220
médicaments de type Aspirine, 184
après l'angioplastie, 193
après le pontage, 197
contre l'AOMI, 156
contre la claudication, 143
contre la crise cardiaque, 202
en prévention, 211-212
et hérédité, 263
risques et bénéfices des, 180
médicaments de type Lipitor, 96
médication, 179-189, 199
antidépresseurs, 236, 237
anti-inflammatoires, 27, 175, 220
après la chirurgie, 193, 194, 197-198
bithérapie, 184, 193

dans les études médicales, 132, 134
effets secondaires de la, 102, 190-191, 193, 211, 239, 251 (*Voir aussi* effets secondaires)
essais portant sur les médicaments, 259-261
et carte-portefeuille, 211
et hérédité, 263
et interactions, 191, 210-211, 251
et phytothérapie, 189, 251
interruption de la, 182, 193, 194, 220, 221-223
prise de décision au sujet de la, 180
Voir aussi les affections individuelles
ménopause
et cardiopathie, 59, 187
et cholestérol, 42
et hypertension, 46
et maladie coronarienne, 37
forme corporelle à la, 51
Voir aussi hormonothérapie substitutive
mesure des calcifications coronaires, 56, 143-145
méthodes de cuisson, 84, 85, 86, 87, 98
mini AVC, 210, 211
mode de vie
après la crise cardiaque ou la chirurgie, 238-239, 254-255
dans la prévention primaire, 71-104
et changements, en tant que traitement, 183, 189
et diabète, 48, 49
Voir aussi sédentarité
mollet, 155
crampes au, 121
muscle cardiaque
affaibli, 24, 139, 163, 164, 218. *Voir aussi* cardiomyopathie
anatomie du, 24-25

épaissi, 24, 125, 164
et insuffisance cardiaque congestive, 24
et prise de décision du traitement, 199
et risque du pontage, 196
et tests médicaux, 137, 138-139, 140, 150-152
et viabilité à la suite d'une crise cardiaque, 140
inflammation du, 175-176
lésions au, 112-113, 150-152
mort du (*Voir* crise cardiaque)
récepteurs dans le, 153-154
rigide, 164, 167-168, 218
muscle, le cœur en tant que, 24-25
muscle lisse, 24
muscle squelettique, 24
muscles papillaires, 28
myocardite, 175-176
myocardite fulminante, 176
myocytes, 151

N
National Heart Lung and Blood Institute, 94, 155
nausée
en tant qu'effet secondaire des médicaments, 75, 132
en tant que symptôme, 108, 111, 113, 149
et angine, 149
neige, pelleter la, 241
néphrologue, 134
nerf vague, 117-118, 209
nicotine, 39, 72
nitroglycérine, 241
contre l'angine, 73, 110, 149
et crise cardiaque, 202, 246
et interactions médicamenteuses, 251
nœud auriculoventriculaire (AV), 30, 159
nœud sinoauriculaire (SA), 30
noix, 84, 87
nutrition. *Voir* alimentation

O

obésité
définition de l', 93
et diabète, 48
et hypertriglycéridémie, 42
et imagerie TDM, 141
et maladie cardiovasculaire, 15
et mode de vie, 52, 91
et taux de protéine C réactive, 53
statistiques sur l', 51
Voir aussi surpoids
œdème, 163
œufs, 84
œsophage, 138
opération à cœur ouvert
arrêt du cœur durant l', 225
chez les aînés, 171-172, 261
et récupération, 195, 225
implantation d'un stimulateur, 206-208
pontage, 195-198
valvuloplastie, 225-231
oreillette droite, débit de sang dans l', 23
oreillette gauche, débit de sang dans l', 22
oreillettes, fonction des, 22-23
Organisation mondiale de la santé, 39
orthostatique, hypotension, 116
ostéoporose, 66

P

pain. *Voir* grains
palpitations, 120-121
bénignes, 205-206
tests médicaux pour les, 129, 142
traitement des, 205-206
pancréas, 48, 99
pancréatite, 99
parler avec les membres de sa famille et ses amis, 255, 264
parler avec son cardiologue et son médecin, 263-264

de l'alimentation, 78
de l'angiographie, 201
de l'essoufflement, 113, 115
de l'implantation percutanée de la valvule aortique (IPVA), 262
de l'interruption de la médication, 193, 220, 244
de la dépression, 237
de la douleur et des malaises, 124, 244
de la douleur, 111, 113, 124
de la fatigue, 239
de la fibrillation auriculaire, 209
de la médication, 182, 187, 191, 193, 220
de la pertinence de consulter un spécialiste, 221
de la phytothérapie, 191
de la pression artérielle, 47, 187
de la prise en charge du stress, 99
de la réadaptation cardiaque, 187, 236
de la reprise du travail, 239
de la valvuloplastie, 226, 227
des antécédents familiaux, 209
des changements d'humeur, 244
des crampes dans les jambes, 121
des douleurs thoraciques, 111, 113, 124
des effets secondaires, 193
des facteurs de risque de cardiopathie, 55-56
des interactions médicamenteuses, 191
des résultats de l'ECG, 125
des taux de cholestérol, 42
des tests médicaux, 124, 125, 134-135, 201
des thérapies complémentaires, 190

des traitements, 183
du tabagisme, 76
partie N terminale de la prohormone du peptide cérébral natriurétique (NTproBNP), 164
pelleter la neige, 241
péricarde, 31
péricardite, 113, 174-175, 176
périménopause. *Voir* ménopause
périodes de Luciani-Wenckebach, 206
Persantine, 132
personnes transgenres, 68
perte de poids, 80, 92-96, 219
phytothérapie, 189, 190-191, 251
placebo, 67, 191, 260
plaque
accumulation dans les artères de la, *Voir* athérosclérose
et AVC, 45
et cholestérol, 41
rupture de la, 149
pneumonie, 114
podomètre, 91, 96
poids
en tant que facteur de risque, 49-51
et activité physique, 90
et cholestérol, 98
et diabète, 103
et pression artérielle, 100
idéal, 92-93
mesure du, 95
prise en charge du, 92-96
Voir aussi forme du corps ; obésité ; surpoids
poids corporel. *Voir* poids
poisson, 79, 81, 83, 84, 97, 101
pontage, 195-198
après thérapie alternative, 190
chez la femme, 63
coronarographie précédant le, 134

REMERCIEMENTS

Je tiens à remercier les diverses personnes qui ont rendu ce livre possible. Kim Giles a passé des centaines d'heures à taper et retaper le texte, et à travailler avec moi sur le manuscrit. Son dévouement, sa loyauté et ses talents d'organisatrice se sont avérés inestimables. Elle m'a aidée à donner vie à ce projet. Le docteur Robert Chisholm m'a fourni de précieux conseils sur le contenu du livre. Je lui suis reconnaissante de son soutien, de ses conseils et de son amitié. Le docteur Anthony Graham a révisé le contenu scientifique pour le compte de la Fondation des maladies du cœur et de l'AVC. Je te remercie, Tony, pour le temps que tu y as consacré et pour ton mentorat. Maryam Sanati a travaillé sans relâche à mes côtés durant les longues soirées de révision du manuscrit. Elle m'a aidée à préserver mon style personnel tout en éclaircissant les concepts médicaux complexes. Et surtout, mes patients : vos histoires ont donné forme aux études de cas que j'ai partagées avec les lecteurs. Même si j'ai changé certaines informations personnelles, elles ont contribué à lui donner vie. Je vous en remercie tous infiniment.

TABLES DES MATIÈRES

DEUXIÈME PARTIE
PRÉVENTION ET DÉPISTAGE DE LA CARDIOPATHIE

TROISIÈME PARTIE
QUAND LE CŒUR A DES ENNUIS

CINQUIÈME PARTIE
LE FUTUR

Suivez-nous sur le Web

Consultez nos sites Internet et inscrivez-vous à l'infolettre pour rester informé en tout temps de nos publications et de nos concours en ligne. Et croisez aussi vos auteurs préférés et notre équipe sur nos blogues!

EDITIONS-HOMME.COM
EDITIONS-JOUR.COM
EDITIONS-PETITHOMME.COM
EDITIONS-LAGRIFFE.COM

MARQUIS

Québec, Canada

Achevé d'imprimer au Canada
sur papier Enviro 100% recyclé